新潮文庫

# お伽草紙

太宰治著

新潮社版

*2051*

# 目 次

盲人独笑 ……………………………… 七
清 貧 譚 ……………………………… 三
新釈諸国噺 …………………………… 三
貧の意地 ……………………………… 三
大力 …………………………………… 七
猿塚 …………………………………… 九〇
人魚の海 ……………………………… 一〇一
破産 …………………………………… 三
裸川 …………………………………… 三六
義理 …………………………………… 一五〇
女賊 …………………………………… 一六五

| | |
|---|---|
| 赤い太鼓 | 一六八 |
| 粋人 | 一八六 |
| 遊興戒 | 二一一 |
| 吉野山 | 二二二 |
| 竹 青 | 二三五 |
| お伽草紙 | 二六七 |
| 瘤取り | 二八〇 |
| 浦島さん | 三〇二 |
| カチカチ山 | 三三二 |
| 舌切雀 | 三六七 |

解説　奥野健男

お伽草紙

# 盲人独笑

よる。まつのこのまより月さやかにみゆると。ひとの申さるるをききてよめる。
はなさきて。ちりにしあとの。このまより
　すすしくにほふ。つきのかけかな
まだ。ほかにも。あるなれど。ままにしておけ。
　　　　　　　　　　　　——葛原勾当日記——

## はしかき

葛原勾当日記を、私に知らせてくれた人は、劇作家伊馬鵜平君である。堂々七百頁ちかくの大冊である。大正四年に、勾当の正孫、葛原𦱌というお人に依って編纂せられ、出版と共に世人を驚倒せしめたものの様であるが、不勉強の私は、最近、友人の伊馬鵜平君に教えられ、はじめて知った次第である。私一個人にとっては、ひどくもの珍しい日記ではあっても、世の読書人には、ああ、あれか、と軽く一首肯を以てあしらわれる普遍の書物であるのかも知れない。そこは、馬鹿の一つ覚えでおくめんも無く押し切って、世の中に我のみ知るという顔で、これから、仔細らしく物語ろうというわけである。

大正四年、葛原𦱌氏の手に依って、故勾当の日記が編纂、出版せられる迄は、葛原勾当その人に就いても、あまり知られていなかった様である。この、𦱌氏編纂の勾当日記には、東京帝国大学史料編纂官、和田英松というお人の序文も附加せられて在るが、「それには、「葛原勾当は予が郷里備後の人にして音楽の技を以て其名三備に高か

予、幼時より勾当の名を聞くこと久しかりしも、のみ思ひ居たりき。然るに、近年勾当の令孫菡君を識るに及び、勾当の性行逸事等を聞きて音楽の妙手たりしのみならず、其他種々の点に於ても称揚すべきもの多かりしを知りぬ。云々。」とあって、その職は史料編纂官、その生まれ在所は勾当と同じ備後の人でさえ、故勾当の人物に就いては、そんなに深く知っていたわけでは無かったという事がわかるのである。また、東京盲学校長、町田則文という、お人も、序文を寄せて居られるが、それには、「一日葛原菡君、余が学校を訪はれ君が祖父故葛原勾当自記の四十余年間に亙れる仮名文字活字日誌を示され、且、其生存中に於ける事業の大要及び勾当の趣味等につき、詳に語らる。余之を聴き所感殊に深く、俄然として我が帝国盲教育上に一大辰を仰ぎ得たるの想を為せり。云々。」とあって、いたく驚いている様子が、わかるのである。このように、故勾当の名も、その日記も、大正四年、正孫の葛原菡氏が、その祖父君の遺業を、写真数葉、勾当年譜、逸話集等と共にまとめて見事な一本と為し、「葛原勾当日記」と銘題打って、ひろく世に誇示なされる迄は、わずかに琴の上手として一地方にのみ知られていただけのものでは無かったかと思う。それが、今では、人名辞典を開けば、すなわち「葛原勾当」の項が、ちゃんと出ているのであるから、故勾当も、よいお孫を得られて、地下で幽かに緩頬なさ

盲人独笑

葛原勾当。徳川中期より末期の人。箏曲家也。文化九年、備後国深安郡八尋村に生まれた。名は、重美。前名、矢田柳三。孩児の頃より既に音律を好み、三歳、痘を病んで全く失明するに及び、いよいよ琴に対する盲執を深め、九歳に至りて隣村の瞽女お菊にねだって正式の琴三味線の修練を開始し、十一歳、早くも近隣に師と為すべき者無きに至った。すぐに京都に上り、生田流、松野検校の門に入る。時、文政九年也。その年帰郷し、勾当の位階を許され、久我管長より葛原の姓を賜う。十五歳、業成り、以後五十余年間、三備地方を巡遊、箏曲の教授をなす。傍ら作曲し、その研究と普及に一生涯を捧げた。座頭の位階を返却す。検校の位階を固辞す。金銭だに納付せば位階は容易に得べき当時の風習をきたなきものに思い、位階は金銭を以て購うべきものにあらずとて、死ぬるまで一勾当の身上にて足れりとした。天保十一年、竹琴を発明し、のち京に上りて、その製造を琴屋に命じたところが、琴屋のあるじの曰く、奇しき事もあるものかな。まさしく昨日なり、出雲の人にして中山といわるる大人が、まさしく同じ琴を造る事を命じたまいぬ、と。勾当は、ただちにその中山という人の宿を訪れて草々語らい、その琴の構造、わが発明と少しも違うところ無きを知り、かえって喜び、貴下は一日はやく註文したるものなれば、とて琴の発明の栄冠を、手軽く

中山氏に譲ってやった。現在世に行われている「八雲琴」は、これである。発明者は、中山通郷氏という事になっている。なお彼は、文政十年、十六歳の春より人に代筆せしめ稽古日記を物し始めたが、天保八年、二十六歳になってからは、平仮名いろは四十八文字、ほかに数字一より十まで、日、月、同、御、候の常用漢字、変体仮名、濁点、句読点など三十個ばかり、合わせても百字に足りぬものを木製活字にして作らせ、之を縦八寸五分、横四寸七分、深さ一寸三分の箱に順序正しく納めて常時携帯、ありしことと思うことそのままに、一字一字、手さぐりにて押し印し、死に至るまで四十余年間ついに中止せず克明にしるし続けた。ほとんど一世紀以前、日本の片隅に於て活版術を実用化せしもの既にありといっても過言で無い。そのほか、勾当の逸事は枚挙に違なし。盲人一流の芸者として当然の事なれども、触覚鋭敏精緻にして、琉球時計という特殊の和蘭製の時計の掃除、修繕を探りながら自らやって楽しんでいた。若き頃より歯が悪く、方々より旅の入歯師来れどもなかなかよき師にめぐり合う事なく、遂に自分で小刀細工して入歯を作った。折紙細工に長じ、炬燵の中にて、弟子たちの習う琴の音を聴き正しつつ、鼠、雉、蟹、法師、海老など、むずかしき形をこっそり紙折って作り、それがまた不思議なほどに実体によく似ていた。また、弘化二年、三十四歳の晩春、毛筆の帽被を割りたる破片を机上に精密に配列し以て家屋の設計図を

製し、之によって自分の住宅を造らせた。ひどい暑がりにて、その住居も、風通しのよき事をのみに盲人らしき手落があった。けれども、この家屋設計だけには、わずか考えて設計せしが、光線の事までは考え及ばざりしものの如く、今に残れるその家には、暗き部屋幾つもありというのも哀れである。されど、之等は要するに皆かれの末技にして、真に欽慕すべきは、かれの天稟の楽才と、刻苦精進して夙ほやに鬱然一家をなし、世の名利をよそにその志す道に悠々自適せし生涯とに他ほかならぬ。かれの手さぐりにて自記した日記は、それらの事情を、あますところ無く我らに教える。勾当、病歿びょうぼつせしは明治十五年、九月八日。年齢、七十一歳也。

以上は、私が人名辞典やら、「葛原勾当日記」の諸家の序やら跋ばつやら、または編者の筆になるところの年譜、逸話集、写真説明の文など、諸処方々から少しずつ無断盗用して、あやうく纏まとめた故葛原勾当の極めて大ざっぱな略伝である。その人と為に就いての、私一個人の偽らぬ感想は、わざと避けた。日記の文章に就いての批評も、ようせぬつもりだ。今は、読者にその日記のほんの一部分を読んでいただけたら、そのわけは、とにかく日記を読んでもらった後で申し上げることにしたい。そこには、勾当三十六歳、青春一年間の日記だけを、展開する。全日記の、謂いわば四

十分の一に過ぎない。けれども、読者に不足を感じさせるような事は無い。そのわけも、日記の「あとかき」として申し上げる。いまは、勾当三十六歳正月一日の、手さぐりで一字一字押し印した日記の本文から、読者と共に、ゆっくり読みすすめる。本文は、すべて平仮名のみにて、甚だ読みにくいゆえ、私は独断で、適度の漢字まじりにする。盲人の哀しい匂いを消さぬ程度に。

葛原勾当日記。天保八酉年。

〇正月一日。同よめる。
　たちかへる。としのはじめは。なにとなく。しつがこころも。あらたまりぬる。
　山うば。琴にて。五へん。

〇同二日。ゑちごじし。琴にて。十二へん。
　おふへ村、ちよ美、八つときに、きたる。あづまじし。さみせんと合はせたること、そのかずをしらず。
　おもうとち。しらべてあそぶ。いとたけの。かずにひかれて。けふもくらしつ。

○同三日。なにごともなく。
○同四日。けいこ、はじめ。
おせん。琴。きぬた。
あぶらやのおせつ。琴。さよかぐら。
とみよしや、おぬね。琴。うすごろも。
おりやう。琴。ゆきのあした。
すみ寿。琴。さくらつくし。
おあそ。琴。きりつぼ。
おけふ。琴。こむらさき。
おのみちや、こわさ。さみせん。四きのながめ。
おてう。さみせん。いうぞら。
おせつ。琴。わかな。
おふさ。琴。うきね。
おりう。さみせん。やしま。
しげの。琴。こころつくし。
ゑちごじし。同五へん。

おとく。さみせん。きぎす。
いばら、おさと。琴。むめがる。
せいぎよく。さみせん。みづかがみ。
おびや、こさだ。さみせん。六だんれんぽ。
ゑびすや、おいし。琴。だうじやうじ。
すみや、おいそ。琴。をきな。
おさわ。さみせん。いそちどり。
いづれも、かたちばかり。こまつやの、おかや、きたらず。
○同五日。おてう。ばかり。けいこいたす。さみせん。いうぞら。さるのこくに、か
へりぬ。あとわ、さびしくなりにけり。
○同六日。雨ふる。
おかや。こらしめのため。四きのながめ。琴にて。三十二へん。

中略。（太宰）

○同二十七日。京に、のぼる。たつのこくに、のる。ひつじのこくに、つる一も、のる。
やなぎやの、ふね。

つた一も、のる。
〇同二十八日。たましまに、つき、いぬのこくに、たち
〇同二十九日。うのこくに、日比に、つき、たつのこくに、たち、さるの、ちうこく
に、さこしに、つき
〇同三十日。ゆきしまに、ふねをつなぎ、そらのはるるを、まち
〇二月一日。うのこくに、たち
〇同二日。とらのこくに、あかしに、つく。
　たちいてて。いまわくるしき。たびごろも。たもとにかよう。かぜのさむけさ。
　ひとまるさまへ、まゐる。
〇同三日。むまのこくに、たち、とりのこくに、ひようごに、つき
〇同四日。ねのこくに、たち、みのこくに、おうさかに、つき
〇同五日。みのこく。京
〇同六日。より。まつのさまへ、きしく（寄宿。）
〇同七日。かわりなく候。
〇同八日。あそんだ。あまり、あそぶも、たいくつな、もの。
〇同九日。かわりなく候。

○同十日。にもつ。うけとる。
○同十一日。かわりなく候。しのびにて、さらえを、する。
○同十二日。おやしきに、おいて、琴、ほをのを(奉納)あり。おうむ(鸚鵡)のこゑを、きく。

　　　同断中略。

○四月十九日。に(荷)を、くだす。
○同二十日。あすわ、ふねなり。

こよひわ、なぜこのやうに、ねられぬことかな。わけもない、ことばかり、おもひて、はや、うしのこくにも、なるらん。まことなき。ひとのこころと。とくしらば。なにをうらみの。たねとかわせん。ほんに、おもひまわせば、たのむわ、ふるさと。ちち、はは。まだ、ほかにも、あり。

○同二十一日。たつのこくに、みやこをたち、さるのこくに、おのみちぶねに、のりかへらんと。つつめばそでに。あまりけり。つみしわかなを。いかにとかせん。
○同二十二日。かぜ、つよし。さけを、のみ、

○同二十三日。むまのこくに、おのみちに、つき、とみよしやに、とまる。かぜふかばふけ。ふなびとに。まかせてわたる。のりのうみ。なみたたばたて。
○同二十四日。ふるさと、あやめ（菖蒲）なにことも。さたかならざる。よのなかに。かわらぬきみの。こころうれしき。
○同二十五日。すみ寿。琴にて。かがりび。三へん。けいこいたす。

　　　同断中略。

○五月一日。とぞなりにける。さても、このせつわ、は（歯）を、いたむ。
○同二日。あめふる。おりやう。さみせん、ななくさ。おふえ村、おすて。きたりぬ。琴にて、てんかたいへい。さても、さても、歯がいたい。
○同三日。つづいて。あめ。はもいたむ。なにほどの、つみや、むくいの、あらわれて、かくまでわれわ、はをいたむらん。
○同四日。あめも、ふらぬに、はをいたむ。なにのいんがに、このやうな、気づよいをとこが、まま、わしや、いとし。
○同五日。はをいたむゆゑ、げざいをのむ。されども、きかず。さて。
○同六日。くすりも、よくめぐりけるか、歯わ、なをり、はらをいたむ。さくじつつま

○同七日。ひるから、あめふる。また、歯がいたまねばよいが。
○同八日。うてん。それこそ、また歯をいたむにつき、のみけるものわ、くすり。
○同九日。あめふる。か（蚊）ひとつ。
　かならずと。ちぎりしひとわ。来もやらで。さみだれかかる。やどのさびしさ。
○同よる。はを、いたみ候。ああ、さてもさても。
○同十日。あめふる。歯が、いたい。おかや。琴。するゑのちぎりをけいこする。おか
　やに言はれて、こんにちより、たばこを、たち（断ち）申し候。
○同十一日。あめふる。同いたい、いたい。
　にくまれて、世にすむかひわ、なけれども、かわいがられて、死のよりましか。
　この、こか（古歌）のごとく、わしも、歯がいたくて、世にすむかひわ、なけ
　れども、ねずみとらずの、ねこよりましか。やれやれ、いたや。いのちの、あら
　んかぎりわ、この歯をいたむことかと、おもへば、かなしく候。
　さびしさわ。あきにもまさる。ここちして。日かずふりゆく。さみだれのころ。
○同十二日。同いたむ。ひるからわ、いたみも、すくなし。四つから、てん気よく、

○同十三日。歯も、こころよく候。こん日より、また、たばこをのむ。おけふ。さみせんにて、おいまつ。けいこいたす。

同断中略。

○六月十六日。休そく。やれ、たいくつや。あつや。へいこう、へいこう。
○同十七日。あるうたに、あさねして、またひるねして、よひ（宵）ねして、たまたま起きて、ねねむりをする。
○同十八日。なにをしたやら、わけがわからぬ。
○同十九日。なんにも、することがない。あつや、あつや。
○同二十日。また、休そく。このごろわ、きうそくだらけで、ござる。
○同二十一日。うのこくにいでて、たかや（高屋）かわもと（川本）に、きたる。おてる。さみせんにて。そでのつゆ。
○同二十二日。せみのこゑが、やかましい。

○同二十三日。ながさき、めつけ（目附）のおとをり。したにをれ。
○同二十四日。きのうをよりも、あつい。おてる、けいこあいすみ、どんなゆめを見るのぢや、と子どもらしきこと、せがむゆゑ、おてる、もうじん（盲人）もゆめわ見るわい、ゆうべのゆめであつた、にんぎやうが、琴さみせん、こきう（胡弓）ふる、つづみ、たいこにて、ゑてんらく（越天楽）を合はせけるに、おわるやいなや、なりものを、いつさい、なげてければ、のこらずくだけたり。また、もひとつ、つぎはぎのゆめを見た、ぬすびとの、わきざしを持ち、にかいへあがる、ころものそで、はしごにかかり、つぎに、ざいた（座板）ふみ落す、ここわなにかと問へば、たばこをだす、あな、と言ふ、したには、くわじ（火事）なかば、琴のいとをしめて、かへるといへば、たけだの仁吾が、だいかぐらを、つれてくる、見ておかへりなされといふ、なにがなにやら、わからぬゆめであつたと、いへば、おてるわ、ころげてわらつた。また、十五六七八くらゐの、むすめを、ゆめに見たといへば、どんな着ものを、とすぐに問ふなり。もうじんには、いろわ、わからぬれども、さむき着ものであつたから、あを（青）であらうといへば、おてるわ、かんしんした。
○同二十五日。あめもふる。ひもてる。きつねの、よめいりか。

○七月六日。たなばたの、うたにとて、よむ。ひととせに。こよいあうせの。あまのかわ。わたらばいまや。水まさるらん。あわぬが、よい。

○同七日。かねてたのみし、ひとの、かへられければ、さてさて、つまらぬ。ひとつとして、わがおもふことの、かなわぬわ、こよひなり。なれども、一つここに、たのしみあり。かぜまかせに、くらして、けいこが一ばん。

○同八日。あさ。おちか。てぬぐひかけを、あさがほにとられた。おさく。さみせんにて、たなばた。琴にて、むしのね。

○同九日。みなみな、かへる。さても、あついこと、やれやれ、あつや。どこへもゆけぬわい。ひとあめふらねば、すずしうわならぬか。よしよし、あそぶぞ。こしを据ゑて、をれば、いろいろのことを、おもひだすなり。さてまた、いよのくに、まつやまから、けいこを、たのむけれど、ゆけば三ねん、かかる。ゆかねばすまず。はて。なんとしたが、よかんべい。それについて、うたを、よんだ。きいてもくんない。

みみなくば。などかこころの。まどわまし。きかぬむかしぞ。こひしかりける。

〇同十日。そら。あしく。てりもせず、ふりもせず。そして、わしわ、すまぬことをしたわい。あやまり、あやまり。

〇同十一日。うてん。さて。めづらしきさたを、きく。

〇同十二日。気が、さゐん。あんらくじにて、もりかねの、うたざらるあり。ひるは、さらさら汗がでる。よるわ、ぞろぞろ雨がふる。はだしで、もどつた。やぶれがさ。

同断中略。

〇八月二十日。おかやが、びいどろ（硝子）の、とつくり（徳利）を、くれた。うてん。いとを、しめたばかり。とみよしゃに、ねたりける。

〇同二十一日。うてん。ひるからわ、あめもあがり、やれ、いそがしや、いそがしや。はいやに、とまる。

〇同二十二日。こあさ。さみせんで、ななくさを、はじめる。しげのの、おりう。さみせんで、いうぞら。けふわ、さみせん、よく鳴りまし候。はいやに、とまる。

〇同二十三日。たいさんじにて、ついぜん、あいすみ。

○同二十四日。とみよしやにて、むかいびきをする。同よる。あめがふる。
○同二十五日。たつのこくにいでて、かわみなみ村おのみちやへ。きく弥が、琴で、ゆうがほを、ひいたが、ねずみが、あるくやうであつたわい。けいこ。
○同二十六日。てんき。そこやかしこにゆき。
○同二十七日。かみをいうたり、ふろへ、はいつたり。むしのこゑ、みづが、ながれるやうな。たへかねて、なにことも。ひとのこころに。まかす身は。いつをそれとも。さだめかねつる。おかや。ひとり寝。さみせんにて。
○同二十八日。けいこ、あいすみ。つらきめに、あいたることか。ふつふつ、つかれた。四そく（足）かなわず。いわれず。きこゑず。ただ、ただ、見ゆるばかりで。ふふ。

同断中略。

○九月二十五日。このごろわ、あきのなかばなるに、うたもよめず、これでわ、こまつたものかな。かぜを、ひきて、ねたり。みぎのかほが、は（腫）れ、なにやらかやら、たのしまず。そこへ、だいかぐら（大神楽）が来たが、ぶざいくな、や

つであった。

〇同二十六日。ただ、しんきに、くらしたり。かぜ、すこしわ、よろしく。
〇同二十七日。お(起)きて、ははに、あふ。おかやのことわ、言わず。
〇同二十八日。あまりのさびしさに。
さけもあり。もち(餅)もあるなり。ゆふしぐれ。同よる。ばくちを、うつ。
〇同二十九日。けいこ、一つ。
〇同三十日。おかやわ、ふびんなり。あまりのことなれば、かくここに、しるす。みのこくより、けいこ。じゆの一、さみせん、きくのつゆ。おさわ、琴にて、馬追ひ。
〇十月一日。あさ、すこし、あめふる。つぎに、かぜが、だいぶん、ふき候。同ばんかた、わが言ひしことを、そくざにおいて、打ちけされけることあり。にくき、やつばらめ。
〇同二日。はし(橋)にて、であい、ひさしぶりにて、はなしをする。
さむしとて。かさぬるそでの。かひなきに。かくこそむかへ。うづみびのもと。

盲人独笑

同断中略。

○十一月十六日。けいこ。よる、ゆきがふる。よくおもひみれば、日かずが、はや、なにほどもない。

○同十七日。みのこくに、いでて、ひつじのこくに、おべ村くわだに、きたる。どこへいつても、けいこの子の、ほかのようじ（用事）にて、いそがしきときほど、まの、わるいものわない。なにをするにも、ふじゆう（不自由）なやら、おやごに気がねるやら。このやうな、わるいことなら、なぜ、ここへ来たかとおもわる。けいこわ、かたてまの、あそびにあらず。さむさ、きびしく、あしを、いたむ。

○同十八日。あそんだ。

○同十九日。いではら九一ろうどのに、はじめて、たいめんいたす。ちや（茶）の、

よのわざに。けふもひかれて。くらしけり。あすも同。みとは知りにき。そこでも、ふそくを言わるるにわ、わしも、へいこを。そこでも、いわれ、こどでも、いわれ。それにつき、わが師のいわく、けいこにんをば、わが子とおもへ、といへり。

めいじんなり。そのとき、すむつきの。いとものすごく。なりてこそ。ふゆ来ぬそらと。見るべかりけれと見えぬながらも、よみてけるに、九一ろうどのわ、しんがん（心眼）なるべしと、ひざ打ちたたいて、かんしんした。をかしなことぢや。

○同二十日。おつい、琴にて、うすゆき。おいそ、琴、ゆきのあした。すみ、琴、だうじやうじ。知られけり。

○同二十一日。八つどきに、しのびて、こまつやへゆき、さて、みな、てらまゐりせられて、ただ十三四なる、わらはの、るすをもりけれ、い申されければ、しかたなく、折をさいはひと、のたれこみ、ねたり、おきたり、くふたり、琴をひいたりして、さびしく御ざ候なり。れいのひとの糸を、しめてやりけり。つつむおもひも。しばかきの。やぶれていまわ。あらわれにけり。練）とわ、いまだねられず、とかく由。なにごとも、しゆげう（修行）だい一のこと。

　　同断中略。

うへもなき。ほとけの御名を。となへつつ。じごくのたねを。まかぬ日ぞなき。

盲人独笑

○十二月二十五日。さむいと、おもひてをれば、ばんかたより、また、ゆきがふりいだして、げに、さむいことになつたよ。ああ、さむや。やれ、さむや。
○同二十六日。いちにち、こたつの、もりをした。たいくつした。ひさしぶりに、また、同かの、それ、みぎの、れいの、あいかわらず、歯をいたむなりけり。たたたたたたた。
○同二十七日。となりわ、ごしゆうぎ。よる、おほゆきとなる。ことしわ、めづらしきつみを、たんと、つくりたなあ。
○同二十八日。まことに、きせる（煙管）を、よく、とをし奉候。はやく、三十になりたや。
○同二十九日。はるより、こん日までのこと、まことに、ゆめのごとく、おもわれてあれ、ゆめのやうぢや。ほんに、ふしあわせなる、としもあつたもの。二月にわくるしく、四月にわ、な（泣）き、五月にわ、歯をいたみ、夏わ、なにやらかやら、それよりわ、なかぬ日とてなかりき。おろか、なりけるよ。するの見こみも、すくなし。

まい日。ばかのごとくなりて、日を、おくるにも、たいくつしてござり申、よそへもゆけず。しかたがないぞ。

○同三十日。同よめる。じよや（除夜）のかね。百三つまでわ。かぞへけり。われ、らいねんわ、二十七さいなり。めでたくかしく。てんほう八。とり。

　　あとかき

どうであったろうか。読者、果して興を覚えたであろうか。私は、諸君に、告白しなければならぬ。これは、必ずしも、故人の日記、そのままの姿では無い。ゆるして、いただきたい。かれが天稟の楽人ならば、われも不羈の作家である。七百頁の「葛原勾当日記」のわずかに四十分の一、青春二十六歳、多感の一年間だけを、抜き書きした形であるが、内容に於て、四十余年間の日記の全生命を伝え得たつもりである。無礼千万ながら、私がそのように細工してしまった。勾当の霊も、また、その子孫のおかたも、どうか、ゆるしていただきたい。作家としての、悪い宿業が、多少でも、美しいものを見せられた時、それをそのまま拱手観賞していることが出来ず、つい腕を

伸ばして、べたべた野蛮の油手をしるしてしまうのである。作家としての、因果な愛情の表現として、ゆるしてもらいたいのである。美しければこそ、手も、つけたくなったのだ。ただならぬ共感を覚えたから、こそ、細工をほどこしてみたくなったのだ。そこに記されてある日々の思いは、他ならぬ私の姿だ。「こまつやの、おかや」との秘めたる交情も、不逞の私の、虚構である。それは、私に於ては、ゆるがぬ真実ではあっても、事実で無い。はっきりした言いかたをするなら、それは、作家の、ひとりよがりの、早合点に過ぎぬだろう。けれども私は、意識して故勾当を、おとしめようとした覚えは無い。つねに故人の、一流芸者としての精神を、尊重して来たつもりである。あとで、いざこざの起らぬよう、それだけを附記する。

「葛原勾当日記」原本に於ては、必ずしも、事実で無い。はっきりした言

かきならす。おとをだに聞かば。このさとに。わがすむことを。きみや知るらむ。

（勾当）

清貧譚

以下に記すのは、かの聊斎志異の中の一篇である。原文は、千八百三十四字、之を私たちの普通用いている四百字詰の原稿用紙に書き写しても、わずかに四枚半くらいの、極く短い小片に過ぎないのであるが、読んでいるうちに様々の空想が湧いて出て、優に三十枚前後の好短篇を読了した時と同じくらいの満酌の感を覚えるのである。私は、この四枚半の小片にまつわる私の様々の空想を、そのまま書いてみたいのである。このような仕草が果して創作の本道かどうか、それには議論もある事であろうが、聊斎志異の中の物語は、文学の古典というよりは、故土の口碑に近いものだと私は思っているので、その古い物語を骨子として、二十世紀の日本の作家が、不逞の空想を案配し、かねて自己の感懐を託し以て創作也と読者にすすめても、あながち深い罪にはなるまいと考えられる。　私の新体制も、ロマンチシズムの発掘以外には無いようだ。
　むかし江戸、向島あたりに馬山才之助という、つまらない名前の男が住んでいた。三十二歳、独身である。菊の花が好きであった。佳い菊の苗が、どこかに在ると聞けば、どのような無理算段をしても、必ず之を買い求めた。千里をはばからず、と記されてあるから相当のものである事がわかる。初秋のころ、伊豆の

沼津あたりに佳い苗があるということを聞いて、たちまち旅装をととのえ、顔色を変えて発足した。箱根の山を越え、沼津に到り、四方八方捜しまわり、やっと一つ、二つの美事な苗を手に入れる事が出来、そいつを宝物のように大事に油紙に包んで、にやりと笑って帰途についた。ふたたび箱根の山を越え、小田原のまちが眼下に展開して来た頃に、ぱかぱかと背後に馬蹄の音が聞えた。ゆるい足並で、その馬蹄の音が、いつまでも自分と同じ間隔を保ったままで、それ以上ちかく迫るでもなし、また遠きもせず、変らずぱかぱかと附いて来る。才之助は、菊の良種を得た事で、有頂天なのだから、そんな馬の足音なぞは気にしない。けれども、小田原を過ぎ二里行き、三里行き、四里行っても、相変らず同じ間隔で、ぱかぱかと馬蹄の音が附いて来る。才之助も、はじめて少し変だと気が附いて、振りかえって見ると、美しい少年が奇妙に痩せた馬に乗り、自分から十間と離れていないところを歩いている。才之助の顔を見て、にっと笑ったようである。知らぬふりをしているのも悪いと思って、才之助も、ちょっと立ちどまって笑い返した。少年は、近寄って馬から下り、

「いいお天気ですね。」と言った。

「いいお天気です。」才之助も賛成した。

少年は馬をひいて、そろそろ歩き出した。才之助も、少年と肩をならべて歩いた。

よく見ると少年は、武家の育ちでも無いようであるが、それでも人品は、どこやら典雅で服装も小ざっぱりしている。物腰が、鷹揚である。
「江戸へ、おいでになりますか。」と、ひどく馴れ馴れしい口調で問いかけて来るので、才之助もそれにつられて気をゆるし、
「はい、江戸へ帰ります。」
「江戸のおかたですね。どちらからのお帰りですか。」旅の話は、きまっている。それからそれと問い答え、ついに才之助は、こんどの旅行の目的全部を語って聞かせた。少年は急に目を輝かせて、
「そうですか。菊がお好きとは、たのしい事です。菊に就いては、私にも、いささか心得があります。菊は苗の良し悪しよりも、手当の仕方ですよ。」と言って、自分の栽培の仕方を少し語った。菊気違いの才之助は、たちまち熱中して、
「そうですかね。私は、やっぱり苗が良くなくちゃいけないと思っているんですが。」
「たとえば、ですね、——」と、かねて抱懐している該博なる菊の知識を披露しはじめた。少年は、あらわに反対はしなかったが、でも、時々さしはさむ簡単な疑問の呟きの底には、並々ならぬ深い経験が感取せられるので、才之助は、躍起になって言えば言うほど、自信を失い、はては泣き声になり、

「もう、私は何も言いません。理論なんて、ばからしいですよ。実際、私の家の菊の苗を、お見せするより他はありません。」

「それは、そうです。」少年は落ちついて首肯いた。才之助は、何とかして、この少年に、自分の庭の菊を見せてやってあっと言わせてやりたく、むずむず身悶えしていた。

「それじゃ、どうです。」才之助は、もはや思慮分別を失っていた。「これから、まっすぐに、江戸の私の家まで一緒にいらして下さいませんか。ひとめでいいから、私の菊を見てもらいたいものです。ぜひ、そうしていただきたい。」

少年は笑って、

「私たちは、そんなのんきな身分ではありません。これから江戸へ出て、つとめ口を捜さなければいけません。」

「そんな事は、なんでもない。」才之助は、すでに騎虎の勢いである。「まず私の家へいらして、ゆっくり休んで、それからお捜しになったっておそくは無い。とにかく私の家の菊を、いちど御覧にならなくちゃいけません。」

「これは、たいへんな事になりました。」少年も、もはや笑わず、まじめな顔をして考え込んだ。しばらく黙って歩いてから、ふっと顔を挙げ、「実は、私たち沼津の者

で、私の名前は、陶本三郎と申しますが、早くから父母を失い、姉と二人きりで暮していました。このごろになって急に姉が、沼津をいやがりまして、どうしても江戸へ出たいと言いますので、私たちは身のまわりのものを一さい整理して、ただいま江戸へ上る途中なのです。江戸へ出たところで、何の目当もございませんし、思えば心細い旅なのです。のんきに菊の花など議論している場合じゃ無かったのでした。私も菊の花は、いやでないものですから、つい、余計のおしゃべりをしてしまいました。もう、よしましょう。どうか、あなたも忘れて下さい。これで、おわかれ致します。考えてみると、いまの私たちは、菊の花どころでは無かったのです。」と淋しそうな口調で言って目礼し、傍らの馬に乗ろうとしたが、才之助は固く少年の袖をとらえて、

「待ち給え。そんな事なら、なおさら私の家へ来てもらわなくちゃいかん。くよくよし給うな。私だって、ひどく貧乏だが、君たちを世話する事ぐらいは出来るつもりです。まあ、いいから私に任せて下さい。姉さんも一緒だとおっしゃったが、どこにいるんです。」

見渡すと、先刻気附かなかったが、痩馬の蔭に、ちらと赤い旅装の娘のいるのが、わかった。才之助は、顔をあからめた。

才之助の熱心な申し入れを拒否しかねて、姉と弟は、とうとうかれの向島の陋屋に

まず世話になる事になった。来てみると、才之助の家は、かれの話以上に貧しく荒れはてているので、姉弟は、互いに顔を見合せて溜息をついた。才之助は、一向平気で、旅装もほどかず何よりも先に、自分の菊畑に案内し、いろいろ自慢して、それから菊畑の中の納屋を姉弟たちの当分の住居として指定してやったのである。かれの寝起きしている母屋は汚くて、それこそ足の踏み場も無いほど頽廃していて、むしろ此の納屋のほうが、ずっと住みよいくらいなのである。

「姉さん、これあいけない。とんだ人のところに世話になっちゃったね。」陶本の弟は、その納屋で旅装を解きながら、姉に小声で囁いた。

「ええ、」姉は微笑して、「でも、のんきでかえっていいわ。庭も広いようだし、これからお前が、せいぜい佳い菊を植えてあげて、御恩報じをしたらいいのよ。」

「おやおや、姉さんは、こんなところに、ずっと永く居るつもりなのですか？」

「そうよ。私は、ここが気に入ったわ。」と言って顔を赤くした。姉は、二十歳くらいで、色が溶けるほど白く、姿もすらりとしていた。

その翌朝、才之助と陶本の弟とは、もう議論をはじめていた。姉弟たちが代る代る乗って、ここまで連れて来たあの老いた痩馬がいなくなっているのである。しかに菊畑の隅に、つないで置いた筈なのに、けさ、才之助が起きて、まず菊の様子

を見に畑へ出たら、馬はいない。しかも、畑を大いに走り廻ったらしく、菊は食い荒され、痛めつけられ、さんざんである。才之助は仰天して、納屋の戸を叩いた。弟が、すぐに出て来た。
「どうなさいました。何か御用ですか。」
「見て下さい。あなたたちの痩馬が、私の畑を滅茶滅茶にしてしまいました。私は、死にたいくらいです。」
「なるほど。」少年は、落ちついていた。「それで？　馬は、どうしました。」
「馬なんか、どうだっていい。逃げちゃったんでしょう。」
「それは惜しい。」
「何を、おっしゃる。あんな痩馬。」
「痩馬とは、ひどい。あれは、利巧な馬です。すぐ様さがしに行って来ましょう。こんな菊畑なんか、どうでもいい。」
「なんですって？」才之助は、蒼くなって叫んだ。「君は、私の菊畑を侮蔑するのですか？」
姉が、納屋から、幽かに笑いながら出て来た。
「三郎や、あやまりなさい。あんな痩馬は、惜しくありません。私が、逃がしてやっ

たのです。それよりも、この荒らされた菊畑を、すぐに手入れしておあげなさいよ。御恩報じの、いい機会じゃないの。」
「なあんだ。」三郎は、深い溜息をついて、小声で呟いた。「そんなつもりだったのかい。」

弟は、渋々、菊畑の手入れに取りかかった。見ていると、葉を喰いちぎられ、打ち倒され、もはや枯死しかけている菊も、三郎の手に依って植え直されると、颯っと生気を恢復し、茎はたっぷりと水分を含み、花の蕾は重く柔かに、しおれた葉さえ徐々にその静脈に波打たせて伸腰する。才之助は、ひそかに舌を捲いた。けれども、かれとても菊作りの志士である。プライドがあるのだ。どてらの襟を掻き合せ、努めて冷然と、

「まあ、いいようにして置いて下さい。」と言い放って母屋へ引き上げ、蒲団かぶって寝てしまったが、すぐに起き上り、雨戸の隙間から、そっと畑を覗いてみた。菊は、やはり凜平と生き返っていた。

その夜、陶本三郎が、笑いながら母屋へやって来て、
「どうも、けさほどは失礼いたしました。ところで、どうです。いまも姉と話合った事でしたが、お見受けしたところ、失礼ながら、あまり楽なお暮しでもないよう です

し、私に半分でも畑をお貸し下されば、いい菊を作って差し上げましょうから、それを浅草あたりへ持ち出してお売りになったら、よろしいではありませんか。ひとつ、大いに佳い菊を作って差し上げたいと思います」

才之助は、けさは少なからず、菊作りとしての自尊心を傷つけられている事とて、不機嫌であった。

「お断り申す。君も、卑劣な男だねえ。」と、ここぞとばかり口をゆがめて軽蔑した。

「私は、君を、風流な高士だとばかり思っていたが、いや、これは案外だ。おのれの愛する花を売って米塩の資を得る等とは、もっての他です。菊を凌辱するとは、ああ、けがらわしい、お断り申す。」と、まるで、さむらいのような口調で言った。

三郎も、むっとした様子で、語調を変えて、

「天から貰った自分の実力で米塩の資を得る事は、必ずしも富をむさぼる悪業では無いと思います。俗といって軽蔑するのは、間違いです。お坊ちゃんの言う事は、いい気なものです。人は、むやみに金を欲しがってもいけないが、けれども、やたらに貧乏を誇るのも、いやみな事です。」

「私は、いつ貧乏を誇りました。私には、祖先からの多少の遺産もあるのです。自分

ひとりの生活には、それで充分なのです。これ以上の富は望みません。よけいな、おせっかいは、やめて下さい。」

またもや、議論になってしまった。

「それは、狷介（けんかい）というものです。」

「狷介、結構です。お坊ちゃんでも、かまいません。私は、私の菊と喜怒哀楽を共にして生きて行くだけです。」

「それは、わかりました。」三郎は、苦笑して首肯いた。「ところで、どうでしょう。あの納屋の裏のほうに、十坪ばかりの空地がありますが、あれだけでも、私たちに、しばらく拝借ねがえないでしょうか。」

「私は物惜しみをする男ではありません。納屋の裏の空地だけでは不足でしょう。私の菊畑の半分は、まだ何も植えていませんから、その半分もお貸し致しましょう。ご自由にお使い下さい。なおお断って置きますが、私は、菊を作って売ろう等という下心のある人たちとは、おつき合い致しかねますから、きょうからは、他人と思っていただきます。」

「承知いたしました。」三郎は大いに閉口の様子である。「お言葉に甘えて、それでは畑も半分だけお借りしましょう。なお、あの納屋の裏に、菊の屑（くず）の苗が、たくさん

「そんなつまらぬ事を、あれも頂戴いたします。」

捨てられて在りますけれど、あれも頂戴いたします。」

不和のままで、わかれた。その翌る日、才之助は、さっさと畑を二つにわけて、その境界に高い生垣を作り、お互いに見えないようにしてしまった。両家は、絶交したのである。

やがて、秋たけなわの頃、才之助の畑の菊も、すべて美事な花を開いたが、どうも、お隣りの畑のほうが気になって、或る日、そっと覗いてみると、驚いた。いままで見た事もないような大きな花が畑一めんに、咲き揃っている。納屋も小綺麗に修理されていて、さも居心地よさそうなしゃれた構えの家になっている。才之助は、心中おだやかでなかった。菊の花は、あきらかに才之助の負けである。しかも瀟洒な家さえ建てている。きっと菊を売って、大いにお金をもうけたのにちがいない。けしからぬ。こらしめてやろうと、義憤やら嫉妬やら、さまざまの感情が怪しくごたごた胸をゆすぶり、いたたまらなくなって、ついに生垣を乗り越え、お隣りの庭に闖入してしまったのである。花一つ一つを、見れば見るほど、よく出来ている。花弁の肉も厚く、力強く伸び、精一ぱいに開いて、花輪は、ぷりぷり震えているほどで、いのち限りに咲いているのだ。なお注意して見ると、それは皆、自分が納屋の裏に捨てた、あの屑の

苗から咲いた花なのである。
「ううむ。」と思わず唸ってしまった時、
「いらっしゃい。お待ちしていましたよ。」と背後から声をかけられ、へどもどして振り向くと、陶本の弟が、にこにこ笑いながら立っている。
「負けました。」才之助は、やけくそに似た大きい声で言った。「私は潔よい男ですからね、負けた時には、はっきり、負けたと申し上げます。どうか、君の弟子にして下さい。これまでの行きがかりは、さらりと、」と言って自分の胸を撫で下ろして見せて、「さらりと水に流す事に致しましょう。けれども、——」
「いや、そのさきは、おっしゃらないで下さい。私は、あなたのような潔癖の精神は持っていませんので、御推察のとおり、菊を少しずつ売って居ります。けれども、どうか軽蔑なさらないで下さい。姉も、いつもその事を気にかけて居ります。私たちだって、精一ぱいなのです。私たちには、あなたのように、父祖の遺産というものもございませんし、ほんとうに、これを機会に、またおつき合いを願います。」と言って、うなだれている三郎の姿を見ると、才之助も哀れになって来て、
「いや、いや、そう言われると痛み入ります。私だって、何も、君たち姉弟を嫌って

いるわけではないのです。殊に、これからは君を菊の先生として、いろいろ教えてもらおうと思っているのですから、どうか、私こそ、よろしくお願い致します。」と神妙に言って一礼した。

一たんは和解成って、間の生垣も取り払われ、両家の往来がはじまったのであるが、どうも、時々は議論が起る。

「君の菊の花の作り方には、なんだか秘密があるようだ。」
「そんな事は、ありません。私は、これまで全部あなたにお伝えした筈です。あとは、指先の神秘です。それは、私にとっても無意識なもので、なんと言ってお伝えしたらいいのか、私にもわかりません。つまり、才能というものなのかも知れません。」
「それじゃ、君は天才で、私は鈍才だというわけだね。いくら教えても、だめだというわけだね。」
「そんな事を、おっしゃっては困ります。或いは、私の菊作りは、いのちがけで、之を美事に作って売らなければ、ごはんをいただく事が出来ないのだという、そんなせっぱつまった気持で作るから、花も大きくなるのではないかとも思われます。あなたのように、趣味でお作りになる方は、やはり好奇心や、自負心の満足だけなのですから。」

「そうですか。私にも菊を売れと言うのですね。君は、私にそんな卑しい事をすすめて、恥ずかしくないかね。」

「いいえ、そんな事を言っているのではありません。あなたは、どうして、そうなんでしょう。」

どうも、しっくり行かなかった。陶本の家は、いよいよ富んで行くばかりの様であった。その翌る年の正月には、才之助に一言の相談もせず、大工を呼んでいきなり大邸宅の建築に取りかかった。その邸宅の一端は、才之助の茅屋の一端に、ほとんど密着するくらいであった。才之助は、再び隣家と絶交しようと思いはじめた。或る日、三郎が真面目な顔をしてやって来て、

「姉さんと結婚して下さい。」と思いつめたような口調で言った。

才之助は、頬を赤らめた。はじめ、ちらと見た時から、あの柔かな清らかさを忘れかねていたのである。けれども、やはり男の意地で、へんな議論をはじめてしまった。

「私には結納のお金も無いし、妻を迎える資格がありません。君たちは、このごろ、お金持ちになったようだからねえ。」と、かえって厭味を言った。

「いいえ、みんな、あなたのものです。姉は、はじめから、そのつもりでいたのです。結納なんてものも要りません。あなたが、このまま、私の家へおいで下されたら、そ

れでいいのです。姉は、あなたを、お慕い申して居ります。」

才之助は、狼狽を押し隠して、

「いや、そんな事は、どうでもいい。私には私の家があります。入り婿は、まっぴらです。私も正直に言いますが、けれども、君の姉さんを嫌いではありません。ははははは」と豪傑らしく笑って見せて、「けれども、入り婿は、男子として最も恥ずべき事です。お断り致します。帰って姉さんに、そう言いなさい。清貧が、いやでなかったら、いらっしゃい、と。」

喧嘩わかれになってしまった。けれどもその夜、才之助の汚い寝所に、ひらりと風に乗って白い柔い蝶が忍び入った。

「清貧は、いやじゃないわ。」と言って、くっくっ笑った。娘の名は、黄英といった。

しばらく二人で、茅屋に住んでいたが、黄英は、やがてその茅屋の壁に穴をあけ、それに密着している陶本の家の壁にも同様に穴を穿ち、自由に両家が交通できるようにしてしまった。そうして自分の家から、あれこれと必要な道具を、才之助の家に持ち運んで来るのである。才之助には、それが気になってならなかった。

「困るね。この火鉢だって、この花瓶だって、みんなお前の家のものじゃないか。持って来な女房の持ち物を、亭主が使うのは、実に面目ない事なのだ。こんなものは、

いようにしてくれ。」と言って叱りつけても、黄英は笑っているばかりで、やはり、ちょいちょい持ち運んで来る。清廉の士を以て任じている才之助は、大きい帳面を作り、左の品々一時お預り申候、と書いて、黄英の運んで来る道具をいちいち記入して置く事にした。けれども今は、身のまわりの物すべて、黄英の道具である。いちいち記入して行くならば、帳面が何冊あっても足りないくらいであった。才之助は絶望した。

「お前のおかげで、私もとうとう髪結いの亭主みたいになってしまった。女房のおかげで、家が豊かになるという事は男子として最大の不名誉なのだ。私の三十年の清貧も、お前たちの為に滅茶滅茶にされてしまった。」と或る夜、しみじみ愚痴をこぼした。黄英も、流石に淋しそうな顔になって、

「私が悪かったのかも知れません。私は、ただ、あなたの御情にお報いしたくて、いろいろ心をくだいて今まで取計って来たのですが、あなたが、それほど深く清貧に志して居られるとは存じ寄りませんでした。では、この家の道具も、私の新築の家も、みんなすぐ売り払うようにしましょう。そのお金を、あなたがお好きなように使ってしまって下さい。」

「ばかな事を言っては、いけない。私ともあろうものが、そんな不浄なお金を受け取

ると思うか。」
「では、どうしたら、いいのでしょう。」黄英は、泣声になって、「三郎だって、あなたに御恩報じをしようと思って、毎日、菊作りに精出して、ほうぼうのお屋敷にせっせと苗をおとどけしてはお金をもうけているのです。どうしたら、いいのでしょう。あなたと私たちとは、まるで考えかたが、あべこべなんですもの。」
「わかれるより他は無い。」才之助は、言葉の行きがかりから、更に更に立派な事を言わなければならなくなって、心にもないつらい宣言をしたのである。「清い者は清く、濁れる者は濁ったままで暮して行くより他は無い。私には、人にかれこれ命令する権利は無い。私がこの家を出て行きましょう。あしたから、私はあの庭の隅に小屋を作って、そこで清貧を楽しみながら寝起きする事に致します。」ばかな事になってしまった。けれども男子は一度言い出したからには、のっぴきならず、翌る朝さっそく庭の隅に一坪ほどの掛小屋を作って、そこに引きこもり、寒さに震えながら正座していた。けれども、二晩そこで清貧を楽しんでいたら、どうにも寒くて、たまらなくなって来た。三晩目には、とうとう我が家の雨戸を軽く叩いたのである。雨戸が細く
あいて、黄英の白い笑顔があらわれ、
「あなたの潔癖も、あてになりませんわね。」

才之助は、深く恥じた。それからは、ちっとも剛情を言わなくなった。墨堤の桜が咲きはじめる頃になって、陶本の家の建築は全く成り、そうして才之助の家と、ぴったり密着して、もう両家の区別がわからないようになった。才之助は、いまはそんな事には少しも口出しせず、すべて黄英と三郎に任せ、自分は近所の者と将棋ばかりさしていた。一日、一家三人、墨堤の桜を見に出かけた。ほどよいところに重箱をひろげ、才之助は持参の酒を飲みはじめ、三郎にもすすめた。姉は、三郎に飲んではいけないと目で知らせたが、三郎は平気で杯を受けた。

「姉さん、もう私は酒を飲んでもいいのだよ。家にお金も、たくさんたまったし、私がいなくなっても、もう姉さんたちは一生あそんで暮せるでしょう。菊を作るのにも、厭きちゃった。」と妙な事を言って、やたらに酒を飲むのである。やがて酔いつぶれて、寝ころんだ。みるみる三郎のからだは溶けて、煙となり、あとには着物と草履だけが残った。才之助は驚愕きょうがくして、着物を抱き上げたら、その下の土に、水々しい菊の苗が一本生えていた。はじめて、陶本姉弟が、人間でない事を知った。けれども、才之助は、いまでは全く姉弟の才能と愛情に敬服していたのだから、嫌厭けんえんの情は起らなかった。哀しい菊かなの精の黄英を、いよいよ深く愛したのである。かの三郎の菊の苗は、わが庭に移し植えられ、秋にいたって花を開いたが、その花は薄紅色で幽かにぽっと

上気して、嗅いでみると酒の匂いがした。黄英のからだに就いては、「亦他異無し。」
と原文に書かれてある。つまり、いつまでもふつうの女体のままであったのである。

# 新釈諸国噺

## 凡　例

一、わたくしのさいかく、とでも振仮名を附けたい気持で、新釈諸国噺という題にしたのであるが、これは西鶴の現代訳というようなものでは決してない。古典の現代訳なんて、およそ、意味の無いものである。作家の為すべき業ではない。三年ほど前に、私は聊斎志異の中の一つの物語を骨子として、大いに私の勝手な空想を按配し、「清貧譚」という短篇小説に仕上げて、この「新潮」の新年号に載せさせてもらった事があるけれども、だいたいあのような流儀で、いささか読者に珍味異香を進上しようと努めてみるつもりなのである。西鶴は、世界で一ばん偉い作家である。メリメ、モオパッサンの諸秀才も遠く及ばぬ。私のこのような仕事に依って、西鶴のその偉さがさらに深く皆に信用されるようになったら、私のまずしい仕事も無意義ではないと思われる。私は西鶴の全著作の中から、私の気にいりの小品を二十篇ほど選んで、それにまつわる私の空想を自由に書き綴り、「新釈諸国噺」という題で一本にまとめて上梓しようと計画しているのだが、まず手はじめに、武家義理物語の中の「我が物ゆるに裸川」の題材を拝借して、私の小説を書き綴ってみたい。原文は、四百字詰の原稿

用紙で二、三枚くらいの小品であるが、私が書くとその十倍の二、三十枚になるのである。私はこの武家義理、それから、永代蔵、諸国噺、胸算用などが好きである。所謂、好色物は、好きでない。そんなにいいものだとも思えない。着想が陳腐だとさえ思われる。

一、右の文章は、ことしの「新潮」正月号に「裸川」を発表した時、はしがきとして用いたものである。その後、私は少しずつこの仕事をすすめて、はじめは二十篇くらいの予定であったが、十二篇書いたら、へたばった。読みかえしてみると、実に不満で、顔から火の発する思いであるが、でも、この辺が私の現在の能力の限度かも知れぬ。短篇十二は、長篇一つよりも、はるかに骨が折れる。

一、目次をごらんになれば、だいたいわかるようにして置いたが、題材を西鶴の全作からかなりひろく求めた。変化の多い方が更に面白いだろうと思ったからである。物語の舞台も蝦夷、奥州、関東、関西、中国、四国、九州と諸地方にわたるよう工夫した。

けれども私は所詮、東北生れの作家である。西鶴ではなくて、東鶴北亀のおもむきのあるのは、まぬかれない。しかもこの東鶴あるいは北亀は、西鶴にくらべて甚だ青臭い。年齢というものは、どうにも仕様の無いものらしい。

一、この仕事も、書きはじめてからもう、ほとんど一箇年になる。その期間、日本に於いては、実にいろいろな事があった。私の一身上に於いても、いついかなる事が起るか予測出来ない。この際、読者に日本の作家精神の伝統とでもいうべきものを、はっきり知っていただく事は、かなり重要な事のように思われて、私はこれを警戒警報の日にも書きつづけた。出来栄はもとより大いに不満であるが、この仕事を、昭和聖代の日本の作家に与えられた義務と信じ、むきになって書いた、とは言える。

　　昭和十九年晩秋、三鷹の草屋に於て

## 目次

- 貧の意地（江戸）諸国はなし、西鶴四十四歳刊行
- 大力（讃岐(さぬき)）本朝二十不孝(ほんちょうにじゅうふこう)、四十五歳
- 猿塚（筑前(ちくぜん)）懐硯(ふところすずり)、四十六歳
- 人魚の海（蝦夷(えぞ)）武道伝来記、四十六歳
- 破産（美作(みまさか)）日本永代蔵(にっぽんえいたいぐら)、四十七歳
- 裸川（相模(さがみ)）武家義理物語、四十七歳
- 義理（摂津）武家義理物語、四十七歳
- 女賊（陸前）新可笑記(しんかしょうき)、四十八歳
- 赤い太鼓（京）本朝桜陰比事(ほんちょうおういんひじ)、四十八歳
- 粋人（浪花(なにわ)）世間胸算用(せけんむねさんよう)、五十一歳

遊興戒（江戸）西鶴置土産、五十二歳（歿ぼっ）

吉野山（大やまと和）万よろずの文ふみほうぐ反古、歿後三年刊行

## 貧の意地

むかし江戸品川、藤茶屋のあたり、見るかげも無き草の庵に、原田内助というおそろしく鬚の濃い、眼の血走った中年の大男が住んでいた。容貌おそろしげなるはその自身の顔の威厳にみずから恐縮して、かえって、へんに弱気になっているものであるが、この原田内助も、眉は太く眼はぎょろりとして、ただものでないような立派な顔をしていながら、いっこうに駄目な男で、剣術の折には眼を固くつぶって奇妙な声を挙げながらあらぬ方に向って突進し、壁につきあたって、まいった、と言い、いたずらに壁破りの異名を高め、蜆売りのずるい少年から、嘘の身上噺を聞いて、おい声を放って泣き、蜆を全部買いしめて、家へ持って帰ってんてん女房に叱られ、三日のあいだ朝昼晩、蜆ばかり食べさせられて胃痙攣を起して転輾し、論語をひらいて、学而第一、と読むと必ず睡魔に襲われるところとなり、毛虫がきらいで、それを見ると、きゃっと悲鳴を挙げて両手の指をひらいてのけぞり、人のおだてに乗って、狐にでも憑かれたみたいにおろおろして質屋へ走って行って金を作ってごちそうし、みそかに

は朝から酒を飲んで切腹の真似などして掛取りをしりぞけ、草の庵も風流の心からではなく、ただおのずから、そのように落ちぶれたというだけの事で、花も実も無い愚図の貧、親戚の持てあまし者の浪人であった。さいわい、親戚に富裕の者が二、三あったので、せっぱつまるとそのひとたちから合力を得て、その大半は酒にして、春の桜も秋の紅葉も何が何やら、見えぬ聞えぬ無我夢中の極貧の火の車のその日暮しを続けていた。春の桜や秋の紅葉には面をそむけて生きても行かれるだろうが、年にいちどの大みそかを知らぬ振りして過す事だけはむずかしい。いよいよことしも大みそかが近づくにつれて原田内助、眼つきをかえて、気違いの真似などして、用も無い長刀をいじくり、えへへ、と怪しく笑って掛取りを気味悪がせ、あさっては正月というのに天井の煤も払わず、鬚もそらず、煎餅蒲団は敷きっ放し、来るなら来い、などあわれな言葉を讒語の如く力無く呟き、またしても、えへへ、と笑うのである。まいどの事ながら、女房はうつつの地獄の思いに堪えかね、勝手口から走り出て、自身の兄の半井清庵という神田明神の横町に住む医師の宅に駈け込み、涙ながらに窮状を訴え、助力を乞うた。清庵も、たびたびの迷惑、つくづく呆れながらも、こいつ洒落た男で、

「親戚にひとりくらい、そのような馬鹿がいるのも、浮世の味。」と笑って言って、小判十枚を紙に包み、その上書に「貧病の妙薬、金用丸、よろずによし。」と記して、

不幸の妹に手渡した。

女房からその貧病の妙薬を示されて、原田内助、よろこぶかと思いのほか、むずかしき顔をして、「この金は使われぬぞ。」とかすれた声で、へんな事を言い出した。

女房は、こりゃ亭主もいよいよ本当に気が狂ったかと、ぎょっとした。狂ったのではない。駄目な男というものは、幸福を受取るに当ってさえ、下手くそを極めるものである。突然の幸福のお見舞いにへどもどして、てれてしまって、かえって奇妙な屁理窟を並べて怒ったりして、折角の幸福を追い払ったり何かするものである。

「このまま使っては、果報負けがして、わしは死ぬかも知れない。」と、内助は、もっともらしい顔で言い、「お前は、わしを殺すつもりか？」と、血走った眼で女房を睨み、それから、にやりと笑って、「まさか、そのような夜叉でもあるまい。飲もう。飲まなければ死ぬであろう。おお、雪が降って来た。久し振りで風流の友と語りたい。お前はこれから一走りして、近所の友人たちを呼んで来るがいい。山崎、熊井、宇津木、大竹、磯、月村、この六人を呼んで来い。いや、短慶坊主も加えて、七人。大急ぎで呼んで来い。帰りは酒屋に寄って、酒を飲みたくなっただけの事なのであった。うれしさで、わくわくして、

山崎、熊井、宇津木、大竹、磯、月村、短慶、いずれも、このあたりの長屋に住ん

でその日暮しの貧病に悩む浪人である。原田から雪見酒の使いを受けて、今宵だけでも大みそかの火宅からのがれる事が出来ると地獄で仏の思い、紙衣の皺をのばして、浴衣に陣羽織は無いか、足袋は無いか、押入れに首をつっ込んで、がらくたを引出し、浴衣に陣羽織という姿の者もあり、単衣を五枚重ねて着て頸に古綿を巻きつけた風邪気味と称する者もあり、女房の小袖を裏返しに着て袖の形をごまかそうと腕まくりの姿の者もあり、半襦絆に馬乗袴、それに縫紋の夏羽織という姿もあり、裾から綿のはみ出たてらを尻端折して毛臑丸出しという姿もあり、ひとりとしてまともな服装の者は無かったが、流石に武士の附合いは格別、原田の家に集って、互いの服装に就いて笑ったりなんかする者は無く、いかめしく挨拶を交し、座が定ってから、浴衣に陣羽織の山崎老がやおら進み出て主人の原田に、今宵の客を代表して鷹揚に謝辞を述べ、原田も紙衣の破れた袖口を気にしながら、

「これは御一同、ようこそ。大みそかをよそにして雪見酒も一興かと存じ、ごぶさたのお詫びも兼ね、今夕お招き致しましたところ、さっそくおいで下さって、うれしく思います。どうか、ごゆるり。」と言って、まずしいながら酒肴を供した。

客の中には盃を手にして、わなわな震える者が出て来た。いかがなされた、と聞かれて、その者は涙を拭い、

「いや、おかまい下さるな。それがしは、貧のため、久しく酒に遠ざかり、お恥ずかしいが酒の飲み方を忘れ申した。」と言って、淋しそうに笑った。
「御同様、」と半襦袢に馬乗袴は膝をすすめ、「それがしも、ただいま、二、三杯つづけさまに飲み、まことに変な気持で、このさきどうすればよいのか、酒の酔い方を忘れてしまいました。」
みな似たような思いと見えて、一座しんみりして、遠慮しながら互いに小声で盃のやりとりをしていたが、そのうちに皆、酒の酔い方を思い出して来たと見えて、笑声も起り、次第に座敷が陽気になって来た頃、主人の原田はれいの小判十両の紙包を取出し、
「きょうは御一同に御披露したい珍物がございます。あなたがたは、御懐中の御都合のわるい時には、いさぎよくお酒を遠ざけ、つつましくお暮しなさるから、大みそかでお困りにはなっても、この原田ほどはお苦しみなさるまいが、わしはどうも、金に困るとなおさら酒を飲みたいたちで、そのために不義理の借金が山積して年の瀬を迎えるたびに、さながら八大地獄を眼前に見るような心地が致す。ついには武士の意地も何も捨て、親戚に泣いて助けを求めるなどという不面目の振舞いに及び、ことしもとうとう、身寄りの者から、このとおり小判十両の合力を受け、どうやら人並の正月

を迎える事が出来るようになりましたが、この仕合せをわしひとりで受けるとは果報負けがして死ぬかも知れませんので、きょうは御一同をお招きして、大いに飲んでいただこうと思い立った次第であります。」と上機嫌で言えば、一座の者は思い思いの溜息をつき、

「なあんだ、はじめからそうとわかって居れば、遠慮なんかしなかったのに。あとで会費をとられるんじゃないか、と心配しながら飲んで損をした。」と言う者もあり、

「そう承れば、このお酒をうんと飲み、その仕合せにあやかりたい。家へ帰ると、思わぬところから書留が来ているかも知れない。」と言う者もあり、

「よい親戚のある人は仕合せだ。それがしの親戚などは、あべこべにそれがしの懐をねらっているのだから、つまらない。」と言う者もあり、一座はいよいよ明るくにぎやかになり、原田は大恐悦で、鬚の端の酒の雫を押し拭い、

「しかし、しばらく振りで小判十両、てのひらに載せてみると、これでなかなか重いものでございます。いかがです、順々にこれを、てのひらに載せてやって下さいませんか。お金と思えばいやしいが、これは、お金ではございません。これ、この包紙に、ちゃんと書いてあります。貧病の妙薬、金用丸、よろずによし、と書いてございます。さあ、どうぞ、お廻しにな——その親戚の奴が、しゃれてこう書いて寄こしたのですが、さあ、どうぞ、お廻しにな

って御覧になって下さい。」と、小判十枚ならびに包紙を客に押しつけ、客はいちいちその小判の重さに驚き、また書附けの軽妙に感服して、順々に手渡しし、一句浮びましたという者もあり、筆硯を借りてその包紙の余白に、貧病の薬いただく雪あかり、と書きつけて興を添え、酒盃の献酬もさかんになり、小判は一まわりして主人の膝許にかえった頃に、年長者の山崎は坐り直し、

「や、おかげさまにてよい年忘れ、思わず長座を致しました。」と分別顔してお礼を言い、それでは、と古綿を頸に巻きつけた風邪気味が、胸を、そらして千秋楽をうたい出し、主客共に膝を軽くたたいて手拍子をとり、うたい終って、立つ鳥あとを濁さず、昔も今も武士のたしなみ、爛鍋、重箱、塩辛壺など、それぞれ自分の周囲の器を勝手口に持ち出して女房に手渡し、れいの小判が主人の膝もとに散らばって在るのを、それも仕舞いなされ、と客にすすめられて、原田は無雑作に搔き集めて、はっと顔色をかえた。一枚足りないのである。けれども原田は、酒こそ飲むが、気の弱い男である。おそろしい顔つきにも似ず、人の気持ばかり、おっかなびっくり、いたわっている男だ。どきりとしたが、素知らぬ振りを装い、仕舞い込もうとすると、一座の長老の山崎は、

「ちょっと、」と手を挙げて、「小判が一枚足りませんな。」と軽く言った。

「ああ、いや、これは。」と原田は、わが悪事を見破られた者の如く、ひどくまごつき、「これは、それ、御一同のお見えになる前に、わしが酒屋へ一両支払い、さきほどわしが持ち出した時には九両、何も不審はございません。」と言ったが、山崎は首を振り、
「いやいや、そうでない。」
たしかに十枚の小判。行燈のひかり薄しといえども、この山崎の眼光には狂いはない。」ときっぱり言い放てば、他の六人の客も口々に、たしかに十枚あった筈と言う。皆々総立ちになり、行燈を持ち廻って部屋の隅々まで捜したのは、たしかに十枚の小判はどこにも落ちていない。
「この上は、それがし、まっぱだかになって身の潔白を立て申す。」と山崎は老いの一轍、貧の意地、痩せても枯れても武士のはしくれ、あらぬ疑いをこうむるは末代までの恥辱とばかりに憤然、陣羽織を脱いで打ちふるい、さらによれよれの浴衣を脱いで、ふんどし一つになって、投網でも打つような形で大袈裟に浴衣をふるい、「おのおのがた、見とどけたか。」と顔を蒼くして言った。他の客も、そのままではすまされなくなり、次に大竹が立って縫紋の夏羽織をふるい、半襦袢を振って、それから馬乗袴を脱いで、ふんどしをしていない事を暴露し、けれどもにこりともせず、

袴をさかさにしてふるって、部屋の雰囲気が次第に殺気立って物凄くなって来た。次にどてらを尻端折して毛臑丸出しの短慶坊が、立ち上りかけて、急に劇烈の腹痛にでも襲われたかのように嶮しく顔をしかめて、ううむと一声呻き、

「時も時、つまらぬ俳句を作り申した。貧病の薬いただく雪あかり。おのおのがた、それがしの懐に小判一両たしかにあります。いまさら、着物を脱いで打ち振るまでもござらぬ。思いも寄らぬ災難。言い開きも、めめしい。ここで命を。」と言いも終らず、両肌脱いで脇差しに手を掛ければ、主人はじめ皆々駈け寄って、その手を抑え、

「誰もそなたを疑うてはいない。そなたばかりでなく、自分らも皆、その日暮しのあさましい貧者ながら、時に依って懐中に、一両くらいの金子は持っている事もあるさ。貧者は貧者同志、死んで身の潔白を示そうというそなたの気持はわかるが、しかし、誰ひとりそなたを疑う人も無いのに、切腹などは馬鹿らしいではないか。」と口々になだめると、短慶いよいよわが身の不運がうらめしく、なげきはつのり、歯ぎしりして、

「お言葉は有難いが、そのお情も冥途への土産。一両詮議の大事の時、生憎と一両ふところに持っているというこの間の悪さ。御一同が疑わずとも、このぶざまは消えませぬ。世の物笑い、一期の不覚。面目なくて生きて居られぬ。いかにも、この懐中の

一両は、それがし昨日、かねて所持せし徳乗の小柄を、坂下の唐物屋十左衛門方へ一両二分にて売って得た金子には相違なけれども、いまさらかかる愚痴めいた申開きも武士の恥辱。何も申さぬ。死なせ給え。不運の友を、いささか不憫と思召さば、わが自害の後に、坂下の唐物屋へ行き、その事たしかめ、かばねの恥を、たのむ！」と強く言い放ち、またも脇差し取直してあがいた途端、

「おや？」と主人の原田は叫び、「そこにあるよ。」

見ると、行燈の下にきらりと小判一枚。

「なんだ、そんなところにあったのか。」

「燈台もと暗しですね。」

「うせ物は、とかく、へんてつもないところから出る。それにつけても、平常の心掛けが大切。」これは山崎。

「いや、まったく人騒がせの小判だ。おかげで酔いがさめました。飲み直しましょう。」とこれは主人の原田。

口々に言って花やかに笑い崩れた時、勝手元に、ばたばたと女房、座敷に走って来て、「小判はあれ！」と女房の驚く声。すぐに、ばたばたと女房、座敷に走って来て、「小判はここに。」と言い、重箱の蓋を差し出した。そこにも、きらりと小判一枚。これはと

一同顔を見合せ、女房は上気した顔のおくれ毛を掻きあげて間がわるそうに笑い、さいぜん私は重箱に山の芋の煮しめをつめて差し上げ、蓋は主人が無作法にも畳にべたりと置いたので、私が取って重箱の下に敷きましたが、あの折、蓋の裏の湯気に小判がくっついていたのでございましょう、それを知らずに私の不調法、そのままお下渡しになったのを、ただいま洗おうとしたら、まあどうでしょう、ちゃりんと小判が、と息せき切って語るのだが、主客ともに、けげんの面持で、やっぱり、ただ顔を見合せているばかりである。これでは、小判が十一両。

「いや、これも、あやかりもの。」と一座の長老の山崎は、しばらく経って溜息と共に、ちっとも要領の得ない意見を吐いた。「めでたい。十両の小判が時に依って十一両にならぬものでもない。よくある事だ。まずは、お収め。」すこし耄碌しているらしい。

他の客も、山崎の意見の滅茶苦茶なのに呆れながら、しかし、いまのこの場合、原田にお収めを願うのは最も無難と思ったので、
「それがよい。ご親戚のお方は、はじめから十一両つつんで寄こしたのに違いない。」
「左様、なにせ洒落たお方のようだから、十両と見せかけ、その実は十一両といういたずらをなさったのでしょう。」

「なるほど、それも珍趣向。粋な思いつきです。とにかく、お収めを。」
てんでにいい加減な事を言って、無理矢理原田に押しつけようとしたが、この時、弱気で酒くらいの、駄目な男の原田内助、おそらくは生涯に一度の異様な頑張り方を示した。

「そんな事でわしを言いくるめようたって駄目です。馬鹿にしないで下さい。失礼ながら、みなさん一様に貧乏なのを、わしひとり十両の仕合せにめぐまれて、天道さまにも御一同にも相すまなく、心苦しくて落ちつかず、酒でも飲まなけりゃ、やり切れなくなって、今夕御一同を御招待して、わしの過分の仕合せの厄払いをしようとしたのに、さらにまた降ってわいた奇妙な災難、十両でさえ持てあましている男に、意地悪く、もう一両押しつけるとは、御一同も人が悪すぎますぞ。原田内助、貧なりといえども武士のはしくれ、お金も何も欲しくござらぬ。この一両のみならず、こちらの十両も、みなさんお持ち帰り下さい。」と、まことに、へんな怒り方をした。気の弱い男というものは、少しでも自分の得になる事に於いては、極度に恐縮し汗を流してまごつくものだが、自分の損になる場合は、人が変ったように偉そうな理窟を並べ、いよいよ自分に損が来るように努力し、人の言は一切容れず、ただ、ひたすら屁理窟を並べてねばるものである。極度に凹むと、裏のほうがふくれて来る。つまり、あの

自尊心の倒錯である。原田もここは必死、どもりどもり首を振って意見を開陳し矢鱈にねばる。

「馬鹿にしないで下さいよ。十両の金が、十一両に化けるなんて、そんな人の悪い冗談はやめて下さいよ。どなたかが、さっきこっそり、お出しになったのでしょう。それにきまっています。短慶どのの難儀を見るに見かね、その急場を救おうとして、どなたか、所持の一両を、そっとお出しになったのに違いない。つまらぬ小細工をしたものです。わしの小判は、重箱の蓋の裏についていたのです。行燈の傍に落ちていた金は、どなたかの情の一両にきまっています。その一両を、このわしに押しつけるとは、まるですじみちが立っていません。そんなにわしが金を欲しがっていると思召さるか。貧者には貧者の意地があります。くどく言うようだけれども、十両持っているのさえ、わしは心苦しく、世の中がいやになっていた折も折、さらに一両を押しつけられるとは、天道さまにも見放されたか、わしの武運もこれまで、腹かき切ってもこの恥は雪がなければならぬ。わしは酒飲みの馬鹿ですが、やにさがるほど耄碌はしていません。さあ、この一両、お出しになった方は、あっさりと収めて下さい。」もともと、おそろしい顔の男であるから、坐り直して本気にものを言い出せば、なかなか凄い。一座の者は頸をすくめて、何も言わ子を産んだと、

「さあ、申し出て下さい。そのお方は、情の深い立派なお方だ。わしは一生その人の従僕になってもよい。一文の金でも惜しいこの大みそかに、よくぞ一両、そしらぬ振りして行燈の傍に落し、短慶どのの危急を救って下された。貧者は貧者同志、短慶どののつらい立場を見かねて、ご自分の大切な一両を黙って捨てたとは、天晴れの御人格。原田内助、敬服いたした。その御立派なお方が、この七人の中にいたしかにいるのです。名乗って下さい。堂々と名乗って出て下さい。」

そんなにまで言われると、なおさら、その隠れた善行者は名乗りにくくなるであろう。こんなところは、やっぱり原田内助、だめな男である。七人の客は、いたずらに溜息をつき、もじもじしているばかりで、いっこうに埒があかない。せっかくの酒の酔いも既に醒め、一座は白け切って、原田ひとりは血走った眼をむき、名乗り給え、名乗り給え、とあせって、そのうちに鶏鳴あかつきを告げ、原田はとうとう、しびれを切らし、

「ながくおひきとめも、無礼と存じます。どうしても、お名乗りが無ければ、いたしかたがない。この一両は、この重箱の蓋に載せて、玄関の隅に置きます。おひとりずつ、お帰り下さい。そうして、この小判の主は、どうか黙って取ってお持ち帰り願い

ます。そのような処置は、いかがでしょう。」

七人の客は、ほっとしたように顔を挙げて、それがよい、と一様に賛意を表した。

実際、愚図の原田にしては、大出来の思いつきである。弱気な男というものは、自分の得にならぬ事をするに当っては、時たま、このような水際立った名案を思いつくものである。

原田は少し得意。皆の見ている前で、重箱の蓋に、一両の小判をきちんと載せ、玄関に置いて来て、

「式台の右の端、最も暗いところへ置いて来ましたから、小判の主でないお方には、あるか無いか見定める事も出来ません。そのままお帰り下さい。小判の主だけ、手さぐりで受取って何気なくお帰りなさるよう。それでは、どうぞ、山崎老から。ああ、いや、襖はぴったりしめて行って下さい。そうして、山崎老が玄関を出て、その足音が全く聞えなくなった時に、次のお方がお立ち下さい。」

七人の客は、言われたとおりに、静かに順々に辞し去った。あとで女房は、手燭をともして、玄関に出て見ると、小判は無かった。理由のわからぬ戦慄を感じて、

「どなたでしょうね。」と夫に聞いた。

原田は眠そうな顔をして、

「わからん。お酒はもう無いか。」と言った。
　落ちぶれても、武士はさすがに違うものだと、女房は可憐に緊張して勝手元へ行き、お酒の燗に取りかかる。

（諸国はなし、巻一の三、大晦日はあはぬ算用）

## 大力

むかし讃岐の国、高松に丸亀屋とて両替屋を営み四国に名高い歴々の大長者、その一子に才兵衛とて生れ落ちた時から骨太く眼玉はぎょろりとしてただならぬ風貌の男児があったが、三歳にして手足の筋骨いやに節くれだち、無心に物差しを振り上げ飼猫の頭をこつんと打ったら、猫は声も立てずに絶命し、乳母は驚き猫の死骸を取上げて見たら、その頭の骨が微塵に打ち砕かれているので、ぞっとして、おひまを乞い、六歳の時にはもう近所の子供たちの餓鬼大将で、裏の草原につながれてある子牛を抱きすくめて頭の上に載せその辺を歩きまわって見せて、遊び仲間を戦慄させ、それから毎日のように、その子牛をおもちゃにして遊んで、次第に牛は大きくなっても、はじめからかつぎ慣れているものだから何の仔細もなく四肢をつかまえて眼より高く差し上げ、いよいよ牛は大きくなり、才兵衛九つになった頃には、その牛も、ゆったりと車を引くほどの大黒牛になったが、それでも才兵衛はおそれず抱きかかえて、ひとりで大笑いすれば、遊び友達はいまは全く薄気味わるくなり、誰も才兵衛と遊ぶ者が

なくなって、才兵衛はひとり裏山に登って杉の大木を引抜き、牛よりも大きい岩を崖の上から蹴落して、つまらなそうにして遊んでいた。十五、六の時にはもう頬に鬚も生えて三十くらいに見え、へんに重々しく分別ありげな面構えをして、すこしも可愛いところがなく、その頃、讃岐に角力がはやり、大関には天竺仁太夫つづいて鬼石、黒駒、大浪、いかずち、白滝、青鮫など、いずれも一癖ありげな名前をつけて、里の牛飼、山家の柴男、または上方から落ちて来た本職の角力取りなど、四十八手に皮をすりむき骨を砕き、無用の大怪我ばかりして、またこの道にも特別の興ありと見えて、やめられず緞子のまわしなどして時々ゆるんでまわしがずり落ちてもにこりとも笑わず、上手がどうしたの下手がどうしたの足癖がどうしたの、何の事やらこの世の大事の如く騒いで汗も拭かず矢鱈にもみ合って、稼業も忘れ、家へ帰ると、人一倍大しをくらって死んだようにぐたりと寝てしまう。かねて力自慢の才兵衛、どうしてこれを傍観し得べき。緞子のまわしを締め込んで、土俵に躍り上って、さあ来い、と両手をひろげて立ちはだかれば、皆々、才兵衛の幼少の頃からの馬鹿力を知っているので、にわかに興覚めて、そそくさと着物を着て帰り仕度をする者もあり、若旦那、およしなさい、へへ、ご身分にかかわりますよ、とお世辞だか忠告だか非難だか、わけのわからぬ事を人の陰に顔をかくして小声で言う者もあり、その中に、上方からくだって

来た鰐口という本職の角力、上方では弱くて出世もできなかったが田舎へ来ればやはり永年たたき込んだ四十八手がものを言い在郷の若い衆の糞力を軽くあしらっている男、では一番、と平気で土俵にあがって、おのれと血相変えて飛び込んで来る才兵衛の足を払って、苦もなく捻じ伏せた。才兵衛は土俵のまんなかに死んだ蛙のようにっとも無く這いつくばって夢のような気持、実に不思議な術もあるものだと首を振り、間抜けた顔で起き上って、どっと笑い囃す観衆をちょっと睨んで黙らせ、腹が痛いとてれ隠しのつまらぬ噓をついて家へ帰って来たが、くやしくてたまらぬ。ひねりつぶして煮て骨ごとばりばり食って力をつけて、その夜のうちに鰐口の家へずねて行き、さきほどは腹が痛かったので思わぬ不覚をとったが、今度は負けぬ先で一番やって見よう、と申し出た。鰐口は晩酌の最中で、うるさいと思ったが、いやにしつこく挑んで来るので着物を脱いで庭先に飛び降り、突きかかって来る才兵衛の巨軀を右に泳がせ左に泳がせ、自由自在にあやつれば、才兵衛次第に目まいがして来て庭の松の木を鰐口と思い込み、よいしょと抱きつき、いきせき切って、この野郎と叫んで、苦も無く引き抜いた。
「おい、おい、無茶をするな。」鰐口もさすがに才兵衛の怪力に呆れて、こんなものを永く相手にしていると、どんな事になるかもわからぬと思い、縁側にあがってさっ

さと着物を着込んで、「小僧、酒でも飲んで行け。」と懐柔の策に出た。

才兵衛は松の木を引き抜いて目よりも高く差し上げ、ふと座敷の方を見ると、鰐口が座敷で笑いながらお酒を飲んでいるので、ぎょっとして、これは鬼神に違いないと幼く思い込み、松の木も何も投げ捨て庭先に平伏し、わあと大声を挙げて泣いて弟子にしてくれよと懇願した。

才兵衛は鰐口を神様の如くあがめて、その翌日から四十八手の伝授にあずかり、もともと無双の大力ゆえ、その進歩は目ざましく、教える鰐口にも張合いが出て来るし、それにもまして、才兵衛はただもう天にも昇る思いで、うれしくてたまらず、寝ても覚めても、四十八手、四十八手、あすはどの手で投げてやろうと寝返り打って寝言を言い、その熱心が摩利支天にも通じたか、なかなかの角力上手になって、もはや師匠の鰐口も、もてあまし気味になり、弟子に投げられるのも恰好が悪く馬鹿々々しいと思い、或る日もっともらしい顔をして、汝も、もう一人前の角力取りになった、ついては汝に荒磯という名を与える、もう来るな、と言っていそいで敬遠してしまった。才兵衛は師匠から敬遠されたとも気附かず、わしもいよいよ一人前の角力取りになったか、ありがたいわい、きょうからわしは荒磯だ、すごい名前じゃないか、ああまことに師の恩は山よりも高い、

と涙を流してよろこび、それからは、どこの土俵に於いても無敵の強さを発揮し、十九の時に讃岐の大関天竺仁太夫を、土俵の砂に埋めて半死半生にし、それほどまで手ひどく投げつけなくてもいいじゃないかと角力仲間の評判を悪くしたが、なあに、角力は勝ちゃいいんだ、と傲然とうそぶき、いよいよ皆に憎まれた。丸亀屋の親爺は、かねてよりわが子の才兵衛の力自慢をにがにがしく思い、何とか言おうとしても、才兵衛にぎょろりと睨まれると、わが子ながらも気味悪く、あの馬鹿力で手向いされら親の威光も何もあったものでない、この老いの細い骨は木っ葉微塵、と震え上って分別し直し、しばらく静観と自重していたのだが、このごろは角力に凝って他人様を怪我させて片輪にして、にくしみの的になっている有様を見るに見かねて、或る日、おっかなびっくり、
「才兵衛さんや、」とわが子に附けて猫撫声で呼び、「人は神代から着物を着ていたのですよ。」遠慮しすぎて自分でも何だかわからないような事を言ってしまった。
「そうですか。」荒磯は、へんな顔をして親爺を見ている。親爺は、いよいよ困って、「はだかになって五体あぶない勝負も、夏は涼しい事でしょうが、冬は寒くていけませんでしょうねえ。」と伏目になって膝をこすりながら言った。さすがの荒磯も噴き

出して、
「角力をやめろと言うのでしょう？」と軽く問い返した。親爺はぎょっとして汗を拭き、
「いやいや、決してやめろとは言いませんが、同じ遊びでも、楊弓など、どうでしょうねえ。」
「あれは女子供の遊びです。大の男が、あんな小さい弓を、ふしくれ立った手でひねくりまわし、百発百中の腕前になってみたところで、どろぼうに襲われて射ようとしても、どろぼうが笑い出しますし、さかなを引く猫にあてても猫はかゆいとも思やしません。」
「そうだろうねえ。」と賛成し、「それでは、あの十種香とか言って、さまざまの香を嗅ぎわける遊びは？」
「あれもつまらん。香を嗅ぎわけるほどの鼻があったら、めしのこげるのを逸早く嗅ぎ出し、下女に釜の下の薪をひかせたら少しは家の仕末のたしになるでしょう。」
「なるほどね。では、あの蹴鞠は？」
「足さばきがどうのこうのと言って稽古しているようですが、塀を飛び越えずに門をくぐって行ったって仔細はないし、闇夜には提灯をもって静かに歩けば溝へ落ちる心

配もない。何もあんなに苦労して足を軽くする必要はありません。」

「いかにも、そのとおりだ。でも人間には何か愛嬌が無くちゃいけないんじゃないかねえ。茶番の狂言なんか稽古したらどうだろうねえ。家に寄り合いがあった時など、あれをやってみんなにお見せすると、──」

「冗談を言っちゃいけない。あれは子供の時こそ愛嬌もありますが、髭の生えた口から、まかり出でたるは太郎冠者も見る人が冷汗をかきますよ。お母さんだけが膝をすすめて、うまい、なんてほめて近所のもの笑いの種になるくらいのものです。」

「それもそうだねえ。では、あの活花は？」

「ああ、もうよして下さい。あなたは耄碌しているんじゃないですか。あれは雲の上の奥深きお方々が、野辺に咲く四季の花をごらんになる事が少ないので、深山の松かしわを、取り寄せて、生きてあるままの姿を御眼の前に眺めてお楽しみなさるためにはじめた事で、わしたち下々の者が庭の椿の枝をもぎ取り、鉢植えの梅をのこぎりで切って、床の間に飾ったって何の意味もないじゃないですか。花はそのままに眺めて楽しんでいるほうがいいのだ。」言う事がいちいち筋道がちゃんと立っているので親爺は閉口して、

「やっぱり角力が一ばんいいかねえ。大いにおやり。お父さんも角力がきらいじゃな

いよ。若い時には、やったものです。」などと、どうにも馬鹿らしい結果になってしまった。お内儀は親爺の無能を軽蔑して、あたしならば、ああは言わない、と或る日、こっそり才兵衛を奥の間に呼び寄せ、まず華やかに、おほほと笑い、
「才兵衛や、まあここへお坐り。まあたいへん鬚が伸びているじゃないか、剃ったらどうだい。髪もそんなに蓬々とさせて、どれ、ちょっと撫でつけてあげましょう。」
「かまわないで下さい。これは角力の乱れ髪と言って粋なものなんです。お前はことし、いくつだい。」
「おや、そうかい。それでも粋なんて言葉を知ってるだけ粋なものしいじゃないか。お前はことし、いくつだい。」
「十九だったね。」と母は落ちついて、「あたしがこの家にお嫁に来たのは、お父さんが十九、お母さんが十五の時でしたが、お前のお父さんたらやら、もうその前から道楽の仕放題でねえ、十六の時から茶屋酒の味を覚えたとやらで、着物の着こなしでも何でも、それこそ粋でねえ、あたしと一緒になってからも、しばしば上方へのぼり、いいひとをたくさんこしらえて、いまこそあんな、どっちを向いてるのだかわからないような変な顔だが、わかい時には、あれでなかなか綺麗な顔で、ちょっとそんなに俯向いたところなど、いまのお前にそっくりですよ。お前も、お父さんに似てまつげが

長いから、うつむいた時の顔に愁えがあって、きっと女には好かれますよ。上方へ行って島原などの別嬪さんを泣かせるなんてのは、男と生れて何よりの果報だろうじゃないか。」と言って、いやらしくにやりと笑った。

「なんだつまらない。女を泣かせるには殴るに限る。角力で言えば張手というやつだ。こいつを二つ三つくらわせたら、泣かぬ女はありますまい。泣かせるのが、果報だったら、わしはこれからいよいよ角力の稽古をはげんで、世界中の女を殴って泣かせて見せます。」

「何を言うのです。まるで話が、ちがいますよ。才兵衛、お前は十九だよ。お前のお父さんは、十九の時にはもう茶屋遊びでも何でも一とおり修行をすましていたのですよ。まあ、お前も、花見がてらに上方へのぼって、島原へでも行って遊んで、千両二千両使ったって、へるような財産でなし、気に入った女でもあったら、しばらくままごと遊びなんかして見るのもいいじゃないか。お前の好きな土地に、その女のひとと、どこか景色のいい土地にしゃれた家でも建て、その女のひとと、しばらくままごと遊びなんかして見るのもいいじゃないか。お前の好きな土地に、お前の気ままの立派なお屋敷をこしらえてあげましょう。そうして、あたしのほうから、米、油、味噌、塩、醬油、薪炭、四季折々のお二人の着換え、お金だって、ほしいだけ送ってあげるし、その女のひと一人だけで淋しいならば、お姿を京からもう二、三人呼

び寄せて、その他、振袖のわかい腰元三人、それから中居、茶の間、御物縫いの女、それから下働きのおさんどん二人、お小姓二人、小坊主一人、あんま取の座頭一人、御酒の相手に歌うたいの伝右衛門、御料理番一人、駕籠かき二人、御草履取大小二人、手代一人、まあざっと、これくらいつけてあげるつもりですから、悪い事は言わない、まあ花見がてらに、——」と懸命に説けば、
「上方へは、いちど行ってみたいと思っていました。」と気軽に言うので、母はよろこび膝をすすめ、
「お前さえその気になってくれたら、あとはもう、立派なお屋敷をつくって、お妾でも腰元でも、あんま取の座頭でも、——」
「そんなのはつまらない。上方には黒獅子という強い大関がいるそうです。なんとかしてその黒獅子を土俵の砂に埋めて、——」
「ま、なんて情無い事を考えているのです。好きな女と立派なお屋敷に暮して、酒席のなぐさみには伝右衛門を、——」
「その屋敷には、土俵がありますか。」
母は泣き出した。
襖越しに番頭、手代たちが盗み聞きして、互いに顔を見合せて溜息をつき、

「おれならば、お内儀さまのおっしゃるとおりにするんだが。」
「当り前さ。蝦夷が島の端でもいい、立派なお屋敷で、そんな栄華のくらしを三日でもいい、あとは死んでもいい。」
「声が高い。若旦那に聞えると、あの、張手とかいう凄いのを、二つ三つお見舞いさるれるぞ。」
「そいつは、ごめんだ。」
みな顔色を変え、こそこそと退出する。
　その後、才兵衛に意見をしようとする者も無く、才兵衛いよいよ増長して、讃岐一国を狭しとして阿波の徳島、伊予の松山、土佐の高知などの夜宮角力にも出かけて、情容赦も無く相手を突きとばし張り倒し、多くの怪我人を出して、角力は勝ちゃいい、と憎々しげにせせら笑って悠然と引き上げ、朝昼晩、牛馬羊の生肉を食って力をつけ、顔は鬼の如く赤く大きく、路傍で遊んでいる子はそれを見て、きゃっと叫んで病気になり、大人は三丁さきから風をくらって疾走し、丸亀屋の荒磯と言えば、讃岐はおろか四国全体、誰知らぬものとて無い有様となった。才兵衛はおろかにもそれを自身の出世と考え、わしの今日あるは摩利支天のお恵みもさる事ながら、第一は恩師鰐口様のおかげ、めったに鰐口様のほうへは足を向けて寝られぬ、などと言うもの

だから、鰐口は町内の者に合わす顔が無く、いたたまらず、ついに出家しなければならなくなった。そのような騒ぎをいつまでも捨て置く事も出来ず、丸亀屋の身内の者全部ひそかに打寄って相談して、これはとにかく嫁をもらうに限る、横町の小平太の詰将棋も坂下の与茂七の尺八も嫁をもらったりやんだ、才兵衛さんも綺麗なお嫁さんから人間の情愛というものを教えられたら、あんな乱暴なむごい勝負がいやになるに違いない、これは何でも嫁をもらってやる事です、と鳩首して眼を光らせてうなずき合い、四方に手廻しして同じ讃岐の国の大地主の長女、ことし十六のお人形のように美しい花嫁をもらってやったが、才兵衛は祝言の日にも角力の乱れ髪のままで、きょうは何かあるのですか、など情無い事を言い、父母をはじめ親戚一同、拝むようにして紋服を着せ、花嫁の傍に坐らせてとにかく盃事をすませて、ほっとした途端に、才兵衛はぷいと立ち上って紋服を脱ぎ捨、こんなつまらぬ事をしていては腕の力が抜けると言い、庭に飛び降り庭石を相手によいしょ、よいしょとすさまじい角力の稽古。父母は嫁の里の者たちに面目なく背中にびっしょり冷汗をかいて、
「まだ子供です。ごらんのとおりの子供です。お見のがしを。」と言うのだが、見たところ、どうしてなかなか子供ではない。四十くらいの親爺に見える。嫁の里の者た

「でも、あんな髭をはやして分別顔でりきんでいるさまは、石川五右衛門の釜うでを思い出させます。」と率直な感想を述べ、とんでもない男に娘をやったと顔を見合せて溜息をついた。

才兵衛はその夜お嫁を隣室に追いやり、間の襖に念入りに固くしんばり棒をして、花嫁がしくしく泣き出すと大声で、

「うるさい！」と呶鳴り、「お師匠の鰐口様がいつかおっしゃった。あたら男盛りも、腕の力が抜ける、とおっしゃった。わしは女ぎらいだ。摩利支天の女房では ないか。それくらいの事を知らないでどうする。わしは一生、女に近寄らないつもりなのだ。馬鹿者め。めそめそしてないで、早くそっちへ蒲団敷いて寝ろ！」

花嫁は恐怖のあまり失神して、家中が上を下への大騒ぎになり、嫁の里の者たちはその夜のうちに、鬼が来た鬼が来たと半狂乱で泣き叫ぶ娘を駕籠に乗せて、里へ連れ戻った。

このような不首尾のために才兵衛の悪評はいよいよ高く、いまは出家遁世して心静かに山奥の庵で念仏三昧の月日を送っている師匠の鰐口の耳にもはいり、師匠にとっ

て弟子の悪評ほどつらいものはなく、あけくれ気に病み、ついには念仏の障りにもなって、或る夜、決意して身を百姓姿にかえて山を下り、里の夜宮に行って相変らずさかんな夜宮角力を、頰被りして眺めて、そのうちにれいの荒磯が、のっしのっしと土俵にあがり、今夜もわしの相手は無しか、尻ごみしないでかかって来い、と嗄れた声で言ってぎょろりとあたりを見廻せば、お宮の松籟も、しんと静まり、人々は無言で帰り仕度をはじめ、その時、鰐口和尚は着物を脱ぎ、頰被りをしたままで、おう、と叫んで土俵に上った。荒磯は片手で和尚の肩を鷲づかみにして、この命知らずめが、うにも痛くてたまらなくなり、
「よせ、よせ。」と言っても、荒磯は、いよいよ笑って和尚の肩をゆすぶるので、ど
「あ、お師匠。おなつかしゅう。」などと言ってる間に和尚は、上手投げという派手な手を使って、ものの見事に荒磯の巨体を宙に一廻転させて、ずでんどうと土俵のまん中に仰向けに倒した。その時の荒磯の形のみっともなかった事、大鯰が瓢箪からすべり落ち、猪が梯子からころげ落ちたみたいの言語に絶したぶざまな恰好であったと後々の里の人たちの笑い草にもなった程で、和尚はすばやく人ごみにまぎれて素知ら

ぬ振りで山の庵に帰り、さっぱりした気持で念仏を称え、荒磯はあばら骨を三本折って、戸板に乗せられて死んだようになって家へ帰り、師匠、あんまだ、うらみます、とうわごとを言い、その後さまざま養生してもはかどらず、看護の者を足で蹴飛ばしたりするので、次第にお見舞いをする者もなくなり、ついには、もったいなくも生みの父母に大小便の世話をさせて、さしもの大兵肥満も骨と皮ばかりになって消えるように息を引きとり、本朝二十不孝の番附の大横綱になったという。

（本朝二十不孝、巻五の三、無用の力自慢）

## 猿塚

むかし筑前の国、太宰府の町に、白坂徳右衛門とて代々酒屋を営み太宰府一の長者、その息女お蘭の美形ならびなく、七つ八つの頃から見る人すべて瞠若し、おのれの鼻垂れの娘の顔を思い出してやけ酒を飲み、町内は明るく浮き浮きして、ことし十に六つ七つ余り、骨細く振袖も重げに、春光ほのかに身辺をつつみ、生みの母親もわが娘に話しかけて、ふと口を噤んで見とれ、名花の誉は国中にかぐわしく、見ぬ人も見ぬ恋に沈むという有様であった。ここに桑盛次郎右衛門とて、隣町の裕福な質屋の若旦那、醜男ではないけれども、鼻が大きく目尻の垂れ下った何のへんてつも無い律儀そうな鬚男、歯の綺麗なのが取柄で笑顔にちょっと愛嬌のあるところがよかったのか、或る日の雨宿りが縁になって、人は見かけに依らぬもの、縁は異なもの、馬鹿らしいもの、お蘭に慕われるという飛んでもない大果報を得たというのがこの物語の発端である。両方の親は知らず、次郎右衛門ひそかに、出入のさかなやの伝六に頼み、徳右衛門方に縁組の内相談を持ちかけさせた。伝六はかねがねこの質屋に一かたならず面倒をか

けている事とて、次郎右衛門の言いにくそうな頼みを聞いて、向うは酒屋、うまく橋渡しが出来たらどう思うぞんぶん飲めるであろう、かつはこちらの質の利息払いの期限をのばしてもらうのはこの時と勇み立ち、あつかましくも質流れの紋服で身を飾り、知らぬ人が見たらどなたさまかと思うほどの分別ありげの様子をして徳右衛門方に乗り込み、えへへと笑い扇子を鳴らして庭の石を褒め、相手は薄気味悪く、何か御用でも、と言い、伝六あわてず、いや何、と言い、やがてそれとなく次郎右衛門の希望を匂わせ、こちらさまは酒屋、向うさまは質屋、まんざら縁の無い御商売ではございませぬ、酒屋へ走る前には必ず質屋へ立寄り、質屋を出てからは必ず酒屋へ立寄るもので、謂わば坊主とお医者の如くこの二つが親戚だったら、鬼に金棒で、町内の者が皆殺されてしまいます、などとけしからぬ事まで口走り、一世一代の無い智慧を絞って懸命に取りなせば、徳右衛門も少し心が動き、
「桑盛様の御総領ならば、私のほうでも不足はございませぬが、時に、桑盛さまの御宗旨は？」
「ええと、それは、」意外の質問なので、伝六はぐっとつまり、「はっきりは、わかりませぬが、たしか浄土宗で。」
「それならば、お断り申します。」と口を曲げて憎々しげに言い渡した。「私の家で

は代々の法華宗で、殊にも私の代になりましてから、深く日蓮様に帰依 仕って、朝夕南無妙法蓮華経のお題目を怠らず、娘にもそのように仕込んでありますので、いまさら他宗へ嫁にやるわけには行きません。あなたも縁談の橋渡しをしようというほどの男なら、それくらいの事を調べてからおいでになったらどうです。」
「いや、あの、私は、」と冷汗を流し、「私は代々の法華宗の日蓮様で、朝夕、南無妙法蓮華経と。」
「何を言っているのです。あなたに嫁をやるわけじゃあるまいし、桑盛様が浄土宗ならば、いかほど金銀を積んでも、またその御総領が御発明で男振りがよくっても、私は、いやと申します。日蓮様に相すみません。あんな陰気くさい浄土宗など、どこがいいのです。よくもこの代々の法華宗の家へ、娘がほしいなんて申込めたものだ。あなたの顔を見てさえ胸くそが悪い。お帰り下さい。」
 さんざんの不首尾で伝六は退散し、しょげ切ってこの由を次郎右衛門に告げた。次郎右衛門は気軽に、なんだ、そんな事は何でもない、こちらの宗旨を変えたらいい、家は代々不信心だから浄土宗だって法華宗だってかまわないんだ、と言って、にわかに総の長い珠数に持ちかえ、父母にもすすめて、朝夕お題目をあげて、父母は何の事かわからぬが子供に甘い親なので、とにかく次郎右衛門の言いつけどおりに、わきを

見てあくびをしながら南無妙法蓮華経と称え、ふたたび伝六は、徳右衛門方におもむき、いまは桑盛様も一家中、日蓮様を信心してお題目をあげていますと得意満面で申し述べたが、徳右衛門はむずかしい男で浅間し、日蓮さまだっていい顔でなければ信心が薄い、お蘭ほしさの改宗は見えすいて浅間し、日蓮さまだっていい顔でなければ信心が薄ちょっと考えてもわかりそうな事だ、娘は或る知合いの法華の家へ嫁にやるようにきまっています、というむごい返事、次郎右衛門は聞いて仰天して、取敢えずお蘭に、伝六なんの役にも立たざる事、ならびに、お前がよその法華へ嫁ぐそうだが、畜生め、私はお前のために好きでもないお題目を称えて太鼓をたたき手に豆をこしらえたのだぞ、思えば私の次郎右衛門という名は、あずまの佐野の次郎左衛門に似ていて、かねてから気になっていたのだが、やはり東西左右の振られ男であった、男の一念、馬鹿にするな、私もこうなれば、刀を振りまわして百人斬りをするかも知れぬ、あなたのお手紙何やら合点が行かず、涙を流して書き送れば、すぐに折り返しお蘭の便り、百人斬りはおろか一人も斬らぬとにかく刀を振りまわすなど危い事はよして下さい、あなたの身にもしもの事があったなら、私はどうしたらいいのでしょう、あまりおどかさないで下さい、よその縁談の事など、本当に私には初耳です、あなたはいつもお鼻や目尻の事を気にして自信が無く、何のか

と言って私を疑うので困ってしまいます、私が今更どこへ行くものですか、安心していらっしゃい、もしもお父さんが私をよそへやるようだったら私はこの家から逃げてもあなたのところへ行くつもり、しかし、まだまだ安心はならぬと無理に顔をしかめて、とにかく郎右衛門すこし笑い、女の一念、覚えていらっしゃい、という事なので次お題目と今は本気に日蓮様におすがりしたくなって、南無妙法蓮華経と大声でわめいて滅多矢鱈に太鼓をたたく。

お蘭はその翌る日、徳右衛門の居間に呼ばれて、本町紙屋彦作様と縁談とととのった、これも日蓮様のおみちびき、有難くとこしなえの祝言を結べ、とおごそかに言い渡せば、お蘭はぎょっとしたが色に出さず、つっしんで一礼して部屋から出て、それから飛ぶようにして二階に駈け上り、一筆しめしまいらせ候、来たわよ、いよいよ決行の日が来たわよ、私は逃げるつもりです、今宵のうちに迎えたのむ、としどろもどろに書き散らし、丁稚に言いつけて隣町へ走らせ、次郎右衛門はその手紙をざっと一読してがたがた震え、台所へ行って水を飲み、ここが思案のしどころのまん中に大あぐらをかいてみたが、別に何の思案も浮ばず、立ち上って着物を着換え、帳場へ行ってあちこちの引出しを搔きまわし、番頭に見とがめられて、いやちょっと、と言い、何がしの金子をそそくさと袂にほうり込んで、もう眼に物が見えぬ気持で、

片ちんばの下駄をはいて出て途中で気がついて、家へ引返すのもおそろしく、はきもの屋に立ち寄って、もうこれだけしかお金が無いのだと思うと、けちになって一ばん安い草履を買い、その薄っぺらな草履をはいて歩くとぺたぺたと地べたを歩いているような感じで心細く、歩きながら男泣きに泣いて、ようやく隣町の徳右衛門の家の裏口にたどりつくと、矢のようにお蘭は走り出て、ものも言わず次郎右衛門の手を取りさっさと自分からさきに歩き出し、次郎右衛門はあんまの如く手をひかれて、ぺたぺたと歩いて、またも大泣きに泣くのである。ここまでは、分別浅い愚かな男女の、取るにも足らぬふざけた話であるが、もちろん物語はここで終らぬ。世の中の厳粛な労苦は、このさきにあるようだ。

二人は、その夜のうちに七里歩み、左方に博多の海が青く展開するのを夢のように眺めて、なおも飲まず食わず、背後に人の足音を聞くたびに追手かと胆をひやし、生きた心地も無くただ歩いて蹌踉とたどりついたところは其の名も盛者必衰、生滅法の鐘が崎、この鐘が崎の山添の野をわけて次郎右衛門のほのかな知合いの家をたずね、案の如く薄情のあしらいを受けて、けれどもそれも無理のない事と我慢して、ぶしつけながら、とお金を紙に包んで差し出し、その日は、納屋に休ませてもらい、浅間しき身のなりゆきと今はじめて思い当って青く窶れた顔を見合せて溜息をつき、

お蘭は、手飼いの猿の吉兵衛の背を撫でながら、やたらに鼻をすすり上げた。この吉兵衛という名の猿は、小猿の頃からお蘭に可愛がられて育ち、娘が男と一緒にひたすら夜道を急ぐ後を慕ってついて来て、一里あまり過ぎた頃、お蘭が見つけて不憫に思い、せっかく慕って来たのだからひょこひょこついて来て、次郎右衛門は不憫に思い、せっかく慕って来たのだから仲間にいれておやり、と言い、お蘭は、おいで、と手招きすれば、うれしそうに駈け寄って来て、お蘭に抱かれて眼をぱちぱちさせて二人の顔を気の毒そうに眺める。いまはもう二人の忠義な下僕になりすまして、納屋へ食事を持ちはこぶやら、蠅を追うやら、櫛でお蘭のおくれ毛を掻き上げてやるやら、何かと要らないお手伝いをして、二人の淋しさを慰めてやろうと畜生ながら努めている。いかに世を忍ぶ身とは言え、いつまでも狭い納屋に隠れて暮しているわけにも行かず、次郎右衛門はさらに所持のお金の大半を出してその薄情の知合いの者にたのみ、すぐ近くの空地に見すぼらしい庵を作ってもらい、夫婦と猿の下僕はそこに住み、わずかな土地を耕して、食膳に供するに足るくらいの野菜を作り、ひまひまに亭主は煙草を持して、お蘭は木綿の枷というものを繰って細々と渡世し、好きもきらいも若い一時の刻み、お蘭は木綿の枷というものを繰って細々と渡世し、好きもきらいも若い一時の阿呆らしい夢、親にそむいて家を飛び出し連添ってみても、何の事はない、いまはただありふれた貧乏世帯の、とと、かか、顔を見合せて、おかしくもなく、台所がかた

りと鳴れば、鼠か、小豆に糞されてはたまらぬ、と二人血相かえて立ち上り、秋の紅葉も春の菫も、何の面白い事もなく、猿の吉兵衛は主人の恩に報いるはこの時と、近くの山に出かけては柏の枯枝や松の落葉を掻き集め、家に持ち帰って竈の下にしゃがみ、松葉の煙に顔をそむけながら渋団扇を矢鱈にばたばた鳴らし、やがてぬるいお茶を一服、夫婦は顔を見すめて可笑しき中にも、しおらしく、ものこそ言わね貧乏世帯に気を遣い、夕食も遠慮して少量たべると満足の態でころりと寝て、次郎右衛門の食事がすむと駈け寄って次郎右衛門の肩をもむやら足腰をさするやら、それがすむと台所へ行きお蘭の後片附のお手伝いをして皿をこわしたりして実に面目なさそうな顔つきをして、夫婦は、せめてこの吉兵衛を唯一のなぐさみにして身の上の憂きを忘れ、その年も過ぎて翌年の秋、一子菊之助をもうけ、久し振りに草の庵から夫婦の楽しそうな笑声が漏れたと聞え、夫婦は急に生きる事にも張合いが出て来て、あくびをしたと騒ぎ立てると、吉兵衛もはねまわって喜び、山から木の実を取って来て、赤ん坊の手に握らせて、お蘭に叱られ、それでも吉兵衛には子供が珍らしくてたまらぬ様子で、傍を離れず寝顔を覗き込み、泣き出すと驚いてお蘭の許に飛んで行き裾を引いて連れて来て、乳を呑ませよ、と身振で教え、赤子の乳を呑むさまを、きちんと膝を折って坐って神妙に眺め、よい子守が出来たと夫婦は笑い、それにつけても、

この菊之助も不憫なもの、もう一年さきに古里の桑盛の家で生れたら、絹の蒲団に寝かせて、乳母を二人も三人もつけて、お祝いの産衣が四方から山ほど集り、蚤一匹寄せつけず玉の肌のままで立派に育て上げる事も出来たのに、一年おくれたばかりに、雨風も防ぎかねる草の庵に寝かされて、木の実のおもちゃなど持たされ、猿が子守とは、と自分たちの無分別な恋より起ったという事も忘れて、ひたすら子供をいとおしく思い、よし、よし、いまはこのようにみじめだが、この子の物心地のつく迄は、何とか一財産つくって古里の親たちを見かえしてやらなければならぬ、と次郎右衛門、子への愛から発奮して、近所の者に、この頃のよろしきにみもまるまると太ってよく笑い、などと尋ね、母親のお蘭に似て輝くばかりの器量よし、猿の吉兵衛は野の秋草を手折って来て菊之助の顔庵も去年にかわって活気を呈し、一子の菊之助もまるまると太ってよく笑い、などと尋ね、母親のちかく差しのべて上手にあやし、夫婦は何の心配も無く共に裏の畑に出て大根を掘り、ことしの秋は、何かいい事でもあるか、と夫婦は幸福の予感にぬくまっていた。その頃、近所のお百姓から耳よりのもうけ話ありという事を聞き、夫婦は勇んで、或る秋晴れの日、二人そろってその者の家へ行ってくわしく話の内容を尋ね問いなどしている留守に、猿の吉兵衛、そろそろお坊ちゃんの入浴の時刻と心得顔で立ち上り、かねて奥様の仕方を見覚えていたとおりに、まず竈の下を焚きつけてお湯をわかし、湯玉

の沸き立つを見て、その熱湯を盥にちょうど一ぱいとり、何の加減も見る迄も無く、子供を丸裸にして仔細らしく抱き上げ、奥様の真似して子供の顔をのぞき込んでやさしく二、三度うなずき、いきなりずぶりと盥に入れた。

喚という声ばかりに菊之助、子供は盥の中に沈んで、異様の叫びを聞いて夫婦は顔を見合せて家に駈け戻れば、吉兵衛うろうろ、取り上げて見ればはや茹海老の如く、二目と見られぬむざんの死骸、お蘭はこけまろびて、わが身に代えても今一度もとの可愛い面影を見たしと狂ったように泣き叫ぶも道理、呆然たる猿を捕えて、とかく汝は我が子の敵、いま打殺すと女だてらに薪を振上げ、次郎右衛門も胸つぶれ涙とどまらぬながら、ここは男の度量、よしこれも因果の生れ合せと観念して、お蘭の手から薪を取上げ、吉兵衛を打ち殺したく思うも尤もながら、もはや返らぬ事に殺生するは、かえって菊之助が菩提のため悪し、吉兵衛もあさましや我等への奉公と思いてしたるべけれども、さすが畜生の智慧浅きは詮方なし、と泣き泣き諭せば、猿の吉兵衛も部屋の隅で涙を流して手を合せ、夫婦はその様を見るにつけいよいよつらく、いかなる前生の悪業ありてかかる憂目に遭うかと生きる望も消えて、菊之助を葬った後には共にわずらい寝たきりになって、猿の吉兵衛は夜も眠らずまめまめしく二人を看護し、また七日々々にお坊ちゃんの墓所へ参り、折々の草花を手折って供え、夫婦

すこしく恢復せし百日に当る朝、吉兵衛しょんぼりお墓に参って水心静かに手向け、竹の鉾にてみずから喉笛を突き通して相果てた。夫婦、猿の姿の見当らぬを怪しみ、杖にすがってまず菊之助の墓所へ行き、猿のあわれな姿をひとめ見て一切を察し、菊之助無き後は、せめてこの吉兵衛だけが世の慰めとたのんでいたのに、と恨み嘆き、ねんごろに葬い、菊之助の墓の隣に猿塚を建て、その場に於いて二人出家し、(と書いて作者は途方にくれた。お念仏かお題目か。原文には、かの庵に絶えず題目唱えて、法華読誦の声やまず、とある。徳右衛門の頑固な法華の主張がこんなところに顔を出しては、この哀話も、ぶちこわしになりそうだ。困ったことになったものである。)ふたたび、庵に住むも物憂く、秋草をわけていずこへとも無く二人旅立つ。

（懐硯　巻四の四、人真似は猿の行水）

# 人魚の海

後深草天皇宝治元年三月二十日、津軽の大浦というところに人魚はじめて流れ寄り、其の形は、かしらに細き海草の如き緑の髪ゆたかに、面は美女の愁えを含み、くれないの小さき鶏冠その眉間にあり、上半身は水晶の如く透明にして幽かに青く、胸に南天の赤き実を二つ並べ附けたるが如き乳あり、下半身は、魚の形さながらにして金色の花びらとも見まがうこまかき鱗すきまなく並び、尾鰭は黄色くすきとおりて大いなる銀杏の葉の如く、その声は雲雀笛の歌に似て澄みて爽やかなり、と世の珍らしきためしに語り伝えられているが、とかく、北の果の海には、このような不思議の魚も少からず棲息しているようである。むかし、松前の国の浦奉行、中堂金内とて勇あり胆あり、しかも生れつき実直の中年の武士、或るとしの冬、お役目にて松前の浦々を見廻り、夕暮ちかく鮭川という入海のほとりにたどりつき、そこから便船を求め、きょうのうちに次の港まで行くつもりで相客五、六人と北国の冬には珍らしく空もよく晴れ静かな海を船出して、汀から八丁ほど離れた頃、風も無いのに海がにわかに荒れ出

して、船は木の葉の如く翻弄せられ、客は恐怖のために土色の顔になって、思う女の名を叫び出し、さらばよ、さらばよ、といやらしく悶えて見せる者もあり、笠の中より観音経を取出し、さかさとも知らず押しいただき、そのまま開いておろおろ読み上げる者もあり、瓢簞を引き寄せ中に満たされてある酒を大急ぎで口呑みして、これを飲みのこしては死んでも死にきれぬ、からになった瓢簞は浮袋になります、と五寸にも足りぬその小さいひさごを、しさいらしい顔つきで皆に見せびらかす者もあり、なんの意味か、しきりに指先で額に唾をなすりつけている者もあり、いそがしげに財布を出して金勘定、一両足りぬと呟いてあたりの客をいやな眼つきで睨む者もあり、いのちの瀬戸際にも、足がさわったとやらで無用の口論をはじめる者もあり人さまざまに騒ぎ立て、波はいよいよ高く、船は上下に荒く震動し、いまは騒ぐ力も尽き、船頭がまず船底にたおれ伏し、おゆるしなされ、と呻いて死んだようにぐたりとなれば、船中の客、総泣きに泣き伏して、いずれも正体を失い、中堂金内ただひとり、はじめから舷を背にしてあぐらを掻き、黙って腕組して前方を見つめていたが、やがて眼のさきの海水が金色に変り、五色の水玉噴き散ると見えしと同時に、白波二つにわれて、人魚、かねて物語に聞いていたのと同じ姿であらわれ、頭を振って緑の髪をうしろに払いのけ、水晶の腕で海水を一掻き二掻きするすると蛇の如く素早く金内の船に近づ

き、小さく赤い口をあけて一声爽やかな笛の音。おのれ船路のさまたげと、金内怒って荷物の中より半弓を取出し、神に念じてひょうと射れば、あやまたずかの人魚の肩先に当り、人魚は声もなく波間に沈み、激浪たちまち収まって海面はもとのように静かになり、斜陽おだやかに船中にさし込み、船頭は間抜け面で起き上り、なんだ夢か、と言った。金内は、おのれの手柄を矢鱈に吹聴するような軽薄な武士でない。黙って微笑み、また前のように腕組みして舷によりかかって坐っている。船客もそろそろ土色の顔を挙げ、てれ隠しにけたたましく笑う者あり、せっかくの興もなく飲んでしまって、後の楽しみを無くした、と五寸ばかりのひざごをさかさに振って、そればかり愚痴っている者もあり、或いはまた、さいぜん留守宅の若いお妾の名を叫んで身悶えしていた八十歳の隠居は、さてもおそろしや、とおもむろに衣紋を取りつくろい、これすなわち登竜に違いござらぬ、と断じ、そもそもこの登竜は越中越後の海中に多く見受けられるものにして、夏日に最もしばしばこの事あり、一群の黒雲虚空より下り来れば海水それに吸われるが如く応じて逆巻き黒雲潮水一柱になり、竜の尾頭その中に歴々たるものの本にござった、また別の一書には、或る人、江戸より船にてのぼりしに東海道の興津の沖を過ぎる時に一むらの黒雲虚空よりかの船をさして飛来る、船頭大いに

驚き、これは竜の此舟を巻上げんとするなり、急に髪を切って焼くべしとて船中の人々のこらず頭髪を切って火にくべしに臭気ふんぷんと空にのぼりしかば、かの黒雲たちまちに散り失せたりとござったが、さいぜんただちに頭髪を切るべきに生憎、と言って禿げた頭を真面目な顔して静かに撫でた。へえ、そうですか、と観音経は、馬鹿にし切ったような顔で、そっぽを向いて相槌を打ち、何もかも観音のお力にきまっていますさ、やあ、ぜにはあった！　と小声で呟き、殊勝げに瞑目して南無観世音大菩薩と称えれば、金内は、ただにこにこして、やがて船はゆらゆら港へはいり、人々やれ命拾いと大恩人の目前にあるも知らず、互いに無邪気に慶祝し合って上陸した。

　中堂金内は、ほどなく松前城に帰着し、上役の野田武蔵に、このたびの浦々巡視の結果をつぶさに報告して、それからくつろぎ、よもやまの旅の土産話のついでに、れいの人魚の一件を、少しも誇張するところなく、ありのままに淡々と語れば、武蔵かねて金内の実直の性格を悉知しているゆえ、その人魚の不思議をも疑わず素直に信じ、殊にもそなたの沈着勇武、さっそくこの義を膝を打って、それは近頃めずらしい話、殿との御前に於いて御披露申し上げよう、と言うと、金内は顔を赤らめ、いやいや、そ

れほどの事でも、と言いかけるのにかぶせて、そうではない、古来ためし無き大手柄、家中の若い者どものはげみにもなります、と強く言い切って、まごつく金内をせき立て、共に殿の御前にまかり出ると、おのおの方もお聞きなされ、世にもめずらしき手柄話、と武蔵は大いに勢い附いて、折よく御前には家中の重役の面々も居合せ、野田金内の旅の奇談を逐一語れば、殿をはじめ一座の者、膝をすすめて耳を傾ける中にひとり、青崎百右衛門とて、父親の百之丞が松前の家老として忠勤をはげんだお蔭で、親の歿後も、その禄高をそっくりいただき何の働きも無いくせに重役のひとりに加えられ、育ちのよいのを鼻にかけて同輩をさげすみ、なりあがり者の娘などはこの青崎の家に迎え容れられぬと言って妻をめとらず道楽三昧の月日を送って、ことし四十一歳、このごろは欲しいと言ったって誰も娘をやろうとはせぬ有様、みずからの高慢にむくいではあるが、さすがに世の中が面白くなく、何かにつけて家中の者たちにいや味を言い、身のたけ六尺に近く極度に痩せて、両手の指は筆の軸のように細く長く、落ち窪んだ小さい眼はいやらしく青く光って、鼻は大きな鷲鼻、頬はこけて口はへの字型、さながら地獄の青鬼の如き風貌をしていて、一家中のきらわれ者、この百右衛門が、武蔵の物語を半分も聞かぬうちに、ふふん、と笑い、のう玄斎、と末座に丸くかしこまっている茶坊主の玄斎に勝手に話掛け、

「そなたは、どう思うか。こんな馬鹿らしい話を、わざわざ殿へ言上するなんて、ちと不謹慎だとは思わぬか。世に化物なし、不思議なし、猿の面は赤し、犬の足は四本にきまっている。人魚だなんて、子供のお伽噺ではあるまいし、いいとしをしたお歴々が、額にはくれないの鶏冠も呆れるじゃないか。」と次第に傍若無人の高声になって、「のう、玄斎、よしその人魚とやらの怪しい魚類が北海に住んでいたとしてもさ、そんな古来ためしの無い妖怪を射とめるには、こちらにも神通力が無くてはかなわぬ。なまなかの腕では退治が出来まい。鳥に羽あり魚に鰭ありさ。なかなかどうして、飛ぶ小鳥、泳ぐ金魚を射とめるのも容易の事じゃないのに、そんな上半身水晶やらの化物を退治するのには、まず弓矢八幡大菩薩、頼光、綱、八郎、田原藤太、みんなのお力をたばにしたくらいの腕前でもなければ、間に合いますまい。いや、論より証拠、それがしの泉水の金魚、なあ、そなたも知っているだろう、わずかの浅水をたのしみにひらひら泳ぎまわってござるが、せんだって退屈のあまり雀の小弓で二百本ばかり射かけてみたが、これにさえ当らぬもの、金内殿も、おおかた海上でにわかの旋風に遭い、動転して、流れ寄る腐木にはっしと射込んだのでなければ、さいわいだがのう。」と、当惑し切ってもじもじしている茶坊主をつかまえて、殿へも聞えよがしの雑言。たまりかねて野田武蔵、ぐいと百右衛門の方に向き直り、

「それは貴殿の無学のせいだ。」と日頃の百右衛門の思い上った横着振りに対する鬱憤もあり、嚙みつくような口調で言って、「とかく生半可の物識りに限って世に不思議なし、化物なし、と実もふたも無いような言い方をして澄し込んでいるものですが、そもそもこの日本の国は神国なり、日常の道理を越えたる不思議の真実、炳として存す。貴殿のお屋敷の浅い泉水とくらべられては困ります。神国三千年、山海万里のうちにはおのずから異風奇態の生類あるまじき事に非ず、古代にも、仁徳天皇の御時、飛驒に一身両面の人出ずる、天武天皇の御宇に丹波の山家より十二角の牛出ずる、文武天皇の御時、慶雲四年六月十五日に、たけ八丈よこ一丈二尺一頭三面の鬼、異国より来る、かかる事どもも有るなれば、このたびの人魚、何か疑うべき事に非ず。」と名調子でもって一気にまくし立てると、百右衛門、蒼い顔をさらに蒼くして、にやりと笑い、

「それこそ生半可の物識り。それがしは、議論を好まぬ。議論は軽輩、功をあせっている者同志のやる事です。子供じゃあるまいし。青筋たてて空論をたたかわしても、お互い自説を更に深く固執するような結果になるだけのものさ。議論は、つまらぬ。それがしは何も、人魚はこの世に無いと言っているのではござらぬ。見た事が無いと言っているだけの事だ。金内殿もお手柄ついでにその人魚とやらを、御前に御持参に

なればよかったのに。」と憎らしくうそぶく。武蔵たけり立って膝をすすめ、

「武士には、信の一字が大事ですぞ。手にとって見なければ信ぜられぬとは、さてさて、あわれむべき御心魂。それに心に信無くば、この世に何の実体かあらん。手に取って見れども信ぜずば、見ざるもひとしき仮寝の夢。実体の承認は信より発す。然して信は、心の情愛を根源とす。貴殿の御心底には一片の情愛なし、信義なし。見られよ、金内殿は貴殿の毒舌に遭い、先刻より身をふるわし、血涙をしぼって泣いてござるわ。金内殿は、貴殿とは違って、うそなど言う仁ではござらぬ。日頃の金内殿の実直を、貴殿はよもや知らぬとは申されますまい。」と詰め寄ったが、百右衛門は相手にせず、

「それ、殿がお立ちだ。御不興と見える。」といかめしい口調で言い、御奥へ引上げる城主に向って平伏し、

「やれやれ、馬鹿どもには迷惑いたす。」と小声で呟いて立ち上り、「頭の血のめぐりの悪い事を実直と申すのかも知れぬが、夢や迷信をまことしやかに言い伝え、世をまどわすのは、この実直者に限る。」と言い捨て、猫の如く足音も無く退出する。他の重役たちも、或いは百右衛門の意地悪を憎み、或いは武蔵の名調子を気障なりとしてどっちもどっちだと思い、或いは居眠りをして何の議論やらわけがわからず呆然と

して立ち上って、一人去り二人去り、あとには武蔵と金内だけが残されて、武蔵くやしく歯がみをして、

「おのれ、よくも、ほざいた。金内殿、お察し申す。そなたも武士、すでに御覚悟もあろうが、いついかなる場合も、この武蔵はそなたの味方です。いかにしても、きゃつを、このままでは。」と力めば、金内、そう言われて尚の事、悲しくうらめしく、しばらくは一言の言葉も出ず、声も無く慟哭していた。不仕合せな人は、他人からかばわれ同情されると、うれしいよりは、いっそうわが身がつらく不仕合せに思われて来るものである。東西を失う男泣きに泣いて、いまはわが身の終りと観念し、涙をこぶしで拭いて顔を挙げ、なおも泣きじゃくりながら、

「かたじけなく存じます。さきほどの百右衛門のかずかずの悪口、聞き捨てになりがたく、金内軽輩ながら、おのれ、まっぷたつと思いながらも、殿の御前なり、忍ぶべからざるを忍んで、ただ、くやし涙にむせていましたが、もはや覚悟のほどが極まりました。ただいまこれより追い駈けて、かの百右衛門を一刀のもとに切り捨てるのは最も易い事ですが、それでは家中の人たちは、金内は百右衛門のために嘘を見破られて、くやしさの余り刃傷に及んだと言い、それがしの人魚の話もいよいよようろんの事になって、御貴殿にも御迷惑をおかけする結果に相成りますから、どうせもう、すたりも

のになったこの身、死におくれついでに今すこし命ながらえ、鮭川の入海を詮議して、弓矢八幡お見捨てなく、かの人魚の死骸を見つけた時は、金内の武運もいまだ尽きざる証拠、是を持参して一家中に見せ、しかるのち、百右衛門を心置きなく存分に打ち据え、この身もうれしく切腹の覚悟。」と申せば武蔵は、いじらしさに、もらい泣きして、

「武蔵が無用の出しゃばりして、そなたの手柄を殿に御披露したのが、わるかった。わけもない人魚の論などはじめて、あたら男を死なせねばならぬ。ゆるせ金内、来世は武士に生れぬ事じゃのう。」顔をそむけて立ち上り、「留守は心配ないぞ。」と強く言って広間から退出した。

金内の私宅には、八重ということし十六になる色白く目鼻立ち鮮やかな大柄な娘と、鞠という小柄で怜悧な二十一歳の召使と二人住んでいるだけで、金内の妻は、その六年前にすでに病歿していた。金内はその日努めて晴れやかな顔をして私宅へ帰り、父はまたすぐ旅に出かける、こんどの旅は少し永いかも知れぬから留守に気を附けよ、とだけ言って、貯えの金子ほとんど全部をふところにねじ込み、逃げるようにして家を出た。

「お父さまは、へんね。」と八重は、父を送り出してから、鞠に言った。

「さようでございます。」鞠は落ちついて同意した、金内は、ひとををあざむく事は、下手である。いくら陽気に笑ってみせても、だめなのである。十六の娘にも、また召使いにも、看破されている。
「お金を、たくさん持って出たじゃないの。」お金の事まで看破されている。
鞠は、うなずいて、
「容易ならぬ事と存じます。」と、分別顔をして呟いた。
「胸騒ぎがする。」と言って、八重は両袖で胸を覆った。
「どのような事が起るかわかりませぬ。見苦しい事の無いように、これからすぐに家の内外を綺麗に掃除いたしましょう。」と鞠は素早く襷をかけた。
その時、重役の野田武蔵がお供も連れず、平服で忍ぶようにやって来て、
「金内殿は、出かけられましたか。」と八重に小声で尋ねた。
「はい。お金をたくさん持って出かけました。」
武蔵は苦笑して、
「永い旅になるかも知れぬ。留守中、お困りの事があったら、少しも遠慮なくこの武蔵のところへ相談にいらっしゃい。これは、当座のお小遣い。」と言って、かなりの金子を置いて立ち去る。

これはいよいよ父の身の上に何か起ったと合点（がてん）して、八重も武士の娘、その夜から懐剣を固く抱いて帯もとかずに丸くなって寝る。

一方、人魚をさがしに旅立った中堂金内、鮭川の入海のほとりにたどり着き、村の漁師をことごとく集めて、所持の金子を残らず与え、役目を以てそちたちに申しつけるのではない、中堂金内一身上の大事、内々の折入っての頼みだ、と物堅く公私の別をあきらかにして、それから少し口ごもり、頰（ほお）を赤らめ、ほろ苦く笑って、そちたちは或いは信じないかも知れないが、と気弱く前置きして、過ぎし日の人魚の一件を物語り、金内がいのちに代えての頼みだ、あの人魚の死骸を是非ともこの入海の底から捜し出し、或る男に見せてやらなければこの金内の武士の一分（いちぶん）が立たぬのだ、この寒空に気の毒だが、そちたちの全力を挙げてあの怪魚の死骸を見つけ出しておくれ、と折から雪の霏々（ひひ）と舞い狂う荒磯で声をからして懇願すれば、漁師の古老たちは深く信じて同情し、若い衆たちは、人魚だなんて本当かなあと疑いながら、それでも少し好奇心にそそられ、とにかく大網を打って、入海の底をさぐって見たけれども、網にはいって来るものは、にしん、たら、かに、いわし、かれいなど、見なれた姿のさかなばかりで、かの怪魚らしいものは更に見当らず、翌る日も、またその翌る日も、村中総出で入海に船を浮べ、寒風に吹きさらされて、網を打ったりもぐったり、さまざま

難儀して捜査したが、いずれも徒労に終り、若い衆たちは、はや不平を言い出し、あのさむらいの眼つきを見よ、どうしたって普通でない、気違いだよ、気違いの言う事をまに受けて、この寒空に海にもぐるのは馬鹿々々しい、おれはもう、やめた、あてもない海の人魚を捜すよりは、村の人魚にあたためられたほうが気がきいている、と磯の焚火に立ちはだかり下品な冗談を大声で言ってどっと笑い囃し、金内はひとり悲しく、聞えぬ振りして、一心に竜神に祈念し、あの人魚の鱗一枚、髪一筋でもいまこの入海から出たならば、それがしの面目はもとより武蔵殿も名誉、共に思うさま百右衛門をののしり、信義の一太刀覚えたか、とまっこうみじんに天誅を加え、この胸のうらみをからりと晴らす事が出来るものを、と首を伸ばして入海を見渡す姿のいじらしさに、漁師の古老は思わず涙ぐんで傍に寄り、
「なあに、大丈夫だ。若い衆たちは、あんな事を言っているけれど、おれたちは、たしかにこの海に、おさむらいの射とめた人魚が沈んでいると見込んでいるだ。このあたりの海には、な、昔からいろいろな不思議なさかながいまして、若い衆たちにはわからねえ事だ。おれたちの子供の頃にも、な、この沖に、おきなという大魚があらわれて、偉い騒ぎをしました。嘘でも何でも無い、その大きさは二、三里、いや、もっと大きいかも知れねえ。誰もその全身を見たものがねえのです。そのさかなが現わ

れる時には、海の底が雷のように鳴って風もねえのに大波が起って、鯨なんてやつも東西に逃げ走って、漁の船も、やあれ、おきながが来たぞう、と叫び合って早々に浜に漕ぎ戻り、やがて、おきなが海の上に浮んで、そのさまは、大きな島がにわかに沖にいくつも出来たみたいで、これは、おきなの背中や鰭が少しずつ見えたのでして、全体の大きさは、とてもとても、そんなもんじゃありやしねえ。はかり知る事が出来ねえのだ。このおきなは、小さなさかなには見むきもしねえで、もっぱら鯨ばかりたべて生きているのだそうでして、二十尋三十尋の鯨をたばにして呑み込んで、その有様は、鯨が鰯を呑むみたいだってんだから凄いじゃねえか。だから鯨は、海の底が鳴れば、さあ大変と東西に散って逃げますだ。おっかないさかなもあったものさ。蝦夷の海には昔から、こんな化物みたいなさかなが、いろいろあっただ。おさむらいの人魚の話だって、おれたちは、ちっとも驚きやしねえ。それはきっと、この入海にいやがったに違いねえのだ。なんの不思議もねえ事だ。二里三里のおきなが泳ぎ廻っていた海だもの、な、いまにおれたちは、きっとその人魚の死骸を見つけて、おさむらいの一分とやらを立てさせてあげますぞ。」と木訥の口調で懸命になぐさめ、金内の肩に積った粉雪を払ってやったりするのだが、金内は、そのように優しくされると尚さら心細くなり、ああ、自分もとうとうこんな老爺の慈悲を受けるようなはかない身

の上の男になったか、この老爺のいたわりの言葉の底には、何だかもう絶望してあきらめているような気配が感ぜられる、とひがみ心さえ起って来て、荒々しく立ち上り、

「たのむ！　それがしは、たしかにこの入海で怪しい魚を射とめたのだ。弓矢八幡、誓言する。たのむ。なお一そう精出して、あの人魚の鱗一枚、髪一筋でも捜し当てておくれ。」と言い捨て、積雪を蹴って汀まで走って行き、そろそろ帰り支度をはじめている漁師たちの腕をつかんで、たのむ、もういちど、と眼つきをかえて歎願する。

漁師たちは、お金をさきに受け取ってしまっているし、もういい加減に熱意を失いかけている。ほんの申しわけみたいに、岸ちかくの浅いところへ、ざぶりと網を打ったりなどして、そうして、一人二人、姿を消し、いつのまにか磯には犬ころ一匹もいなくなり、日が暮れてあたりが薄暗くなるといよいよ朔風が強く吹きつけ、眼をあいていられないくらいの猛吹雪になっても、金内は、鬼界ヶ島の流人俊寛みたいに浪打際を足ずりしてうろつき廻り、夜がふけても村へは帰らず、寝床は、はじめから水際近くの舟小屋の中と定めていて、その小屋の中で少しまどろんだうちに、汀に飛び出し、流れ寄る藻屑をそれかと驚喜し、すぐにがっかりして泣きべそをかいて、岸ちかくに漂う腐木を、もしやと疑いざぶざぶ海にはいって行って、む

なしく引返し、ここへ来てから、ろくろくものも食べずに、出て来いと念じて、次第に心魂朦朧として怪しくなり、射とめたなんて嘘だろう、ああ、あの時、自分も船の相客たちと同様にたわいなく気を失い、人魚の姿を見なければよかった、なまなかに気魂が強くて、この世の不思議を眼前に見てしまったからこんな難儀に遭うのだ、何も見もせず知りもせず、そうしてもっともらしい顔でそれぞれ独り合点して暮している世の俗人たちがうらやましい、あるのだ、世の中にはあの人たちの思いも及ばぬ不思議な美しいものが、あるのだ、けれども、それを一目見たものは、たちまち自分のようにこんな地獄に落ちるのだ、自分は前世から、何か気味悪い宿業のようなものがあったのかも知れない、このうえ生きて甲斐ない命かも知れぬ、悲惨に死ぬより他は無い星の下に生れたのだろう、いっそこの荒磯に身を投じ、来世は人魚に生れ変って、などと、うなだれて汀をふらつき、どうやら死神にとりつかれた様子で、けれども、やはり人魚の事は思い切れず、しじらと明けはなれて行く海を横目で見て、ああ、せめてあの老漁師の物語ったおきなとかいう大魚ならば、詮議もひどく容易なのになあ、と真顔でくやしがって溜息をつき、あたら勇士も、しどろもどろ、既に正気を失い命のほどもここ一両日中とさえ見

留守宅に於いては娘の八重、あけくれ神仏に祈って、父の無事を願っていたが、三日経ち四日経ち、茶碗はわれる、草履の鼻緒は切れる、少しの雪に庭の松の枝が折れる、縁起の悪い事ばかり続いて、とても家の中にじっとして居られなくなり、一夜こっそり武蔵の家をたずねて、父は鮭川の入海のほとりにいるという事を聞いて、その夜のうちに身支度をして召使いの鞠と二人、夜道の雪あかりをたよりに、父の後を追って発足した。或いは民家の軒下に休み、或いは海岸の岩穴に女の主従がひたと寄り添って浪の音を聞きつつ仮寝して、八重のゆたかな頬も痩せ、つらい雪道をまたもはげまし合っていそいでも、女の足は、はかどらず、ようやく三日目の暮方、よろめいて鮭川の入海のほとりにたどり着いた時には、南無三宝、父は荒蓆の上にあさましく冷いからだを横たえていた。その日の朝、この金内の屍が、入海の岸ちかくに漂っていたという。頭には海草が一ぱいへばりついて、かの金内が見たという人魚の姿に似ていたという。女の主従は左右より屍に取りつき、言葉も無くただ武者振りついて慟哭して、さすがの荒くれた漁師たちも興覚める思いで眼をそむけた。母に先立たれ、いままた父に捨てられ、八重は人心地も無く泣きに泣いて、やがて覚悟を極め、青い顔を挙げて一言、

「鞠、死のう。」
「はい。」
と答えて二人、しずかに立ち上った時、憂々たる馬蹄の響きが聞えて、
「待て、待てえ！」と野田武蔵のたのもしい蛮声。
馬から降りて金内の屍に頭を垂れ、
「えい、つまらない事になった。ようし、こうなったら、人魚の論もくそも無い。武蔵は怒った。本当に怒った。怒った時の武蔵には理窟も何も無いのだ。道理にはずれていようが何であろうが、そんな事はかまわない。人魚なんて問題じゃない。そんなものはあったって無くったって同じ事だ。いまはただ憎い奴を一刀両断に切り捨てるまでだ。こら、漁師、馬を貸せ。この二人の娘さんが乗るのだ。早く捜して来い！」
と八つ当りに呶鳴り散らし、勢いあまって、八重と鞠を、はったと睨み、
「その泣き顔が気に食わぬ。かたきのいるのが、わからんか。これからすぐ馬で城下に引返し、百右衛門の屋敷に躍り込み、首級を挙げて、金内殿にお見せしないと武士の娘とは言わせぬぞ。めそめそするな！」
「百右衛門殿というと、」召使いの鞠は、ひそかにうなずき進み出て、「あの青崎、百右衛門殿の事でしょうか。」

「そうよ、あいつにきまっている。」

「思い当る事がございます。」と鞠は落ちつき、「かねてあの青崎百右衛門殿は、いとしをしながらお嬢様に懸想して、うるさく縁組を申し入れ、お嬢様は、あのような鷲鼻のお嫁になるくらいなら死んだほうがいいとおっしゃるし、それで、旦那様も、——」

「そうか、それで事情が、はっきりわかった。きゃつめ、一生独身主義だの、女ぎらいだのと抜かしていながら、蔭では、なあんだ、振られた男じゃないか、だらしがない。いよいよ見下げ果てたやつだ。かなわぬ恋の仕返しに金内殿をいじめるとは、憎さが余って笑止千万！」と早くも朗らかに凱歌を挙げた。

その夜、武蔵を先登に女ふたり長刀を持ち、百右衛門の屋敷に駈け込み、奥の座敷でお妾を相手に酒を飲んでいる百右衛門の痩せた右腕を武蔵まず切り落し、百右衛門すこしもひるまず左手で抜き合わすを鞠は踏み込んで両足を払えば百右衛門立膝になってもさらに弱るところなく、八重をめがけて烈しく切りつけ、武蔵ひやりとして左の肩に切り込めば、百右衛門たまらず仰向けに倒れたが、一向に死なず、蛇の如く身をくねらせて手裏剣を鋭く八重に投げつけ、八重はひょいと身をかがめて危く避けたが、そのあまりの執念深さに、思わず武蔵と顔を見合せたほどであった。

めでたく首級を挙げて、八重、鞘の両人は父の眠っている鮭川の磯に急ぎ、武蔵はおのれの屋敷に引き上げて、このたびの刃傷の始中終を事こまかに書き認め、殿の御許しも無く百右衛門を誅した大罪を詫び、この責すべてわれに在りと書き結び、あしたすぐ殿へこの書状を差上げよと家来に言いつけ、何のためらうところも無く見事に割腹して相果てたとはなかなか小気味よき武士である。女二人は、金内の屍に百右衛門の首級を手向け、ねんごろに父の葬いをすませて、私宅へ帰り、門を閉じて殿の御裁きを待ち受け、女ながらも白無垢の衣服に着かえて切腹の覚悟、城中に於いては重役打寄り評議の結果、百右衛門こそ世にめずらしき悪人、武蔵すでに自決の上は、この私闘おかまいなしと定め、殿もそのまま許認し、女ふたりは、天晴れ父の仇、主の仇を打ったけなげの者と、かえって殿のおほめにあずかり、八重には、重役の伊村作右衛門末子作之助の入縁仰せつけられて中堂の名跡をつがせ、歩行目付の戸井市左衛門とて美男の若侍に嫁がせ、それより百日ほど過ぎて、北浦春日明神の磯より深夜城中に注進あり、不思議の骨格が汀に打ち寄せられています、肉は腐って洗い去られ骨組だけでございますが、上半身はほとんど人間に近く、下半身は魚に違わず、いかにも無気味のものゆえ、取り敢えず御急報申しあげますとの事、さっそく奉行をつかわし検分させたところが、その奇態の骨の肩先にまぎれもなく、中堂

金内の誉れの矢の根、八重の家にはその名の如く春が重ったという、此段、信ずる力の勝利を説く。

(武道伝来記、巻二の四、命とらるる人魚の海)

## 破産

むかし美作（みまさか）の国に、蔵合（ぞうごう）という名の大長者があって、広い屋敷には立派な蔵が九つも立ち並び、蔵の中の金銀、夜な夜な呻き出して四隣の国々にも隠れなく、美作の国の人たちは自分の金でも無いのに、蔵合のその大財産を自慢し、薄暗い居酒屋でわずかの濁酒（にごりざけ）に酔っては、

蔵合さまには及びもないが、せめて成りたや万屋（よろずや）に、

という卑屈の唄をあわれなふしで口ずさんで淋しそうに笑い合うのである。この唄に出て来る万屋というのは、美作の国で蔵合につづく大金持、当主一代のうちに溜め込んだ金銀、何万両、何千貫とも見当つかず、しかも蔵合の如く堂々たる城郭を構える事もなく、近隣の左官屋、炭屋、紙屋の家と少しも変らず軒の低い古ぼけた住居で、あるじは毎朝早く家の前の道路を掃除して馬糞（ばふん）や紐（ひも）や板切れを拾い集めてむだには捨てず、世には何染（なにぞめ）、何縞（なにじま）がはやろうと着物は無地の手織木綿一つと定め、元日にも裃（かみしも）入（いり）の時に仕立てた麻袴（あさばかま）を五十年このかた着用して礼廻りに歩き、夏にはふんどし一つ

の姿で浴衣を大事そうに首に巻いてもらい風呂に出かけ、初生の茄子一つは二文、二つは三文と近在の百姓が売りに来れば、初物食って七十五日の永生きと皆々三文出して二つ買うのを、あるじの分別はさすがに非凡で、二文を出して一つ買い、これを食べて七十五日の永生きを願って、あとの一文にて、茄子の出盛りを待ちもっと大きいのをたくさん買いましょうという抜け目のない算用、金銀は殖えるばかりで、まさに、それこそ「暗闇に鬼」の如き根強き身代、きらいなものは酒色の二つ、「下戸ならぬこそ」とか「色好まざらむ男は」とか書き残した法師を憎む事しきりにて、おのれ、いま生きていたら、訴訟をしても、ただは置かぬ、と十三歳の息子の読みかけの徒然草を取り上げてばりばり破り、捨てずに紙の皺をのばして細長く切り、紙小縒を作って五十組の羽織紐を素早く器用に編んで引出しに仕舞い、これは一家の者以後十年間の普段の羽織紐、息子の名は吉太郎というが、かねてその色白くなよなよしたからだつきが気にくわず、十四歳の時、やわらかい鼻紙を懐に入れているのを見て、末の見込み無しと即座に勘当を言い渡し、播州には那波屋殿という倹約の大長者がいるから、よそながらそれを見ならって性根をかえよ、と一滴の涙もなく憎々しく言い切って、播州の網干というところにいるその子の乳母の家に追い遣り、その後、あるじの妹の一子を家にいれて二十五、六まで手代同様にしてこき使い、ひそかにその働

き振りを見るに、その仕末のよろしき事、すりきれた草履の藁は、畑のこやしになるとて手許にたくわえ、ついでの人にたのんで田舎の親元へ送ってやる程の珍らしい心掛けの若者であったから、大いに気にいり、これを養子にして家を渡し、さて、嫁はどんなのがいいかと聞かれて、その養子の答えるには、嫁をもらっても、いや、私だとて木石ではなし、三十四十になってからふっと浮気をするかも知れない、いや、人間その方面の事はわからぬものです、その時、女房が亭主に気弱く負けていたら、この道楽はやめがたい、私はそんな時の用心に、気違いみたいなやきもち焼きの女房をもらって置きたい、亭主が浮気をしたら出刃庖丁でも振りまわすくらいの悋気の強い女房ならば、私の生涯も安全、この万屋の財産は万歳だろうと思います、という事だったので、あるじは膝を打ち眼を細くして喜び、早速四方に手をまわして、その父親が九十の祖母とすこし長話をしても、いやらし、やめよ、と顔色を変え眼を吊り上げ立ちはだかってわめき散らすという願ったり叶ったりの十六のへんな娘を見つけて、これを養子の嫁に迎え、自分ら夫婦は隠居して、家の金銀のこらず養子に心置きなくゆずり渡した。この養子、世に珍らしく仕末の生れつきながら、量り知られぬおびただしき金銀をにわかにわがものにして、さすがに上気し、四十はおろか三十にもならぬうちに、つき合いと称して少し茶屋酒をたしなみ、がらにもなく髪を撫でつけ、足袋、草

履など吟味しはじめたので、女房たちまち顔色を変え眼を吊り上げ、向う三軒両隣りの家の障子が破れるほどの大声を挙げ、
「あれあれ、いやらし。男のくせに、そんなちぢれ髪に油なんか附けて、鏡を覗き込んで、きゅっと口をひきしめたり、にっこり笑ったり、いやいやをして見たり、馬鹿げたひとり芝居をして、いったいそれは何の稽古のつもりです、どだいあなたは正気ですか、わかっていますよ、あさましい。あたしの田舎の父は、男というものは野良姿のままで、手足の爪の先には泥をつめて、眼脂も拭かず肥桶をかついでお茶屋へ遊びに行くのが自慢だ、それが出来ない男は、みんな茶屋女の男めかけになりたくて行くやつだ、とおっしゃっていたわよ、そんなちぢれ髪を撫でつけて、あなたはそれで茶屋の婆芸者の男めかけにでもなる気なのでしょう、わかっていますよ、けちんぼのあなたの事ですから、なるべくお金を使わず、婆芸者にでも泣きついて男めかけにしてもらって、あわよくば向うからお小遣いをせしめてやろうという、いいえ、わかっていますよ、くやしかったら肥桶をかついでお出掛けなさい、出来ないでしょう、なんだいそんな裏だか表だかわからないような顔をして、鏡をのぞき込んでにっこり笑ったりして、ああ、きたない、そんな事をするひまがあったら鼻毛でも剪んだらどう？　伸びていますよ、くやしかったら肥桶をかついで、」とうるさい事、うるさい

事。かねて、こんな時にこそ焼きもちを焼いてもらうために望んでめとった女房ではあったが、さて、実際こんな工合いに騒がしく悋気を起されてみると、あまりいい気持のものでない。養父母の気にいられようと思って、悋気の強い女房こそ所望でございます、などと分別顔して言い出したばかりに、これは、とんでもない事になったと今はひそかに後悔した。ぶん殴ってやろうかとも思うのだが、隠居座敷の老夫婦は、嫁の悋気がはじまるともう嬉しくてたまらないらしく、老夫婦とも母屋まで這い出して来て、うふふと笑いながら、まあまあ、などといい加減な仲裁をして、そうして惚れ惚れと嫁の顔を眺める仕末なので、ぶん殴るわけにもいかず、さりとて、肥桶をかついで遊びに出掛けるのも馬鹿々々しく思われ、腹いせに銭湯に出かけて、眼まいがするほど永く湯槽にひたって、よろめいて出て、世の中にお湯銭くらい安いものはない、今夜あそびに出掛けたら、どうしたって一両失う、お湯に酔うのも茶屋酒に酔うのも結局は同じ事さ、とわけのわからぬ負け惜しみの屁理窟をつけて痩我慢の胸をさすり、家へ帰って一合の晩酌を女房の顔を見ないようにしてうつむいて飲み、どうにも面白くないので、やけくそに大めしをくらって、ごろりと寝ころび、出入りの植木屋の太吉爺を呼んで、美作の国の七不思議を語らせ、それはもう五十ぺんも聞いているので、腕まくらしてきょろきょろと天井板を眺めて別の事を考え、不意に思いつい

たように小間使いを呼んで足をもませ、女房の顔を見ると、むらむらっとして来て、おい、茶を持って来い、とつっけんどんに言いつけ、女房に茶碗をささげ持たせたまま、自分はやはり寝ながら頭を少しもたげ、手も出さずにごくごく飲んで、熱い、とこごとを言い、八つ当りしても、大将が夜遊びさえしなければ家の中は丸くおさまり、隠居はくすくす笑いながら宵から楽寝、召使いの者たちも、将軍内にいらっしゃると緊張して、ちょっと叔母のところへと怪しい外出をする丁稚もなく、裏の井戸端で誰を待つやらうろうろする女中もない。番頭は帳場で神妙を装い、やたらに大福帳をめくって意味も無く算盤をぱちぱちやって、はじめは出鱈目でも、そのうちに少しの不審を見つけ、本気になって勘定をし直し、長松は傍にぎょうぎよく坐ってあくびを嚙み殺しながら反古紙の皺をのばし、手習帳をつくって、どうにも眠くてかなわなくなれば、急ぎ読本を取出し、奥に聞えよがしの大声で、徳は孤ならず必ず隣あり、と読み上げ、下男の九助は、破れた菰をほどいて銭差を綯えば、下女のお竹は、いまのうちに朝のおみおつけの実でも、と重い尻をよいしょとあげ、穴倉へはいって青菜を捜しお針のお六は行燈の陰で背中を丸くしてほどきものに余念がなさそうな振りをしていて、猫さえ油断なく眼を光らせ、台所にかたりと幽かな音がしても、にゃあと鳴き、いよいよ財産は殖えるばかりで、この家安泰無事長久の有様ではあったが、若大将ひ

とり快々として楽しみ、女房の毎夜の寝物語は味噌漬がどうしたの塩鮭の骨がどうしたのと呆れるほど興覚める事だけで、せっかくお金が唸るほどありながら悋気の女房をもらったばかりに眼まいするほど長湯して、そうして味噌漬の話や塩鮭の話を拝聴していなければならぬ、おのれ、いまに隠居が死んだら、とけしからぬ事を考え、うわべは何気なさそうに立ち働き、内心ひそかによろしき時機をねらっていた。やがて隠居夫婦も寄る年波、紙小縒の羽織紐がまだ六本引出しの中に残ってあると言い遺して老父まず往生すれば、老母はその引出しに羽織紐が四本引出しの中に残ってあるのを気に病み、これも程なく後を追い、もはやこの家に気兼ねの者は無く、名実共に若大将の天下、まず悋気の女房を連れて伊勢参宮、ついでに京大阪を廻り、都のしゃれた風俗を見せ、野暮な女房を持ったばかりに亭主は人殺しをして牢へはいるという筋の芝居を見せて、女房の悋気のつつしむべき所以を無言の裡に教訓し、都のはやりの派手な着物や帯をどっさり買ってやったら女房は、女心のあさましく、国へ帰ってからも都の人に負けじと美しく装い茶の湯、活花など神妙らしく稽古して、寝物語に米味噌の事を言い出すのは野暮とたしなみ、肥桶をかついで茶屋遊びする人は無いものだという事もわかり、殊にも悋気はあさましいものと深く恥じ、
「あたしだって、悋気をいい事だとは思っていなかったのですけれど、お父さんやお

母さんがお喜びになるので、つゝいあんな大声を挙げてわるかったわね。」と言葉までさばけた口調になって、「浮気は男の働きと言いますものねえ。」
「そうとも、そうとも。」男はここぞと強く相槌を打ち、「それについて、」ともっともらしい顔つきになり、「このごろ、どうも、養父養母が続いて死に、わしも、何だか心細くて、からだ工合いが変になった。俗に三十は男の厄年というからね、」そんな厄年は無い。「ひとつ、上方へのぼって、ゆっくり気保養でもして来ようと思うよ。」とんでもない「それについて」である。
「あいあい、」と女房は春風駘蕩たる面持で、「一年でも二年でも、ゆっくり御養生しておいでなさい。まだお若いのですものねえ。いまから分別顔して、けちくさく暮していたら、永生き出来ませんよ。男のかたは、五十くらいから、けちになるといいのですよ。三十のけちんぼうは、早すぎます。見っともないの。そんなのは、芝居では悪役ですよ。若い時には思い切り派手に遊んだほうがいいの。あたしも遊ぶつもりよ。かまわないでしょう？」と過激な事まで口走る。
亭主はいよいよ浮かれて、
「いいとも、いいとも。わしたちが、いくら遊んだって、ぐらつく財産じゃない。蔵の金銀にも、すこし日のめを見せてやらなくちゃ可哀想だ。それでは、お言葉に甘え

て一年ばかり、京大阪で気保養をして来ますからね。留守中は、せいぜい朝寝でもして、おいしいものを食べていなさい。上方のはやりの着物や帯を、どんどん送ってよこしますからね。」といやに優しい言葉遣いをして腹に一物、あたふたと上方へのぼる。

　留守中は女房、昼頃起きて近所のおかみたちを集めてわいわい騒ぎ、ごちそうを山ほど振舞っておかみたちの見え透いたお世辞に酔い、毎日着物を下着から全部取かえて着て、立ってくにゃりとからだを曲げて一座の称讚を浴びれば、番頭はどさくさまぎれに、おのれの妻子の宅にせっせと主人の金を持ち運び、長松は朝から晩まで台所をうろつき、戸棚に首を突込んでつまみ食い、九助は納屋にとじこもって濁酒を飲で眼をどろんとさせて何やらお念仏に似た唄を口ずさみ、お竹は、鏡に向って両肌を脱ぎ角力取りが狐拳でもしているような恰好でやっさもっさおしろいをぬたくって、化物のようになり、われとわが顔にあいそをつかしてめそめそ泣き出し、お針のお六は、奥方の古着を自分の行李につめ込んで、ぎょろりとあたりを見廻し、きせるを取り出して煙草を吸い、立膝になってぶっと鼻から強く二本の煙を噴出させ、懐手して裏口から出て、それっきり夜おそくまで帰らず、猫は鼠を取る事をたいぎがって、寝たまま炉傍に糞をたれ、家は蜘蛛の巣だらけ庭は草蓬々、以前の秩序は見る影も無く

こわされて、旦那はまた、上方に於いて、はじめは田舎者らしくおっかなびっくり茶屋にあがって、けちくさい遊びをたのしんでいたが、お世辞を言うために生れて来た茶屋の者たちに取りまかれて、ほんにお旦那のようなお客ばかりだと私たちの商売ほど楽なものはございません、男振りがようて若うて静かで優しくて思いやりがあって上品で、口数が少くて鷹揚で喧嘩が強そうでたのもしくてお召物が粋で、何でもよくお気がついて、はたらきがありそうで、その上、おほほほ、お金があってあっさりして、と残りくまなくほめられて流石に思慮分別を失い、天下のお大尽とは私の事かも知れないと思い込み、次第に大胆になって豪遊を試み、金というものは使うためにあるものだ、使ってしまえ、と観念して、ばらりばらりと金を投げ捨て、さらにまた国元から莫大な金銀を取寄せ、こうなると遊びは気保養にも何もならず、都の粋客に負けたくないという苦しい意地だけになって、眼つきは変り、顔も青く痩せて、いたたまれぬ思いで、もはやこれだけと旦那の耳元に囁やけば、旦那は愕然として、まだ百分の一も使わぬ筈だが、ああ、小判には羽が生えているのか、無くなる時には早いものだ、一年経たぬうちに、底知れぬ財力も枯渇して、国元からのようし、これからが、わしの働きの見せどころだ、養父からゆずられた財産で威張っているなんて卑怯な事だ、男はやっぱり裸一貫からたたき上げなければいけないもの

だ、無くなってかえって気がせいせいしたわい、などと負け惜しみを言って、空虚な笑声を発し、さあ今晩は飲みおさめと異様にはしゃいで見せたが、廊の者たちは不情、しんとなって、そのうちに一人立ち二人立ち、座敷の蠟燭を消して行く者もあり、あたりが急に暗くなって心細くなり、酒だ酒だ、と叫んで手をたたいても誰も来ず、やがて婆が廊下に立ったままで、きょうはお役人のお見廻りの日ですからお静かに、と他人にものを言うようなあらたまった口調で言い、旦那は呆れて、さすがは都だ、薄情すぎて、むしろ小気味がいい、見事だ、と婆をほめて立ち上り、もとよりこの男もただものでない、あの万屋のけちな大旦那に見込まれたほどの男である、なあに、金なんてものは、その気にさえなれあ、いくらでも、もうけられるものだ、これから国元へ帰って身を粉にして働き以前にまさる大財産をこしらえ、再び都へ来て、きょうの不人情のあだを打って見せる、婆、その時まで死なずに待って居れ、と心の内で棄台詞を残して、足音荒く馴染の茶屋から引上げた。

男は国へ帰ってまず番頭を呼び、お金がもうこの家に無いというけれども、それは間違い、必ずそのような軽はずみの事を言ってはならぬ、暗闇に鬼と言われた万屋の財産が、一年か二年でぐらつく事はない、お前は何も知らぬ、きょうから、わしが帳場に坐る、まあ、見ているがよい、と言って、ただちに店のつくりを改造して両替屋

を営み、何もかも自分ひとりで夜も眠らず奔走すれば、さすがに万屋の信用は世間に重く、いまは一文無しとも知らず安心してここに金銀をあずける者が多く、あずかった金銀は右から左へ流用して、四方八方に手をまわし、内証を見すかされる事なく次第に大きい取引きをはじめて、三年後には、表むきだけではあるがとにかく、むかしの万屋の身代と変らぬくらいの勢いを取りもどし、来年こそは上方へのぼって、あの不人情の廓の者たちを思うさま恥ずかしめて無念をはらしてやりたいといさみ立って、その年の暮、取引きの支払いを首尾よく全部すませて、あとには一文の金も残らぬが、ここがかしこい商人の腕さ、商人は表むきの信用が第一、右から左と埒をあけて、内蔵はからっぽでも、この年の瀬さえしっぽを出さずに、やりくりをすませば、また来年から金銀のあずけ入れが呼ばなくってもさきを争って殺到します、長者とはこんなやりくりの上手な男の事です、と女房と番頭を前にして得意満面で言って、正月の飾り物を一つ二三文で売りに来れば、そんな安い飾り物は小店に売りに行くものだよ、家を間違ったか、と大笑いして追い帰して、三文はおろか、わが家には現金一文も無いのをいまさらの如く思い知って内心ぞっとして、早く除夜の鐘が、と待つ間ほどなく、ごうん、と除夜の鐘、万金の重みで鳴り響き、思わずにっこりえびす顔になり、さあ、これでよし、女房、来年はまた上方へ連れて行くぞ、この二、三年、お前にも肩身の

狭い思いをさせたが、どうだい、男の働きを見たか、惚れ直せ、下戸の建てたる蔵は無いと唄にもあるが、ま、心祝いに一ぱいやろうか、と除夜の鐘を聞きながら、ほっとして女房に酒の支度を言いつけた時、

「ごめん。」と門に人の声。

眼のするどい痩せこけた浪人が、ずかずかはいって来て、あるじに向い、

「さいぜん、そなたの店から受け取ったお金の中に一粒、贋の銀貨がまじっていた。取りかえていただきたい。」と小粒銀一つ投げ出す。

「は。」と言って立ち上ったが、銀一粒どころか、一文だって無い。「それはどうも相すみませんでしたが、もう店をしまいましたから、来年にしていただけませんか。」と明るく微笑んで何気なさそうに言う。

「いや、待つ事は出来ぬ。まだ除夜の鐘のさいちゅうだ。拙者も、この金でことしの支払いをしなければならぬ。借金取りが表に待っている。」

「困りましたなあ。もう店をしまって、お金はみな蔵の中に。」

「ふざけるな！」と浪人は大声を挙げて、「百両千両のかねではない。たかが銀一粒だ。これほどの家で、手許に銀一粒の替が無いなど冗談を言ってはいけない。おや、その顔つきは、どうした。無いのか。本当に無いのか。何も無いのか。」と近隣に響

きわたるほどの高声でわめけば、店の表に待っている借金取りは、はてな？　といぶかり、両隣りの左官屋、炭屋も、耳をすまし、悪事千里、たちまち人々の囁きは四方にひろがり、人の運不運は知れぬもの、除夜の鐘を聞きながら身代あらわれ、せっかくの三年の苦心も水の泡、さすがの智者も矢弾(やだま)つづかず、わずか銀一粒で大長者の万屋ぐゎらりと破産。

（日本永代蔵、巻五の五、三匁五分　曙(あけぼ)のかね）

## 裸　川

　鎌倉山の秋の夕ぐれをいそぎ、青砥左衛門尉藤綱、駒をあゆませて滑川を渡り、川の真中に於いて、いささか用の事あり腰の火打袋を取出し、袋の口をあけた途端に袋の中の銭十文ばかり、ちゃぽりと川浪にこぼれ落ちた。青砥、はっと顔色を変え、駒をとどめて猫背になり、川底までも射透さんと稲妻の如く眼を光らせて川の面を凝視したが、潺湲たる清流は夕陽を受けて照りかがやき、瞬時も休むことなく動き騒ぎ躍り、とても川底まで見透す事は出来なかった。青砥左衛門尉藤綱は、馬上に於いて身悶えした。川を渡る時には、いかなる用があろうとも火打袋の口をあけてはならぬと子々孫々に伝えて家憲にしようと思った。どうにも諦め切れぬのである。いったい、何文落したのだろう。けさ家を出る時に、いつものとおり小銭四十文、二度くりかえして数えてたしかめ、それから役所で三文使った。それゆえ、いまこの火打袋には三十七文残っていなければならぬ筈だが、こぼれ落ちたのは十文くらいであろうか。とにかく、火打袋の中の残金を調べてみるとわかるのだが、川の

真中で銭の勘定は禁物である。向う岸に渡ってから、調べてみる事にしよう。青砥は惨めにしょげかえり、ためいきをつき、うなだれて駒をすすめた。岸に着いて馬より降り、河原の上に大あぐらをかき、火打袋の口を明けて、ざらざらと残金を膝の間にぶちまけ、背中を丸くして、ひいふうみい、と小声で言って数えはじめた。二十六文残っていた。うむ、さすれば川へ落したのは、十一文にきわまって、置かば、惜しい、いかにも、惜しい、十一文といえども国土の重宝、もしもこのまま捨て置かば、惜しい、かの十一文はいたずらに川底に朽ちるばかりだ、もったいなし、おそるべし、とてもこのままこを立ち去るわけにはいかぬいかぬ、たとえ地を裂き、地軸を破り、竜宮までも是非にたずねて取返さん、とひどい決意を固めてしまった。

けれども青砥は、決して卑しい守銭奴ではない。質素倹約、清廉潔白の官吏である。一汁一菜、しかも、日に三度などは食べない。衣服は着たきりの一枚。一日に一度たべるだけである。それでもからだは丈夫である。真黒い着物は、かえって、よごれが目立つものだそうで、濃茶の色に染めさせている。真黒い着物だ。一生その着物いちまいで過した。濃茶の色の、何だかひどく厚ぼったい布地の着物が見えぬように、濃茶の色に染めさせている。刀の鞘には漆を塗らぬ。墨をまだらに塗ってある。主人の北条時頼も、見るに見かねて、

「おい、青砥。少し給料をましてやろうか。お前の給料をもっとよくするようにと夢のお告げがありました。」と言ったら、青砥はふくれて、
「夢のお告げなんて、あてになるものじゃありません。そのうちに、藤綱の首を斬れというお告げがあったら、あなたはどうします。きっと私を斬る気でしょう。」と妙な理窟を言って、加俸を断った。慾の無い人である。給料があまったら、それを近所の貧乏な人たちに全部わけてやってしまう。だから近所の貧乏人たちは、なまけてばかりいて、鯛の塩焼などを食べているくらいであった。決して吝嗇な人ではないのである。国のために質素倹約を率先躬行していたわけなのである。主人の時頼というひともまた、その母の松下禅尼から障子の切り張りを教えられて育ったただけの事はあって、酒のさかなは味噌ときめているほど、なかなか、しまつのいいひとであったから、この主従二人は気が合った。そもそもこの青砥左衛門尉藤綱を抜擢して引付衆にしてやったのは、時頼である。青砥が浪々の身で、牛を呵鳴り、その逸事が時頼の耳にはいり、それは面白い男だという事になって引付衆にぬきんでられたのである。すなわち、川の中で小便をしている牛を見て青砥は怒り、
「さてさて、たわけた牛ではある。川に小便をするとは、もったいない。むだである。畑にしたなら、よい肥料になるものを。」と地団駄踏んで叫喚したという。

真面目な人なのである。銭十一文を川に落して竜宮までもと力むのも、無理のない事である。残りの二十六文を火打袋におさめて袋の口の紐を固く結び、立ち上って、里人をまねき、懐中より別の財布を取出して、三両出しかけて一両ひっこめ、少し考えて、うむと首肯き、またその一両を出して、やっぱり三両を里人に手渡し、この金で、早く人足十人ばかりをかり集めて来るように言いつけ、自分は河原に馬をつなぎ、悠然と威儀をとりつくろって大きな岩に腰をおろした。すでに薄暮である。明日にのばしたらどういうものか。けれども、それは出来ない事だ。捜査を明日にのばしたなら、今夜のうちにもあの十一文は川の水に押し流され、所在不分明となって国土の重宝を永遠に失うというおそろしい結果になるやも知れぬ。銭十一文のちりぢりになうち、一刻も早く拾い集めなければならぬ。夜を徹したってかまわぬ。暗い河原にひとり坐って、青砥は身じろぎもしなかった。
　やがて集って来た人足どもに青砥は下知して、まず河原に火を焚かせ、それから人足ひとりひとりに松明を持たせ冷たい水にはいらせて銭十一文の捜査をはじめさせた。松明の光に映えて秋の流れは夜の錦と見え、人の足手は、しがらみとなって瀬々を立つっこめ、などと声をからして青砥は下知するものの、暗さは暗し、落した場所もどち切るという壮観であった。それ、そこだ、いや、もっと右、いや、いや、もっと左、

こであったか青砥自身にさえ心細い有様で、たとえ地を裂き、地軸を破り、竜宮までもと青砥ひとりは足ずりしてあせっていても、人足すべて凍え死なんばかりに苦しみ、ようようあちこちから不平の呟き声が起って来た。何の因果で、このような難儀に遭うか、と水底をさぐりながら、めそめそ泣き出す人足まで出て来たのである。

この時、人足の中に浅田小五郎という三十四、五歳のばくち打がいた。人間、三十四、五の頃は最も自惚の強いものだそうであるが、それでなくともこの浅田は、氏育ち少しくまされるを鼻にかけ、いまは落ちぶれて人足仲間にはいっていても、傲岸不遜にして長上をあなどり、仕事をなまけ、いささかの奇智を弄して悪銭を得ては、若年の者どもに酒をふるまい、兄貴は気前がよいと言われて、そうでもないが、と答えてまんざらでもないような大馬鹿者のひとりであった。かれはこの時、人足たちと共に片手に松明を持ち片手で川底をさぐっているような恰好だけはしていたが、もより本気に捜すつもりはない。いい加減につき合って手間賃の分配にあずかろうとしていただけであったのだが、青砥は岸に焚火して赤鬼の如く顔をほてらし、眼をむいて人足どもを監視し、それ左、それ右、とわめき散らすので、どうにも、血相かえて騒いでかなわない。ちぇ、けちな野郎だ、十一文がそんなに惜しいかよ、

いやがる、貧乏役人は、これだからいやだ、銭がそんなに欲しかったら、こっちからくれてやらあ、なんだい、たかが十文か十一文、とむらむら、れいの気前のよいところを見せびらかしたくなって来て、自分の腹掛けから三文ばかりつかみ出し、
「あった！」と叫んだ。
「なに、あった？　銭はあったか。」岸では青砥が浅田の叫びを聞いて狂喜し、「銭はあったか。たしかに、あったか。」と背伸びしてくどく尋ねた。
浅田は、ばかばかしい思いで、
「へえ、ございました。三文ございました。おとどけ致します。」と言って岸に向って歩きかけたら、青砥は声をはげまし、
「動くな、動くな。その場を捜せ。たしかにそこだ。私はその場に落したのだ。いま思い出した。たしかにそこだ。さらに八文ある筈だ。落したものは、落した場所にあるにきまっている。それ！　皆の者、銭は三文見つかったぞ。さらに精出して、そこな下郎（げろう）の周囲を捜せ。」とたいへんな騒ぎ方である。
人足たちはぞろぞろと浅田の身のまわりに集り、
「兄貴はやっぱり勘がいいな。何か、秘伝でもあるのかね。教えてくれよ。おれはもう凍えて死にそうだ。どうしたら、そんなにうまく捜し出せるのか。」と口々に尋ね

た。

浅田はもっともらしい顔をして、

「なあに、秘伝というほどの事でもないが、問題は足の指だよ。」

「足の指？」

「そうさ。おまえたちは、手でさぐるからいけない。おれのように、ほうら、こんな工合に足の指先でさぐると見つかる。」と言いながら妙な腰つきで川底の砂利を踏みにじり、皆がその足元を見つめているすきを狙ってまたも自分の腹掛けから二文ばかり取り出して、

「おや？」と呟き、その銭を握った片手を水中に入れて、

「あった！」と叫んだ。

「なに、あったか。」と打てば響く青砥の蛮声。「銭は、あったか。」

「へえ、ございました。二文ばかり。」と浅田は片手を高く挙げて答えた。

「動くな。動くな。その場を捜せ。それ！　皆の者、そこな下郎は殊勝であるぞ。負けず劣らず、はげめ、つっこめ。」と体を震わせて更にはげしく下知するのである。人足たちは皆一様に、妙な腰つきをして、川底の砂利を踏みにじった。しゃがまなくてもいいのだから、ひどくからだが楽である。皆は大喜びで松明片手に舞いをはじ

めた。岸の青砥は、げせぬ顔をして、ふざけてはいかぬと叱ったが、そのような恰好をすれば銭が見つかるという返事だったので、浮かぬ気持で、その舞いを眺めているより他は無かった。やがて浅田は、さらに三文、一文と皆の眼をごまかして、腹掛けから取り出しては、

「あった！」

「やあ、あった！」

と真顔で叫んで、とうとう十一文、自分ひとりで拾い集めた振りをした。岸の青砥は喜ぶ事かぎりなく、浅田から受け取った十一文を三度も勘定し直して、うむ、たしかに十一文、と深く首肯き、火打袋にちゃりんとおさめて、にやりと笑い、

「さて、浅田とやら、このたびの働きは、見事であったのう。そちのお蔭で国土の重宝はよみがえった。さらに一両の褒美をとらせる。川に落ちた銭は、いたずらに朽ちるばかりであるが、人の手から手へ渡った金は、いつまでも生きて世にとどまりて人のまわり持ち。」としんみり言って、一両の褒美をつかわし、ひらりと馬に乗り、憂々と立ち去ったが、人足たちは後を見送り、馬鹿な人だと言った。智慧の浅瀬を渡る下々の心には、青砥の深慮が解しかねぬ、一文惜しみの百知らず、と笑いののしった

とは、いつの世も小人はあさましく、救い難いものである。とにかくに、手間賃の三両、思いがけないもうけなれば、今宵は一つこれから酒でも飲んで陽気に騒ごうではないかと、下人の意地汚なさ、青砥が倹約のいましめも忘れて、いさみ立ち、浅田はれいの気前のよいところを見せて褒美の一両をあっさりと皆に寄附したので一同いよいよのぼせ上り、生れてはじめての贅沢な大宴会をひらいた。

浅田は何といっても一座の花形である。兄貴のおかげで今宵の極楽、と言われて浅田、よせばよいのに、

「さればさ、あの青砥はとんだ間抜けだ。おれの腹掛けから取り出した銭とも知らないで。」と口をまげてせせら笑った。一座あっと驚き、膝を打ち、さすがは兄貴の発明おそれいった、世が世ならお前は青砥の上にも立つべき器量人だ、とあさはかなお世辞を言い、酒宴はいっそう派手に物狂わしくなって行くばかりであったが、真面目な人はどこにでもいる。突如、宴席の片隅から、浅田の馬鹿野郎！ という怒号が起った。小さい男が顔を蒼くして浅田をにらみ、

「さいぜん汝の青砥をだました自慢話を聞き、胸くそが悪くなり、酒を飲む気もしなくなった。浅田、お前はひどい男だ。つねから、お前の悧巧ぶった馬面が癪にさわっ

ていたのだが、これほど、ふざけた奴とは知らなかった。程度があるぞ、馬鹿野郎。青砥のせっかくの高潔な志も、お前の無智な小細工で、泥棒に追銭みたいなばからしい事になってしまった。人をたぶらかすのは、泥棒よりもなお悪い事だ。恥ずかしくないか。天命のほどもおそろしい。世の中を、そんなになめると、いまにとんでもない事になるにきまっているのだ。おれはもう、お前たちとの附合いはごめんこうむる。きょうよりのちは赤の他人と思っていただきたい。おれは、これから親孝行をするんだ。笑っちゃいけねえ。おれは、こんな世の中のあさましい実相を見ると、なぜだか、ふっと親孝行をしたくなって来るのだ。これまでも、ちょいちょいそんな事はあったが、もうもう、きょうというきょうは、あいそが尽きた。さっぱりと足を洗って、親孝行をするんだ。人間は、親に孝行しなければ、犬畜生と同じわけのものになるんだ。笑っちゃいけねえ。父上、母上、きょうまでの不孝の罪はゆるして下さい。」などと、議論は意外のところまで発展して、そうしてその小男は声を放って泣いて、泣きながら家へ帰り、翌る朝は未明に起きて柴刈り縄ない草鞋を作り両親の手助けをして、あっぱれ孝子の誉れを得て、時頼公に召出され、めでたく家運隆昌に向かったという、これは後の話。

さて、浅田の狡智にだまされた青砥左衛門尉藤綱は、その夜たいへんの御機嫌で帰

宅し、女房子供を一室に集めて、きょうこの父が滑川を渡りし時、火打袋をあけた途端に銭十一文を川に落し、国土の重宝永遠に川底に朽ちなん事の口惜しさに、人足どもを集めて手間賃三両を与え、地獄の底までも捜せよと下知したところが、ひとりの発明らしき顔をした人足が、足の指先を以て川底をさぐり、たちまち銭十一文のこらず捜し出し、この者には特に一両の褒美をとらせた、たった十一文の銭を捜すために四両の金を使ったこの父の心底がわかるか、と莞爾と笑い一座を見渡した。一座の者はもじもじして、ただあいまいに首肯した。

「わかるであろう。」と青砥は得意満面、「川底に朽ちたる銭は国のまる損。人の手に渡りし金は、世のまわり持ち。」とさっき河原で人足どもに言い聞かせた教訓を、再びいい気持で繰り返して説いた。

「お父さま、」と悧発そうな八つの娘が、眼をぱちくりさせて尋ねた。「落したお金が十一文だという事がどうしてわかりました。」

「おお、その事か。お律は、ませた子だの。よい事をたずねる。父は毎朝小銭を四十文ずつ火打袋にいれてお役所に行くのです。きょうはお役所で三文使い、火打袋には三十七文残っていなければならぬ筈のところ、二十六文しか残っていませんでしたから、それ、落したのは、いくらになるであろうか。」

「でも、お父さまは、けさ、お役所へいらっしゃる途中、お寺の前であたしと逢い、非人に施せといって二文あたしに下さいました。」

「うん、そうであった。忘れていた。」

青砥は愕然とした。落した銭は九文でなければならぬ筈であった。九文落して、十一文川底から出て来るとは、奇怪である。青砥だって馬鹿ではない。ひょっとしたら、これはあの浅田とやらいうのっぺりした顔の人足が、何かたくらんだのかも知れぬと感附いた。考えてみると、手でさぐるよりも足でさぐったほうが早く見つかるなどというのもふざけた話だ。とにかく明朝、あの浅田とやらいう人足を役所に呼び出し、きびしく糺明してやろうと、頗る面白くない気持でその夜は寝た。

詐術はかならず露顕するもののようである。さすがの浅田も九文落したのに十一文拾った事に就いて、どうにも弁明の仕様が無かった。青砥は烈火の如く怒り、お上をいつわる不届者め、八つ裂きにも致したいところなれども、川に落した九文の銭の行末も気がかりゆえ、まずあれをお前ひとりで十年でも二十年でも一生かかって捜し出せ、ふたたびあさはかな猿智慧を用い、腹掛けなどから銭を取出す事のないように、丸裸になって捜し出せ、銭九文のこらず捜し出すまでは雨の日も風の日も一日も休む事なく河原におもむき、下役人の監視のもとに川床を残りくまなく掘り返せ、と

万雷一時に落ちるが如き大声で言い渡した。真面目な人が怒ると、こわいものである。

その日から浅田は、下役人の厳重な監視のもとに丸裸になって、一文、二十日経って一文、川の柳の葉は一枚残らず散り落ち、川の水は枯れて蕭蕭たる冬の河原となり、浅田は黙々として鍬をふるって砂利を掘り起し、出て来るものは銭にはあらで、割れ鍋、古釘、欠け茶碗、それら廃品がむなしく河原に山と積れ、心得顔した婆がよちよち河原へ降りて来て、わしはいつぞやこの辺に、かんざしを一つ落したが、それはまだ出て来ませんか、と監視の下役人に尋ね、いつごろ落したのだと聞かれて、はっきりしませんが、わしがお嫁入りして間もなくの事だったから、六、七十年にもなりましょうか、と言って役人に叱られ、滑川もいつしか人に裸川と呼ばれて鎌倉名物の一つに数え上げられるようになった頃、川筋三百間、鍬打ち込まぬ方寸の土も無くものの見事に掘り返し、すなわち九十七日目に、やっと銭九文を拾い集めて青砥と再び対面した。

「下郎、思い知ったか。」

と言われて浅田は、おそるところなく、こうべを挙げて、

「せんだって、あなたに差し上げた銭十一文は、私の腹掛けから取り出したものでご

ざいますから、あれは私に返して下さい。」と言ったとやら、ひかれ者の小唄とはこれであろうかと、のちのち人の笑い話の種になった。
（武家義理物語、巻一の一、我が物ゆるゐに裸川）

## 義理

　義理のために死を致す事、これ弓馬の家のならい、むかし摂州伊丹に神崎式部という筋目正しき武士がいた。主家を泰山の安きに置いた。伊丹の城主、荒木村重につかえ、横目役を勤め、年久しく主家を泰山の安きに置いた。主家の御次男、村丸という若殿、御総領の重丸のよろず大人びて気立やさしきに似ず、まことに手にあまる腕白者にて、神崎はじめ重臣一同の苦労の種であったが、城主荒木は、優雅な御総領よりも、かえってこの乱暴者の御次男を贔屓してその我儘を笑ってお許しになるので、いよいよ増長し、ついに或る時、蝦夷とはどのような国か、その風景をひとめ見たい、と途方もない事を言い出し、家来たちがなだめると尚更、図に乗って駄々をこね、蝦夷を見ぬうちはめしを食わぬと言ってお膳を蹴飛ばす仕末であった。かねて村丸贔屓の城主荒木は、このたびもまた笑って、よろしい、蝦夷一覧もよかろう、行っておいで、若い頃の長旅は一生の薬と言って事もなげにその我儘の願いを聞き容れてやった。御供は神崎式部はじめ、家中粒選りの武士三十人。

そのお供の人数の中に、二人の少年が、御次男のお話相手として差加えられていた。一人は神崎勝太郎とて十五歳、式部の秘蔵のひとり息子で容貌華麗、立居振舞い神妙の天晴れ父の名を恥かしめぬ秀才の若武者、いまひとりは式部の同役森岡丹後の三人の男の子の中の末子丹三郎とて十六歳、勝太郎に較べて何から何まで見劣りして色は白いが眼尻は垂れ下り、額の面皰を気にして毎朝ひそかに軽石でこすり、それがために額は紫色に異様にてかてか光っている。でっぷりと太って大きく、一挙手一投足のろくさく、武芸はきらい、色情はさかん、いぎたなく横坐りに坐って、何を思い出しているのか時々、にやりと笑ったりして、いやらしいったら無い子であった。けれどもこの子は、どういうものか若殿村丸のお気にいりで、蛸よ蛸よと呼ばれて、いつもお傍ちかく侍って若殿にけしからぬ事を御指南申したりして、若殿と共にげらげら下品に笑い合っているのである。もとより式部はこの丹三郎を好かなかった。このたびの蝦夷見物のお供にもこの子を加えたく無かったのだが、自分の一子勝太郎が城主の言いつけでお供の一人に差加えられているし、同役の森岡丹後の子を無下にしりぞける事は出来なかった。同役への義理である。森岡丹後も親の慾目から末子の丹三郎をそれほど劣った子とは思っていないらしく、

「神崎どの、このたびは運悪く私が留守番にまわりましたが、私のかわりに末子の丹三郎が仕合せとお供の端に加えられましたから、まあ、あれの土産話でも、たのしみにして待っている事に致しましょう。それにつけてもあれも初旅、なりばかり大きくてもまだほんの子供ゆえ、諸事よろしくたのみますぞ。」と親の真情、ぴたりと畳に両手をついてお辞儀をしたのだ。いや、あの子はどうも、とは言われない。その上、若殿から蛸もぜひとの内命があったのだから、どうしても蛸をお供の人数に差加えないわけにはゆかぬ。しぶしぶ丹三郎を連れて国元を出発したが、京を過ぎて東路をくだり、草津の宿に着いた頃には、そろそろ丹三郎、皆の足手まといになっていた。だいいち、ひどく朝寝坊だ。若殿と二人で夜おそくまで、宿の女中にたわむれて賭事やら狐拳やら双六やら、いやらしく忍び笑いして打興じて、式部は流石に見兼ね、隣室から強く言っても、若殿は平気で、
「あすは早朝の出発ゆえ、もはや、おやすみなさるよう。」と思い切って隣室から強
「遊山の旅だ。かまわぬ。のう、蛸め。」
「はあ。」と蛸は答えて、にやにや笑っている。そうして、翌朝、蛸は若殿よりもおそく起きる。この丹三郎ひとりの朝寝坊のために、一行の宿からの出発が、いつもおくれる。若殿は、のんきに、

「捨て置け。あとから追いつく。」と言い、蛸ひとりを宿に置いてさっさと発足しようとなさるのだが、神崎式部は丹三郎の親の丹後から、あの子をよろしくと、一言たのまれているのだ。捨て置いて発足するわけには行かぬ。わが子の勝太郎に言いつけて、丹三郎を起させる。勝太郎は丹三郎よりも一つ年下である。それゆえすこし遠慮の言葉使いで丹三郎を起す。

「もし、もし。御出発でございます。」

「へえ？　ばかに早いな。」

「若殿も、とうにお仕度がお出来になりました。」

「若殿は、あれから、ぐっすりお休みになられたらしいからな。おれは、あれから、いろいろな事を考えて、なかなか眠られなかった。それに、お前の親爺のいびきがうるさくてな。」

「おそれいります。」

「忠義もつらいよ。おれだって、毎夜、若殿の遊び相手をやらされて、へとへとなんだよ。」

「お察し申して居ります。」

「うん、まったくやり切れないんだ。たまには、お前が代ってくれてもよさそうなも

のだ。」

「は、お相手を申したく心掛けて居りますが、私は狐拳など出来ませんので。」

「お前たちは野暮だからな。固いばかりが忠義じゃない。狐拳くらい覚えて置けよ。」

「はあ、」と気弱く笑って、「それにしても、もう皆様が御出発でございますから。」

「何が、それにしても、だ。お前たちは、おれを馬鹿にしているんだ。ゆうべも、その事を考えて、くやしくて眠れなかったんだ。おれも親爺と一緒に来ればよかった。親から離れて旅に出ると、どんなに皆に気がねをしなけりゃならぬものか、お前にはわかるまい。おれは国元を出発してこのかた、肩身のせまい思いばかりしている。人間って薄情なものだ。親の眼のとどかないところでは、どんなにでもその子を邪険に扱うんだからな。立派すぎて、おつりが来らあ。このたびの蝦夷見物がすんだなら、おれはお前たち親子の事を逐一、国元の殿様と親爺にお知らせするつもりだ。おれには、なんでもわかっているんだ。お前の親爺は、ずいぶんお前を可愛がっているらしいじゃないか。隠さなくたっていい。ゆうべこの宿に着いた時、お前の親爺は、これ勝太郎、足の豆には焼酎でも吹いて置け、と言ったのをおれは聞いたぞ。おれには、ヘン、おれには言わない。皆の見ている前では、いやにおれに親切にしてみせるが、

はちゃんとわかっているんだ。さすがに争われないものだ。焼酎でも吹いて置け、か。あとでその残りの焼酎を、親子二人で仲良く飲み合ったろう、どうだ。おれには一滴も酒を飲ませないばかりか、狐拳さえやめさせようとしやがるんだから面白くないよ。ゆうべは、つくづく考えた。ごめんこうむっておれはもう少し寝るよ。」

襖越しに神崎式部はこれを聞いていた。よっぽどこのまま捨て置いて発足しようかと思った。本当に、うっちゃって行ったほうがよかったのだ。そうすれば、のちのさまざまの不幸が起らずにすんだのかも知れない。けれども、式部は義理を重んずる武士であった。諸事よろしくたのむ、とぴたりと畳に両手をついて頼んだ丹後の声が、姿が、忘れられぬ。式部はその日も黙って、丹三郎の起床を待った。

丹三郎の不仕鱈には限りが無かった。草津、水口、土山を過ぎ、鈴鹿峠にさしかかった時には、もう歩けぬとわめき出した。もとから乗馬は不得手で、さりとてその自分の不得手を人に看破されるのも口惜しく無理して馬に乗ってはみたが、どうにもお尻が痛くてたまらなくなって、やっぱり旅は徒歩に限る、どうせ気散じの遊山旅だ、馬上の旅は固苦しい、野暮である、と言って自分だけでは体裁が悪いので勝太郎にも徒歩をすすめて馬を捨てさせ、共に若殿の駕籠の左右に附添ってここまで歩いて来た

のだが、峠にさしかかって急に、こんどは徒歩も野暮だと言いはじめた。
「こうして、てくてく歩いているのも気のきかない話じゃないか。」蛸は駕籠に乗って峠を越したかったのである。
「やっぱり、馬のほうがいいでしょうか。」
「なに、馬？」馬は閉口だ。とんでもない。」勝太郎には、どっちだってかまわない。「馬も悪くはないが、しかし、まあ一長一短というところだろうな。」あいまいに誤魔化した。
「本当に、」と勝太郎は素直に首肯いて、「人間も鳥のように空を飛ぶ事が出来たらいいと思う事がありますね。」
「馬鹿な事を言っている。」丹三郎はせせら笑い、「空を飛ぶ必要はないが、」駕籠に乗りたいのだ。けれどもそれをあからさまに言う事は流石に少しはばかられた。「空を飛ぶ必要はないが、」とまた繰返して言い、「眠りながら歩く、という事は出来ないものかね。」と遠廻しに謎をかけた。
「それは、むずかしいでしょうね。」勝太郎には、丹三郎の底意がわからぬ。無邪気に答える。「馬の上なら、眠りながら歩くという事も出来ますけれど。」
「うん、あれは、」あれは、あぶない。蛸には、馬上で眠るなんて芸当は出来ない。「あれは、また、野暮なものだ。眼が覚めて、ここはどこか、眠ったら最後、落馬だ。

と聞いても、馬は答えてくれないからね。」駕籠だと、駕籠かきが、へえ、もうそろそろ桑名です、と答えてくれる。ああ、うまい事をおっしゃる。」勝太郎には、蛸の謎が通じない。ただ無心に笑っている。
丹三郎はいまいましげに勝太郎を横目で睨んで、
「お前もまた、野暮な男だ。思いやりというものがない。」とあらたまった口調で言った。
「はあ？」と勝太郎はきょとんとしている。
「見ればわかるじゃないか。おれはもう、歩けなくなっているのだ。おれはこんなに太っているから股ずれが出来て、人に知られぬ苦労をして歩いているのだ。見れば、わかりそうなものだ。」と言って急に顔を苦しげにしかめ片足をひきずって歩きはじめた。
「肩を貸してやれ。」とお駕籠の後に扈従していた神崎式部は、その時、苦笑して勝太郎に言いつけた。
「はい。」と言って勝太郎は、丹三郎の傍に走り寄り、蛸の右手を執ったら、蛸は怒って、
「ごめんこうむる。こう見えても森岡丹後の子だ。お前のような年少の者の肩にしな

だれかかって峠を越えたという風聞がもし国元に達したならば、父や兄たちの面目が丸つぶれじゃないか。お前たち親子はぐるになって、森岡の一家を嘲弄する気なのであろう。」とやけくそみたいに、わめき立てた。神崎親子は、顔色を変えた。

「式部」と駕籠の中から若殿が呼んで、「蛸にも駕籠をやれ。」と察しのいいところを見せた。

「は、ただいま。」と式部は平伏する。蛸は得意だ。

それから、関、亀山、四日市、桑名、宮、岡崎、赤坂、御油、吉田、蛸は大威張りで駕籠にゆられて居眠りしながら旅をつづけた。宿に着けば相変らず夜ふかしと朝寝である。この丹三郎ひとりのために、国元を発足した時の旅の予定より十日ちかくもおくれて、卯月のすえ、ようようきょうの旅泊りは駿河の国、島田の宿と、いそぎ掛川を立ち、小夜の中山にさしかかった頃から豪雨となって途中の菊川も氾濫し濁流は橋をゆるがし道を越え、しかも風さえ加って松籟ものすごく、一行の者の袖合羽の裾吹きかえされて千切れんばかり、這うようにして金谷の宿にたどりつき、ここにて人数をあらため一行無事なるを喜び、さて、これから名高い難所の大井川を越えて島田の宿に渡らなければならぬのだが、式部は大井川の岸に立って川の気色を見渡し、

「水かさ刻一刻とつのる様子なれば、きょうはこの金谷の宿に一泊。」とお供の者ども

もに言いつけた。

けれども、乱暴者の若殿には、式部のこの用心深い処置が気にいらなかった。川を眺めてせせら笑い、

「なんだ、これがあの有名な大井川か。淀川の半分も無いじゃないか。国元の猪名川よりも武庫川よりも小さいじゃないか。のう、蛸。これしきの川が渡れぬなんて、式部も耄碌したようだ。」

「いかにも、」と蛸は神崎親子を横目で見てにやりと笑い、「私などは国元の猪名川を幼少の頃より毎日のように馬で渡ってなれて居りますので、こんな小さい川が、たといどんなに水を増してもおそろしいとは思いませぬが、しかし、生れつき水癲癇と申して、どのように弓馬の武芸に達していても、この水を見るとおそろしくぶるぶる震えるという奇病があって、しかもこれは親から子へ遺伝するものだそうで。」

若殿は笑って、

「奇妙な病気もあるものだ。まさか式部は、その水癲癇とやらいう病気でもあるまいが、どうだ、蛸め、われら二人抜け駈けてこの濁流に駒をすすめ、かの宇治川先陣、佐々木と梶原の如く、相競って共に向う岸に渡って見せたら、臆病の式部はじめ供の者たちも仕方なく後からついて来るだろう。なんとしてもきょうのうちに、この大井

川を渡って島田の宿に着かなければ、西国武士の名折れだぞ。蛸め、つづけ。」と駒に打ち乗り、濁流めがけて飛び込もうとするので式部もここは必死、篠つく雨の中を蓑も笠もほうり投げて若殿の駒の轡に取り縋り、

「おやめなさい、おやめなさい。式部かねて承るに大井川の川底の形状変転常なく、その瀬その淵の深浅は、川越しの人夫さえ踏違えることしばしば有りとの事、いわんや他国のわれら、抜山の勇ありといえども、血気だけでは、この川渡ることむずかしく、式部はきょう一日、その水癲癇とやら奇病にでも何にでも相成りますから、どうか式部の奇病をあわれに思召して、川を越える事はあすになさって下さい。」と涙を流して懇願した。

まことの臆病者の丹三郎は、口ではあんな偉そうな事を言ったものの、蛸め、つづけ！　と若殿に言われた時には、くらくらと眩暈がして、こりゃもうどうしようと、うろうろしたが、式部が若殿をいさめてくれたので、ほっとして、真青な顔に奇妙な笑いを無理に浮べ、

「ちえ、残念。」と言った。

それがいけなかった。式部は卑怯だ。かまわぬ、つづけ！」と式部の手のゆるんだすきを見て駒に

「蛸め。式部は卑怯だ。かまわぬ、つづけ！」と式部の手のゆるんだすきを見て駒に

一鞭あて、暴虎馮河、ざんぶと濁流に身をおどらせた。式部もいまはこれまでと観念し、

「それ！　若殿につづけ。」とお供の者たちに烈しく下知した。いずれも屈強の供の武士三十人、なんの躊躇も無くつぎつぎと駒を濁流に乗り入れ、大浪をわけて若殿のあとを追った。

岸には、丹三郎と跡見役の式部親子とが残った。丹三郎は、ぶるぶる震えながら勝太郎の手を固く握り、

「若殿は野暮だ。思いやりも何も無い。おれは実は馬が何よりも苦手なのだ。何もかも目茶苦茶だ。」と泣くような声で訴えた。

式部は静かにあたりを見廻し、跡に遺漏のものの無きを見とどけ、さて、丹三郎に向い、

「これも皆、あなたの言葉から起った難儀です。でもまあいまは、そんな事を言っていたって仕様がありません。すぐに若殿の後を追いましょう。わしたちは果して生きて向う岸に行き着けるかどうか、この大水では、心もとない。けれども、わしは国元を出る時、あなたの親御の丹後どのから、丹三郎儀はまだほんの子供、しかも初旅の事ゆえ、諸事よろしくたのむと言われました。その一言が忘れかね、わしはきょうま

で我慢に我慢を重ねて、あなたの世話を見て来ました。いまこの濁流を渡って、あなたの身にもしもの事があったのなら、きょうまでのわしの苦労もそれこそ水の泡になります。馬は一ばん元気のいいのを、瀬踏みをさせますから、あなたのために取って置きました。せがれの勝太郎を先に立て、あなたは何でもただ馬の首にしがみついて勝太郎の後について行くといい。すぐあとに、わしがついて守って行きますから、心配せず、大浪をかぶってもあわてず、馬の首から手を離したりせぬように。」とおだやかに言われて流石の馬鹿も人間らしい心にかえったか、
「すみません。」と言って、わっと手放しで泣き出した。
　諸事頼むとの一言、ここの事なりと我が子の勝太郎を先に立て、次に丹三郎を特に吟味して選び置きし馬に乗せて渡らせ、わが身はすぐ後にひたと寄添ってすすみ渦巻く激流を乗り切って、難儀の末にようやく岸ちかくなり少しく安堵せし折も折、丹三郎いささかの横浪をかぶって馬の鞍覆えり、あなやの小さい声を残してはるか流れて浮き沈み、騒ぐ間もなくはや行方しれずになってしまった。
　式部、呆然たるうちに岸に着き、見れば若殿は安泰、また我が子の勝太郎も仔細なく岸に上って若殿のお傍にかなしきは無し。式部、覚悟を極めて勝太郎を手招き、

「そこに頼みがある。」

「はい。」と答えて澄んだ眼で父の顔を仰ぎ見ている。家中随一の美童である。

「流れに飛び込んで死んでおくれ。丹三郎はわしの苦労の甲斐も無く、横浪をかぶって鞍がくつがえり流れに呑まれて死にました。そもそもあの丹三郎儀は、かの親の丹後どのより預り来れる義理のある子です。丹三郎ひとりが溺れ死んで、お前が助かったとあれば、丹後どのの手前、この式部の武士の一分が立ちがたい。ここを聞きわけておくれ。時刻をうつさずいますぐ川に飛び込み死んでおくれ。」と面を剛くして言い切れば、勝太郎さすがは武士の子、あ、と答えて少しもためらうところなく、立つ川浪に身を躍らせて相果てた。

式部うつむき涙を流し、まことに武家の義理ほどかなしき物はなし、ふるさとを出でし時、人も多きに我を択びて頼むとの一言、そのままに捨てがたく、万事に劣れる子ながらも大事に目をかけここまで来て不慮の災難、丹後どのに顔向けなりがたく、何の罪とがも無き勝太郎をむざむざ目前に於いて死なせたる苦しさ、さりとては、うらめしの世、丹後どのには他の男の子ふたりあれば、歎きのうちにもまぎれる事もありなんに、それがしには勝太郎ひとり。国元の母のなげきもいかばかり、われも寄る年波、勝太郎を死なせていまは何か願いの楽しみ無し、出家、と観念して、表面は何

気なく若殿に仕えて、首尾よく蝦夷見物の大役を果し、その後、城主にお暇を乞い、いとまこ
老妻と共に出家して播州の清水の山深くかくれたのを、丹後その経緯を聞き伝えて志ばんしゅう
に感じ、これもにわかにお暇を乞い請け、妻子とも四人いまさらこの世に生きて居られず、みな出家して勝太郎の菩提をとむらったとは、いつの世も武家の義理ほど、あぼだい
われにして美しきは無しと。

（武家義理物語、巻一の五、死なば同じ浪枕とや）なみまくら

## 女賊

後柏原天皇大永年間、陸奥一円にかくれなき瀬越の何がしという大賊、仙台名取川の上流、笹谷峠の附近に住み、往来の旅人をあやめて金銀荷物押領し、その上、山賊にはめずらしく吝嗇の男で、むだ使いは一切つつしみ、三十歳を少し出たばかりの若さながら、しこたまためて底知れぬ大長者になり、立派な口髭を生やして挙措動作も重々しく、山賊には附き物の熊の毛皮などは着ないで、紬の着物に紋附きのお羽織をひっかけ、謡曲なども少したしなみ、そのせいか言葉つきも東北の方言と違っていて、何々にて候、などといかめしく言い、女ぎらいか未だに独身、酒は飲むが、女はてんで眼中に無い様子で、かつて一度も好色の素振りを見せた事は無く、たまに手下の者が里から女をさらって来たりすると眉をひそめ、いやしき女にたわむれるは男子の恥辱に候、と言い、ただちに女を里に返させ、手下の者たちが、親分の女ぎらいは玉にきずだ、と無遠慮に批評するのを聞いてにやりと笑い、仙台には美人が少く候、と呟いて何やら溜息をつき、山賊に似合わぬ高邁の趣味を持っている男のようにも見えた。

この男、或る年の春、容貌見にくからぬ手下五人に命じて熊の毛皮をぬがせ頬被りを禁じて紋服を着せ仙台平の袴をはかせ、これを引連れて都にのぼり、自分は東の田舎大尽の如くすべて鷹揚に最上等の宿舎に泊り、毎日のんきに京の見物、くため込んだのも今日この日の為らしく、惜しげも無く金銀をまき散らし、やがても言わぬ花にも厭きて、島原に繰り込み、京で評判の名妓をきら星の如く大勢ならべて眺め、好色の手下の一人は、うむと呻いて口に泡を噴きどうとうしろに倒れてそれお水それお薬、お袴をおぬぎなさったら、などと大騒ぎになったのも無理からぬほど、まばゆく見事な景趣ではあったが、大尽は物憂そうな顔して溜息をつき、都にも美人は少く候、と呟く。広い都も、人の噂のために狭く、路で逢う人ことごとくがこの男に会釈するように拡まり、髭そうろうの大尽と言われて、やがて島原の遊びにもどうやらこの山賊の奢りは逸早く京中に子で、毎日ぶらりぶらりと手下を引連れて都大路を歩きまわり、或る日、古い大きな家の崩れかかった土塀のわれ目から、ちらと見えた女の姿に足をとどめ、手にしていた扇子をはたと落して、小山の動くみたいに肩で烈しく溜息をつき、シばらくい、と思わず東北訛をまる出しにして呻き、なおもその、花盛りの梨の木の下でその弟とも見える上品な男の子と手鞠をついて遊んでいる若い娘の姿に、阿呆の如く口をあいて

見とれていた。翌る日、髭そうろうの大尽は、かの五人の手下に言いふくめて、金銀綾錦のたぐいの重宝をおびただしく持参させ、かの土塀の家に遣し、お姫様を是非ともに貰い受けたしと頗る唐突ながら強硬の談判を開始させた。その家の老主人は、いささか由緒のある公卿の血筋を受けて、むかしはなかなか羽振りのよかった人であるが、名誉心が強すぎて、なおその上の出世を望み、附合いを派手にして日夜顕官に饗応し、かえって馬鹿にされておまけに財産をことごとく失い、何もかも駄目になり、いまは崩れる土塀を支える力も無く中風の気味さえ現われて来、わななく手でさてもこの世は夢まぼろしなどとへたくその和歌を鼻紙の表裏に書きしたためて、その日その日の憂さを晴らしている有様だったので、この突然の申込みにはじめは少からず面くらったものの、さて、眼前に山と積まれた金銀財宝を眺めて、これだけあれば、ふたたび大官に饗応し、華やかに世に浮び上る事が出来るぞと、れいの虚栄心がむらむらと起り、髭そうろうの大尽といえば、いま此の京でも評判の男、なんでも遠いあずまの大金持ちの若旦那だとかいう話だ、田舎者だって何だって金持ちなら結構、この縁談は悪くない、と貧すれば貪すの例にもれず少からず心が動いて、その日はお使者に大いに愛嬌を振りまき、確答は後日という事にして、とにかくきょうのお土産の御礼にそちらの御主人の宿舎へ明日参上致します、という返辞。手下たちは、しめた、あの

工合いではもう大丈夫、と帰る途々首肯き合い、の統領はにやりと凄く笑い、案外もろく候、と言った。その翌る日、土塀の老主人は、烏帽子などかぶってひどくもったいぶった服装で山賊の京の宿舎を訪ね、それこそほんものの候言葉で、昨日のお礼を申し、統領の鷹揚な挙措や立派な口髭に一目で惚れ込み、お礼だけ言う筈のところを、つい、ふつつかな娘ながら、とこちらのほうから言い出して、山賊の統領もさすがに都の人の軽薄に苦笑して、それでもその日の饗応は山の如く、お土産も前日にまさる多額のものなので、土塀のおじいはただもう雲中を歩む思いで烏帽子を置き忘れて帰宅し、娘を呼んで、女三界に家なし、ここはお前の家ではない、お前の弟がこの家を継ぐのだからお前はこの家には不要である、女三界に家なしとはここのところだ、とひどい乱暴な説教をして娘を泣かせ、何を泣くか、お父さんはお前のために立派な婿を見つけて来てあげたのに、めそめそ泣くとは大不孝、と中風の気味で震える腕を振りあげて娘を打つ真似をして、都の人は色は白いが貧乏でいけない、あずまの人は毛深くて間の抜けた顔をしているが女にはあまいようだ、行きなさい、すぐに山奥へでもどこへでも行きなさい、死んだお母さんもよろこぶだろう、お父さんの事は心配するな、わしはこれからまた一旗挙げるのだ、承知か、おお、承知してくれるか、女三界に家なし、どこにいたって駄目なものだよ、などと変

な事まで口走り、婿の氏素性をろくに調べもせず、とにかくいま都で名高い髭そうろうの大尽だから間違い無しと軽率にひとり合点して有頂天のうちにこの縁談をとりきめ、十七の娘は遠いあずまのそれも蝦夷の土地と聞く陸奥へ嫁がなければならぬ身の因果を歎き、生きた心地も無くただ泣きに泣いて駕籠に乗せられ、父親ひとりは浅間しく大はしゃぎで、あやうい腰つきで馬に乗り都のはずれまで見送り、ひたすら自分の今後の立身出世を胸中に思い描いてわくわくして、さらば、さらば、とわかれの挨拶も上の空で言い、家へ帰って五日目に心臓麻痺を起して頓死したとやら、ひとの行末は知れぬもの。一方、十七の娘は、父のあわれな急死も知らず駕籠にゆられて東路をくだり、花婿の髭をつくづく見ては言いようのない恐怖におそわれて泣き、手下の乱暴な東北言葉に胆をつぶして泣き、江戸を過ぎてようよう仙台ちかくなって春とはいえ未だ山には雪が残っているのを見て泣き、山賊たちをひどく手こずらせて、古巣の山寨にたどり着いた頃には、眼を泣きはらして猿の顔のようになり、手下の山賊たちは興覚めたが、統領はやさしくみずから看護して、その眼のなおった頃には娘も、統領に少しなついて落ちつき、東北言葉もだんだんわかるようになって、山賊の手下たちの無智な冗談に思わず微笑み、やがて夫の悪い渡世を知るに及んで、ぎくりとしたものの、女三界に家なし、ここをのがれても都の空の方角さえ見当つかず、女はこ

うなると度胸がよい、ままよと観念して、夫には優しくされ手下の者たちには姐御（あね）などと言われてかしずかれると、まんざら悪い気もせず、いつとはなしに悪い亭主のする事なんでも馬鹿（ばか）らしく見えて仕様のない女房もあり、また、亭主の行為がいちいち素晴らしい英雄的なものに見えてたまらない女房もあり、いずれも悪妻、この京育ちの美女は後者に属しているらしく、夫の憎むべき所業も見馴れるに随（したが）い何だか勇しくたのもしく思われて来て、亭主が一仕事して帰るといそいそ足など洗ってやり、きょうの獲物は何、と笑って尋ね、旅人から奪って来た小袖（こそで）をひろげて、これは私には少し派手よ、こんどはもう少し地味なのをたのむわ、と言ってけろりとして、手下どものむごい手柄話を眼を細めて聞いてよろこび、後には自分も草鞋（わらじ）をはいて夫について行き、平気で悪事の手伝いをして、いまは根からのあさましい女山賊になりさがり、顔は以前に変らず美しかったが眼にはいやな光りがあり、夫の山刀を井戸端にしゃがんで熱心に研いでいる時の姿などには鬼女のような凄い気配が感ぜられた。やがてこの鬼女も身ごもり、生れたのは女の子で春枝と名づけられ、色白く唇小さく赤い、京風の美人、それから二年経（た）って、またひとり女の子が生れ、お夏と呼ばれて、父に似て色浅黒く眼が吊り上ったきかぬ気の顔立ちの子で、この二人は自分の母が京の公卿の血を受けたひとだという事など知る筈もなく、氏より育ちとはまこ

とに人間のたより無さ、生れ落ちたこの山奥が自分たちの親代々の故郷とのんきに合点して、鬼の子らしく荒々しく山坂を駈け廻って遊び、その遊びもままごとなどでは無く、ひとりは旅人、ひとりは山賊、おい待て、命が惜しいか金が惜しいかとひとりが言えば、と追ってつかまえ大笑いして、母親はこれを見て悲しがるわけでもなく、かえって薙刀（なぎなた）など与えて旅人をあやめる稽古（けいこ）をさせ、天を恐れぬ悪業、その行末もおそろしく、果せる哉（かな）、春枝十八お夏十六の冬に、父の山賊に天罰下り、雪崩（なだれ）の下敷になって五体の骨々微塵（みじん）にくだけ、眼もあてられぬごたらしい死にざまをして、母子なげく中にも、手下どもは悪人の本性をあらわして親分のしこたまためた金銀財宝諸道具食料ことごとく持ち去り、母子はたちまち雪深い山中で暮しに窮した。

「何でもないさ。」と勝気のお夏は威勢よく言って母と姉をはげまし、「いままで通り、旅人をやっつけようよ。」

「でも、」と妹にくらべて少しおとなしい姉の春枝は分別ありげに、「女ばかりじゃ、駄目よ。かえってあたしたちのほうで着物をはぎとられてしまうわよ。」

「弱虫、弱虫。男の身なりをして刀を持って行けばなんでもない。やいこら、とこんな工合いに男のひとみたいな太い声で呼びとめると、どんな旅人だって震え上るにき

紙一重である。
「うまくいくといいけど、」と姉は淋しげに微笑んで、「とにかくそれじゃ、やって見ましょう。あたしたちは、どうでもいいけど、お母さんにお怪我があっては大変だから、お母さんはお留守番して、あたしたちの獲物をおとなしく待っているのよ。」
と母に言い、山育ちの娘も本能として、少しは親を大事にする気持があるらしく、その日から娘二人は、山男の身なりで、おどけ者の妹は鍋墨で父にそっくりの口髭など描いて出かけ、町人里人の弱そうな者を捜し出してはおどし、女心はこまかく、懐中の金子はもとより、にぎりめし、鼻紙、お守り、火打石、爪楊子のはてまで一物も余さず奪い、家へ帰って、財布の中の金銀よりは、その財布の縞柄の美しきを喜び、次第にこのいまわしき仕事にはげみが出て来て、もはや心底からのおそろしい山賊になってしまったものの如く、雪の峠をたまに通る旅人を待ち伏せているだけでは獲物が少くてつまらぬなどと、すっかり大胆になって里近くまで押しかけ、里の女のつまらぬ櫛笄でも手に入れると有頂天になり、姉の春枝は既に十八、しかも妹のお転婆に

まっている。でも、おさむらいはこわいな。じいさんばあさんか、女のひとり旅か、にやけた商人か、そんな人たちを選んでおどかしたら、きっと成功するわよ。面白いじゃないの。あたしは、あの熊の毛皮を頭からかぶって行こう。」無邪気と悪魔とは

くらべて少しやさしく、自身の荒くれた男姿を情無く思う事もあり、熊の毛皮の下に赤い細帯などこっそりしめてみたりして、さすがにわかい娘の心は動いて、或る日、里近くで旅の絹商人をおどして得た白絹二反、一反ずつわけていそいそ胸に抱いて夕暮の雪道を急ぎ帰る途中に於いて、この姉の考えるには、もうそろそろお正月も近づいたし、あたしは是非とも晴衣が一枚ほしい、女の子はたまには綺麗に着飾らなければ生きている甲斐が無い、妹にわけてやった絹一反あれば見事な袷が出来るのに、初春の着物を仕立てたいのだが裏地が無い、この白絹を藤色に染めて、さいぜんわけてやった妹の絹が欲しくなり、
「お夏や、お前この白絹をどうする気なの？」と胸をどきどきさせながら、それとなく聞いてみた。
「どうするって、姉さん、あたしはこれで鉢巻をたくさんこしらえるつもりなの。白絹の鉢巻は勇しくって、立派な親分さんみたいに見えるわよ。お父さんも、お仕事の時には絹の白鉢巻をしてお出かけになったわね。」とたわい無い事を言っている。
「まあ、つまらない。ね、いい子だから、姉さんにそれをゆずってくれない？　こんど、何かまたいいものが手にはいった時には姉さんは、みんなお前にあげ

るから。」
「いやよ。」と妹は強く首を振った。「いや、いや。あたしは前から真白な鉢巻をほしいと思っていたのよ。旅人をおどかすのに、白鉢巻でもしてないと気勢があがらなくて工合いがわるいわ。」
「そんな馬鹿な事を言わないで、ね、後生だから。」
「いや！　姉さん、しつっこいわよ。」
へんに気まずくなってしまった。けれども姉はそんなに手きびしく断られるといよいよ総身が燃え立つように欲しくなり、妹に較べておとなしいとはいうものの、普段おとなしい子こそ思いつめた時にかえって残酷のおそろしい罪を犯す。殊にも山賊の父から兇悪の血を受け、いまは父の真似して女だてらに旅人をおどしてその日その日を送り迎えしている娘だ。胸がもやもやとなり、はや、人が変り、うわべはおだやかに笑いながら、
「ごめんね、もう要らないわよ。」と言ってあたりを見廻し、この妹を殺して絹を奪おう、この腰の刀で旅人を傷つけた事は一度ならずある、ついでに妹を斬って捨ても、罪は同じだ、あたしは何としても、晴衣を一枚つくるのだ、こんどに限らず、帯でも櫛でもせっかくの獲物をこんな本当の男みたいな妹と二人でわけるのは馬鹿らし

い、むだな事だ、にくい邪魔、突き刺して絹を取り上げ、家へ帰ってお母さんに、きょうは手剛い旅人に逢い、可哀想に妹は殺されましたと申し上げれば、それですむ事そうだ、少しも早くと妹の油断を見すまし、刀の柄に手を掛けた、途端に、
「姉さん！こわい！」と妹は姉にしがみつき、
「な、なに？」と姉はうろたえて妹に問えば妹は夕闇の谷底を指差し、見れば谷底は里人の墓地、いましも里の仏を火葬のさいちゅう、人焼く煙は異様に黒く、耳をすませば、ぱちぱちはぜる気味悪い音も聞えて、一陣の風はただならぬ匂いを吹き送り、さすがの女賊たちも全身鳥肌立って、固く抱き合い、姉は思わずお念仏を称え、人の末は皆このように焼かれるのだ、着物も何もはかないものだとふっとこの一反の絹のためさもしい考えを起すのだ、何も要らぬと手に持っている反物を谷底の煙めがけて投げ込めば、妹もすぐに投げ込んで、わっと泣き出して、
「姉さん、ごめん、あたしは悪い子よ。あたしは、もう十六よ。綺麗な着物を欲しいの。でも、あたしはこんな不器量な子だから、お洒落をすると笑われるかと思って、わざと男の子みたいな事ばかり言っていたのよ。ごめんね。姉さん、あたしはこのお正月に

晴衣が一枚ほしくて、あたしの絹を紅梅に染めて、そうして姉さんの絹を裏地にしようと思って、姉さん、あたしはいけない子よ、姉さんを刀で突いてそうしてお母さんには、姉さんが旅人に殺されたと申し上げるつもりでいたの。いまあの火葬の煙を見たら、もう何もかもいやになって、あたしはもう生きて行く気がしなくなった。」と意外の事を口走るので、姉は仰天して、
「何を言うの？　ゆるすもゆるさぬも、それはあたしの事ですよ。あたしこそ、お前を突き殺して絹を奪おうと思って、あの煙を見たら悲しくなって、あたしの反物を谷底へ投げ込んだのじゃないの。」と言って、さらに妹を固く抱きしめてこれも泣き出す。

　かつは驚き、かつは恥じ、永からぬ世に生れ殊に女の身としてかかる悪逆の暮し、後世（ごせ）のほども恐ろし、こんにちこれぎり浮世の望みを捨てん、と二人は腰の刀も熊の毛皮も谷底の火焰（かえん）に投じて、泣き泣き山寨に帰り、留守番の母に逐一事情を語り、母にもお覚悟のほどを迫れば、母も二十年の悪夢から醒め、はじめて母のいやしからぬ血筋を二人に打ち明け、わが身の現在のあさましさを歎き、まっさきに黒髪を切り、二人の娘もおくれじと剃髪（ていはつ）して三人比丘尼（びくに）、汚濁の古巣を焼き払い、笹谷峠のふもとの寺に行き老僧に向って懺悔（ざんげ）しその衣の裾（すそ）にすがってあけくれ念仏を称え、これまで

あやめた旅人の菩提(ぼだい)を弔(とむら)ったとは頗(すこぶ)る殊勝に似たれども、父子二代の積悪(せきあく)はたして如来(にょらい)の許し給(たも)うや否(いな)や。

(新可笑記(しんかせうき)、巻五の四、腹からの女追剝(をんなおひはぎ))

## 赤い太鼓

むかし都の西陣(にしじん)に、織物職人の家多く、軒をならべておのおのの織物の腕を競い家業にはげんでいる中に、徳兵衛(とくべえ)とて、名こそ福徳の人に似ているが、どういうものか、お金が残らず胆(きも)を冷やしてその日暮し、晩酌(ばんしゃく)も二合を越えず、女房(にょうぼう)と連添うて十九年、他(ほか)の女にお酌をさせた経験も無く、道楽といえば、たまに下職(したしょく)を相手に将棋をさすぐらいのもので、それもひまを惜しんで目まぐるしい早将棋一番かぎり、約束の仕事の日限を違(たが)えた事はいちども無く万事に油断せず精出して、女房も丈夫、子供も息災、みずからは二十(はたち)の時に奥歯一本虫に食われて三日病んだ他には病気というものを知らず、さりとてけちで世間の附き合いの義理を欠くというわけではなく職人仲間に律儀者の評判を取り、しかも神仏の信心深く、ひとつとして悪事なく、人生四十年を過して来たものの、どういうわけか、いつも貧乏で、世の中には貧乏性といってこのような不思議はままある事ながら、それにしても、徳兵衛ほどの善人がいつまでも福の神に見舞われぬとは、浮世にはわからぬ事もあるものだと、町内の顔役たちは女房に寝

物語してひそかにわが家の内福に安堵するというような有様であった。そのうちに徳兵衛の貧乏いよいよ迫り、町内の顔役たちが目ざとく見つけ、永年のよしみ、捨て置けず、しのびしのび諸道具売払うを、なく徳兵衛に様子を聞けば、わずか七、八十両の借金に首がまわらず夜逃げの覚悟と泣きながら言う。顔役は笑い、

「なんだ、たかが七、八十両の借金で、先代からのこの老舗をつぶすなんて法は無い。ことしの暮は万事わしたちが引受けますから、もう一度、まあ、ねばってみなさい。来年こそは、この身代にも一花咲かせて見せて下さい。子供さんにも、お年玉を奮発して、下職への仕着も紋無しの浅黄にするといまからでも間に合いますから、お金の事など心配せず、まあ、わしたちに委せて、大船に乗った気で一つ思い切り派手に年越しをするんだね。お内儀も、そんな、めそめそしてないで、せっかくのいい髪もったいない、ちゃんと綺麗に結って、おちめを人に見せないところが女房の働き。正月の塩鮭もわしの家で三本買って置いたから、一本すぐにとどけさせます。笑う門には福が来る。どうも、この家は陰気でいけねえ。さあ、雨戸をみんなあけて、のんきに福の神の御入来を待つがよい。万事この家中の塵芥をさっぱりと掃き出して、わしたちが引受けました。」と景気のいい事ばかり言い、それから近所の職人仲間

と相談の上、われひと共にいそがしき十二月二十六日の夜、仲間十人おのおのの金子十両と酒肴を携え、徳兵衛の家を訪れ、一升桝を出させて、それに順々に十両ずつばらりばらりと投げ入れて百両、顔役のひとりは福の神の如く陽気に笑い、徳兵衛さん、ここに百両あります、これをもとでに千両かせいでごらんなさい、と差し出せば、またひとりの顔役は、もっともらしい顔をして桝を神棚にあげ、ぱんぱんと拍手を打ち、えびす大黒にお願い申す、この百両を見覚え置き、利に利を生ませて来年の暮には百倍千倍にしてまたこの家に立ち戻らせ給え、さもなくば、えびす大黒もこの金横領のとがにんとして縄を打ち、川へ流してしまいます、と言えば、また大笑いになり、職人仲間の情愛はまた格別、それより持参の酒肴にて年忘れの宴、徳兵衛はうれしく、意味も無く部屋中をうろうろ歩きまわり重箱を蹴飛ばし、いよいよ恐縮して、あちらこちらに矢鱈にお辞儀して廻り、生れてはじめて二合以上の酒を飲ませてもらい、とうとう酔い泣きをはじめ、他の職人たちも、人を救ったというしびれるほどの興奮から、ふだん一滴も酒を口にせぬ人まで、ぐいぐいと飲み酒乱の傾向を暴露して、この酒は元来わしが持参したものだ、飲まなければ損だ、などとまことに興覚めないやしい事まで口走り、いきな男は、それを相手にせず、からだを前後左右にゆすぶって小唄をうたい、鬚面の男は、声をひそめて天下国家の行末を憂い、また隅の小男は、大

声でおのれの織物の腕前を誇り、他のやつは皆へたくそ也とののしり、また、頬被りして壁塗り踊りと称するへんてつも無い踊りを、誰も見ていないのに、いやに緊張して口をひきしめいつまでも呆れるほど永く踊りつづけている者もあり、また、さいぜんから襖によりかかって、顔面蒼白、眼を血走らせて一座を無言で睨み、近くに坐っている男たちを薄気味悪がらせて、やがて、すっくと立ち上ったので、すわ喧嘩と驚き制止しかかれば、男は、ううと呻いて廊下に走り出て庭先へ、げえと吐いた。酒の席は、昔も今も同じ事なり、しまいには、何が何やら、ただわあとなって、骨の無い動物の如く、互いに背負われるやら抱かれるやら、羽織を落し、扇子を忘れ、草履をはきちがえて、いや、めでたい、めでたい、とうわごとみたいに言いながらめいめいの家へ帰り、あとには亭主ひとり、大風の跡の荒野に伏せる狼の形で大鼾で寝て、女房は呆然と部屋のまんなかに坐り、とにかく後片附けは明日と定め、神棚の桝を見上げては、うれしさ胸にこみ上げ、それにつけても戸じまりは大事と立って、家中の戸をしめて念いりに錠をおろし、召使い達をさきに寝かせて、それから亭主の徳兵衛を静かにゆり起し、そんな大鼾で楽寝をしている場合ではありません、ご近所の有難いお情を無にせぬよう、今夜これから、ことしの諸払いの算用を、ざっとやって見ましょう、と大福帳やら算盤を押しつければ、亭主は眼をしぶくあけて、泥酔の夢にも債

鬼に苦しめられ、いまふっと眼がさめると、われは百両の金持なる事に気附いて、勇気百千倍、むっくり起き上り、
「よし来た、算盤よこせ、畜生め、あの米屋の八右衛門は、わしの先代の別家なのに、義理も恩も人情も忘れて、どこよりもせわしく借りを責め立てやがって、おのれ、今に見ろと思っていたが、畜生め、こんど来たら、あの鹿面に小判をたたきつけて、もう来年からは、どんなにわしにお世辞を言っても、聞かぬ振りして米は八右衛門の隣りの与七の家から現金で買って、帰りには、あいつの家の前で小便でもして来る事だ。とにかく、あの神棚の桝をおろせ。久しぶりで山吹の色でも拝もう。」と大あぐらで威勢よく言い、女房もいそいそと立って神棚から一升桝をおろして見ると、桝はからっぽ、一枚の小判も無い。夫婦は仰天して、桝をさかさにしたり叩いてみたり、そこら中を這い廻ってみたり、神棚を全部引下して、もったいなくも御神体を裏がえしたりひっくりかえしたり、血まなこで捜しても一枚の小判も見当らぬ。
「いよいよ無いにきまった。」と亭主は思い切って、「もうよい、捜すな。桝一ぱいの小判をまさか鼠がそっくりひいて行ったわけでもあるまい。福の神に見はなされたのだ。よくよく福運の無い家と見える。」と言ったが口惜しさ、むらむらと胸にこみあげ、「いい笑い草だ。八右衛門の勘定はどうなるのだ。むだな喜びをしただけに、

あとのつらさが、こたえるわい。」と腹をおさえて涙を流した。
女房もおろおろ涙声になって、
「まあ、どうしましょう。ひどい、いたずらをなさる人もあるものですねえ。お金を下さってよろこばせて、そうしてすぐにまた取り上げるとは、あんまりですねえ。」
「何を言う。そなたは、あの、誰か盗んだとでも思っているのか。」
「ええ、疑うのは悪い事だけれども、まさか小判がひとりでふっと溶けて消えるわけは無し、宵からこの座敷には、あの十人のお客様のほかに出入りした人も無し、お帰りになるとすぐにあたしが表の戸に錠をおろして、——」
「いやいや、そのようなおそろしい事を考えてはいけない。小判は神隠しに遭ったのだ。わしたちの信心の薄いせいだ。あのように情深いご近所のお方たちを疑うなどとは、とんでもない事だ。百両のお金をちらと拝ませていただいただけでも、有難いと思わなければならぬ。それに、生れてはじめてあれほどの大酒を飲む事も出来たし、もとお金は無いものとあきらめて、」と分別ありげな事を言いながらも、明日からの暮しを思うと、地獄へまっさかさまに落ち込む心地で、「ああ、それにしても、一夜のうちに笑ったり泣いたり、なんてまあ馬鹿らしい身の上になったのだろう。」と鼻をすする。

女房はたまらず泣き崩れて、
「いいなぶりものにされました。百両くださると見せかけて、そっとお持ち帰りになって、いまごろは赤い舌を出して居られるのに違いない。ええ、十人が十人とも腹を合せて、あたしたちに百両を見せびらかし、あたしたちが泣いて拝む姿を楽しみながら酒を飲もうという魂胆だったのですよ。人を馬鹿にするにもほどがある。あなたは、口惜しくないのですか。あたしはもう恥ずかしくて、この世に生きて居られない」
「恩人の悪口は言うな。この世がいやになったのは、わしも同様。しかし、人を恨んで死ぬのは、地獄の種だ。お情の百両をわが身の油断から紛失した申しわけに死ぬならば、わしにも覚悟はあるが。」
「理窟はどうだって、いいじゃないの。あたしは地獄へ落ちたっていい。恨み死を致します。こんなひどい仕打ちをされて、世間のもの笑いになってなお生き延びるなんて事はとても出来ません。」
「よし、もう言うな。死にゃいいんだ。かりそめにも一夜の恩人たちを訴えるわけにもいかず、いや疑う事さえ不埒な事だ、さりとてこのまま生き延びる工夫もつかず、女房、何も言わずに、わしと一緒に死のうじゃないか。この世ではそなたにも苦労をかけたが、夫婦は二世と言うぞ。」

一寸さきは闇の世の中、よろこびの宴の直後に、徳兵衛夫婦は死ぬる相談、二人の子供も道づれと覚悟を極め、女房は貧のうちにも長持の底に残してあった白小袖に身を飾り、鏡に向い若い時から人にほめられた黒髪を撫でつけながら、まことに十九年のなじみ此のあけぼのの夢と歎き、気を取り直して二人の子供をしずかに引起せば、上の女の子は、かかさま、もうお正月か、と寝呆けて、下の男の子は、坊の独楽はきょう買ってくれるかと言う。夫婦は涙に目くらみ、ものも言えず、子供を仏壇の前に坐らせ、わななきわななき御燈明をあげ、親子四人、先祖の霊に手を合せて、いまはこれまでと思うところに、子守女どたばたと走り出て、二人の子供を左右にひしとかかえて頬ずりして、あんまりだ、あんまりだ、旦那さまたちは何をなさるだ、死ぬならお前様たちだけで死ねばいいだ、こんな可愛い坊ちゃま嬢ちゃまに何の罪があるだ、むごい親だ、あんまりだ、坊ちゃま嬢ちゃまは、おらがもらって育てるだ、死ぬならお前様たちだけでさっさと死ねばいいだ、とあたりはばからぬ大声で泣きわめいて、隣近所の人もその騒ぎに起き出して、夫婦の自害もうやむやになり、顔役はやがて事情を聞いて驚き、これは大事とひとり思案し、いかにも夫婦の言うとおり、あの夜われら十人のほか部屋に出入りした人は無し、小判が風に吹き飛んだという例も聞かず、まさかわれら腹黒く

しめし合せ、あの夫婦をなぶりものにするなんてのは滅相も無い事、十人が十人とも義に勇んであのいそがしい年末の一夜、十両の合力を気前よく引受けたのだ、誰をも疑うわけに行かぬ、下手な事を言い出したら町内の大騒動、わが身の潔白を示そうとして腹を切る男など出て来ないとも限らぬ、さりとて百両といえば少からぬ金額、あの夫婦の行末も気の毒、このまま捨て置くわけにも行くまい、とにかくこの事件はわれらが手に余ると分別を極め、ひそかに役人に訴え申し、金の詮議を依頼した。

この不思議な事件の吟味を取扱った人は、時の名判官板倉殿、年内余日も無く皆々渡世のさわりもあるべし、正月二十五日に詮索をはじめる、そのあいだ、かの十人の者ひとりも他国仕るな、という仰せがあり、やがて初春の二十五日に、お役所からお達しがあり、かの十人の者ども各々その女房を召連れてまかり出ずべし、もし女房無き者は、その姉妹、あるいは姪伯母、かねて最も近親の女をひとり同道して出頭致すべしとの上意。情をかけてこんな迷惑、親爺の遺言に貧乏人とは附合うなとあったが、なるほどここのところだ、十両の大金を捨て、そのうえお役所へ呼び出されるとはつまらぬ、とかく情は損のもと也、と露骨な卑しい愚痴を言うものもあり、とにかく女房を連れておそるおそるお白洲に出ると、板倉殿は笑いながら十人の者に鬮引きをさせて、一、二の順番をきめ、その順序のとおりに十組の名を大きな紙に書きした

ためて番附を作り、お役所の前に張出させて、さて威儀を正していかめしく申し渡すよう、

「このたび百両の金子紛失の件、とにもかくにも、そちたちの過怠、その場に居合せながら大金の紛失に気附かざりしとは、察するところ、意地汚く酒を過し、大酔に及んだがためと思われる。飲酒の戒もさる事ながら、人の世話をするなら、素知らぬ振りしてあっさりやったらよかろう。救われた人を眼の前に置いてしつっこく、酒など飲んでおのれの慈善をたのしむなどは浅間しい。早く夫婦二人きりにさせて諸支払いの算用をさせるようにしむけてやるのが、まことの情だ。なまなかの情は、かえって人を罪におとす。以後は気を附けよ。罰として、きょうからあの表に張り出してある番附の順序に従って一日に一組ずつ、ここにある太鼓に棒をとおして、それぞれ女房と二人でかつぎ、役所の門を出て西へ二丁歩いて、杉林の中を通り抜け、さらに三丁、畑の間の細道を歩き、さらに一丁、坂をのぼって八幡宮に参り、八幡宮のお札をもらって同じ道をまっすぐに帰って来るよう、固く申しつける。」との事で、一同これは世にためし無き異なお仕置きと首をかしげたが、おかみのお言いつけなれば致し方なく、ばかばかしくもその日から、夫婦で太鼓をかついで八幡様へお参りして来なければならなくなった。耳ざとい都の人にはいち早くこの珍妙な裁判の噂がひろまり、板

倉殿も耄碌したか、紛失の金子の行方も調べずに、ただ矢鱈に十人を叱って太鼓をかつがせお宮参りとは、滅茶苦茶だ、おおかた智慧者の板倉殿も、このたびの不思議な盗難には手の下し様が無く、やけっぱちで前代未聞の太鼓のお仕置きなど案出して、いい加減にお茶を濁そうという所存に違いない、と物識り顔で言う男もあれば、いやいやそうではない、何事につけても敬神崇仏、これを忘れるなという深いお心、むかし支那に、夫婦が太鼓をかついでお宮まいりをして親の病気の平癒を祈願したという美談がある、と真面目な顔で嘘を言う古老もあり、それはどんな書物に出ていますと突込まれて、それは忘れたがとにかくある、と平気で嘘の上塗りをして、年寄りの話は黙って聞け、と怒ってぎょろりと睨み、とにかく都の評判になり、それ見に行けとお役所の前に押しかけ、夫婦が太鼓をかついでしずしずと門から出て来ると、わあっと歓声を挙げ、ばんざいと言う者もあり、よう御両人、やけます、と黄色い声で叫ぶ通人もあり、いずれも役人に追い払われ、このたびのお仕置きは、諸見物の立寄事かたく御法度、ときびしく申しわたされ、のこり惜しそうに、あとを振り返り振り返り退散して、夫婦はそれどころで無く大不平、なんの因果で、こんな太鼓をかついでこの歩かなければならぬのか、思えば思うほど、いまいましく、ことにも女は、はじめから徳兵衛の事などかくべつ可哀想とも思わず、一銭の金でも惜しい大晦日に

亭主が勝手に十両などという大金を持ち出し、前後不覚に泥酔して帰宅して、何一ついいことが無かった上に亭主と共にお白洲に呼び出され、太鼓なんか担がせられて諸人の恥さらしになるのだから、面白くない事おびただしい。おまけにこの太鼓、陽を受けて気まりの悪いくらい真赤な塗胴で、天女の舞う図の金蒔絵がしてあって、燦然と輝き、てれくさくって思わず顔をそむけたいくらい。しかも大きさは四斗樽ほどあって、棒を通して二人でかついでも、なかなか重い。女房はじめは我慢して神妙らしく担いでいても、町はずれに出て、杉林にさしかかる頃からは、あたりに人ひとりいないし、そろそろ愚痴が出て来る。

「ああ、重い。あなたは、どうなの？　重くないの？　ばかにうれしそうに歩いてるわね。お祭りじゃないんですよ。子供じゃあるまいし、こんな赤い太鼓をかついでお宮まいりだなんて、板倉様も意地が悪い。もうもう、あたしは、人の世話なんてごめんですよ。あなたたちは、人の世話にかこつけて、お酒を飲んで騒ぎたいのでしょう？　ばかばかしい。おまけにこんな赤い太鼓をかつがせられて、いい見せ物にされて、——」

「まあ、そう言うな。ものは考え様だ。どうだい、さっきの、お役所の前の人出は。わしは生れてから、あんなに人に囃された事は無い。人気があるぜ、わしたちは。」

「何を言ってるの。道理であなたは、けさからそわそわして、あの着物、この着物、と三度も着かえて、それから、ちょっと薄化粧なさってたわね。そうでしょう？　白状しなさい。」

「馬鹿な事を言うな。馬鹿な。」と亭主は狼狽して、「しかし、いい天気だ。」とよそ話をした。

また翌日の一組は、れいの発起人の顔役とその十八の娘。

「お父さん、」と十八の娘は、いまは亡き母にかわって家事の担当、父の身のまわりの世話を焼いているので、鼻息が荒い。「亡くなったお母さんが、あたしたちのこんない恰好を見て、草葉の蔭で泣いていらっしゃるでしょうねえ。お父さんは、まあ、自業自得で仕方がないとしても、あたしにまで、こんな赤い太鼓の片棒かつがせて、チンドン屋みたいな事をさせてさ、お母さんはきっと、お父さんをうらんで、化けて出るわよ。」

「おどかしちゃいけねえ。何も、わしだって好きでかついでいるわけじゃないし、また、年頃のお前にこんな判じ物みたいなものを担がせるのも、心苦しいとは思っている。」

「あんな事を言っている。心苦しいだなんて、そんな気のきいた言葉をどこで覚えて

来たの？　おかしいわね。お父さんには、この太鼓がよく似合ってよ。お父さんは派手好きだから、赤いものが、とてもよく似合うわ。こんど、真赤なお羽織を一枚こしらえてあげましょうね。」
「からかっちゃいけねえ。だるまじゃあるまいし、赤い半纏なんてのはお祭りにだって着て出られるわけのものじゃない。」
「でも、お父さんは年中お祭りみたいにそわそわしている、あんなのをお祭り野郎ってんだと陰口たたいていた人があったわよ。」
「誰だ、ひでえ奴だ、誰がそんな事を言ったんだ。」
「あたしよ、あたしが言ったのよ。何のかのと近所に寄合いをこしらえさせてお祭騒ぎをしようとたくらんでばかりいるんだもの。いい気味だわ。ばちが当ったんだわ。お奉行様は、やっぱりえらいな。お父さんのお祭り野郎を見抜いて、こらしめのため、こんな真赤なお祭りの太鼓をかつがせて、改心させようと思っていらっしゃるのに違いない。」
「こん畜生！　太鼓をかついでいなけりゃ、ぶん殴ってやるんだが、えい、徳兵衛ふびんさに、持前の親分肌のところを見せてやったばっかりに、つまらねえ事になった。」

「持前だって。親分肌だって。おかしいわよ、お父さん。自分でそんな事を言うのは、耄碌の証拠よ。もっと、しっかりしなさいね。」
「この野郎、黙らんか。」
またその翌日の夫婦は、
「あなたも、しかし、妙な人ですね。ふだんあんなにけちで、お客さんの煙草ばかり吸っているほどの人が、こんどに限って、馬鹿にあっさり十両なんて大金を出したわね。」
「そりゃあね、男の世界はまた違ったものさ。義を見てせざるは勇なき也。常日頃の倹約も、あのような慈善に備えて、——」
「いい加減を言ってるわ。あたしゃ知っていますよ。思召しがあるんじゃない？ あの徳兵衛さんのおかみさんを、へんにほめていらっしゃったわね。あなたは前から、あの徳兵衛さんのおかみさんを、へんにほめていらっしゃったわね。あなたは前から、あの徳兵衛さんのおかみさんに思召しがあるんじゃない？ 思召しがあるんじゃない？ あたしゃ知っていますよ。あなたは前から、あの徳兵衛さんのおかみさんを、へんにほめていらっしゃったわね。あたしゃ知っていますよ。あなたは前から、——いいえ、あたしには、わかっていますよ、おかげでこんな重い太鼓なんか担がせられ

て、あいたたた、あたしゃまた神経痛が起って来た。あしたから、あなたが、ごはんをたくのですよ。薪も割ってもらわなくちゃこまるし、糠味噌もよく掻きまわして、井戸は遠いからいい気味だ、毎朝手桶に五はいくんで来て台所の水甕に、あいたたた、馬鹿な亭主を持ったばかりに、あたしは十年寿命をちぢめた。」と喚き、その翌る日の組も同じ事、いずれも女は不平たらたら、男はひとしく口汚くののしられて、女子と小人は養い難しと眼をかたくつぶって観念する者もあり、家へ帰って矢庭に女房をぶん殴って大立廻りを演じ離縁騒ぎをはじめた者もあり、運悪く大雪の日の番に当った一組は、ひとしお女房の歎きやら呪いやらが猛烈を極め、共に風邪をひき、家へ帰って床を並べて寝込んでしまって咳にむせかえりながらも烈しく互いに罵倒し合い、太鼓の仕置きも何の事は無い、女の口の悪さを暴露したという結果に終っただけのようであった。十組のお仕置きが全部すんでから、また改めて皆にお呼び出しがあり、一同不機嫌のふくれつらでお白洲にまかり出ると、板倉殿はにこにこ笑い、

「いや、このたびは御苦労であった。太鼓の担ぎ賃として、これは些少ながら、それがしからの御礼だ。失礼ではあろうが、笑って受取ってもらいたい。風邪をひいて二、三日寝込んだ夫婦もあったとか、もはや本服したろうが、お見舞いとして別に一封包

んで置いた。こだわり無く収めていただきたい。このたび仲間の窮迫を見かねて金十両ずつ出し合って救ったとは近頃めずらしい美挙、いつまでもその心掛けを忘れぬよう。それにもかかわらず、あのような重い太鼓をかつがせ、その上、男どもは、だいぶ女連にやられていたようで、気の毒に思っている。まあ、何事も水に流して、この後は仲良く家業にはげむよう。ところで、この中の一組、太鼓をかついで杉林にさしかかった頃から女房が悪鬼に憑かれたように物狂わしく騒ぎ立て、亭主の過去のふしだらを一つ一つ挙げてののしり、亭主が如何になだめても静まらず、いよいよ大声で喚き散らすゆえ、亭主は困却し果て、杉林を抜けて畑にさしかかった頃、あたりをはばかる小さい声で、騒ぐな、うらむな、太鼓の難儀もいましばしの辛抱、百両の金は、わしたちのもの、家へ帰ってから戸棚の引出しをあけて見ろ、と不思議な事を言った。言った者には、覚えのある筈。いや、それがしは神通力も何も持っていない。あの赤い太鼓は重かったであろう。あの中に小坊主ひとりいれて置いた。委細はその小坊主から聞いて知った。言った者を、いまここで名指しをするのは容易だが、この者とて、はじめは真の情愛を以てこのたびの美挙に参加したのに違いなく、酒の酔いに心が乱れ、ふっと手をのばしただけの事と思われる。命はたすける。おかみの慈悲に心が感じ、

今夜、人目を避けて徳兵衛の家の前にかの百両の金子を捨てよ。然る後は、当人の心

次第、恥を知る者ならば都から去れ。おかみに於いては、とやかくの指図無し。一同、立て。以上。」

（本朝桜陰比事、巻一の四、太鼓の中は知らぬが因果）

# 粋　人

「ものには堪忍という事がある。この心掛けを忘れてはいけない。ちっとは、つらいだろうが我慢をするさ。夜の次には、朝が来るんだ。冬の次には春が来るさ。きまり切っているんだ。世の中は、陰陽、陰陽、陰陽と続いて行くんだ。仕合せと不仕合せとは軒続きさ。ひでえ不仕合せのすぐお隣りは一陽来復の大吉さ。ここの道理を忘ちゃいけない。来年は、これあ何としても大吉にきまった。その時にはお前も、芝居の変り目ごとに駕籠で出掛けるさ。それくらいの贅沢は、ゆるしてあげます。かまわないから出掛けなさい。」などと、朝飯を軽くすましてすぐ立ち上り、つまらぬ事をもっともらしい顔して言いながら、そそくさと羽織をひっかけ、脇差さし込み、きょうは、いよいよ大晦日、借金だらけのわが家から一刻も早くのがれ出るふんべつ。家に一銭でも大事の日なのに、手箱の底を搔いて一歩金二つ三つ、小粒銀三十ばかり財布に入れて懐中にねじ込み、「お金は少し残して置いた。この中から、お前の正月のお小遣いをのけて、あとは借金取りに少しずつばらまいてやって、無くなったら寝ち

まえ。借金取りの顔が見えないように、あちら向きに寝ると少しは気が楽だよ。ものには堪忍という事がある。きょう一日の我慢だ。あちら向きに寝て、死んだ振りでもしているさ。世の中は、陰陽、陰陽。」と言い捨てて、小走りに走って家を出た。

家を出ると、急にむずかしき顔して衣紋をつくろい、そり身になってそろりそろりと歩いて、物持の大旦那がしもじもの景気、世のうつりかわりなど見て廻っているみたいな余裕ありげな様子である。けれども内心は、天神様や観音様、南無八幡大菩薩、不動明王摩利支天、べんてん大黒、仁王まで滅茶苦茶にありとあらゆる神仏のお名を称えて、あわれきょう一日の大難のがれさせ給えとたすけ給えと念じて眼のさき真暗、全身鳥肌立って背筋から油汗がわいて出て、世界に身を置くべき場所も無く、かかる地獄の思いの借財者の行きつくところは一つ。花街である。けれどもこの男、あちこちの茶屋に借りがある。借りのある茶屋の前は、からだをななめにして蟹のように歩いて通り抜け、まだいちども行った事の無い薄汚い茶屋の台所口からぬっとはいり、「婆はいるか。」と大きく出た。もともとこの男の人品骨柄は、いやしくない。立派な顔をしている男ほど、借金を多くつくっているものである。悠然と台所にあがり込み、「ほう、ここはまだ、みそかの支払いもすまないと見えて、あるわ、あるわ、書附けが。ここに取りちらかしてある書附け、全部で、三、四十両くらいのものか。世

はさまざま、〆て三、四十両の支払いをすます事も出来ずに大晦日を迎える家もあり、また、わしの家のように、呉服屋の支払いだけでも百両、お金は惜しいと思わぬが、奥方のあんな衣裳道楽は、大勢の使用人たちの手前、しめしのつかぬ事もあり、こんどは少しひかえてもらわなくては困るです。こらしめのため、里へかえそうかなどと考えているうちに、あいにくと懐姙で、しかも、きょうこの大晦日のいそがしい中に、産気づいて、早朝から家中が上を下への大混雑。生れぬさきから乳母を連れて来るやら、取揚婆を三人も四人も集めて、ばかばかしい。だいたい、大長者から嫁をもらったのが、わしの不覚。奥方の里から、けさは大勢見舞いに駈けつけ、それ山伏、それ祈禱、取揚婆をこっちで三人も四人も呼んで来てあるのに、それでも足りずに医者を連れて来て次の間に控えさせ、これは何やら早め薬とかいって鍋でぐつぐつ煮てござる。安産のまじないに要るとか言って、子安貝、海馬、松茸の石づき、何の事やらわけのわからぬものを四方八方に使いを走らせて取寄せ、つくづく金持の大袈裟な騒ぎ方にあいそがつきました。旦那様は、こんな時には家にいぬものだと言われて、これさいわい、すたこらここへ逃げて来ました。まるでこれでは、借金取りに追われて逃げて来たような形です。きょうは大晦日だから、そんな男もあるでしょうね。気の毒なものだ。いったいどんな気持だろう。酒を飲んでも酔えないでしょうね。いやも

う、人さまざま、あはははは。」と力の無い笑声を発し、「時にどうです。言うも野暮だが、もちろん大晦日の現金払いで、子供の生れるまで、ここで一日あそばせてくれませんか。たまには、こんな小さい家で、こっそり遊ぶのも悪くない。おや、正月の鯛をたい買いましたね。小さい。家が小さいからって遠慮しなくたっていいでしょう。何も縁起ものだ。もっと大きいのを買ったらどう？」と軽く言って、一歩金一つ、婆の膝ひざの上に投げてやった。

婆は先刻から、にこにこ笑ってこの男の話に相槌あいづちを打っていたが、心の中で思うよう、さてさて馬鹿ばかな男だ、よくもまあそんな大嘘おおうそがつけたものだ、お客の口先を真に受けて私たちの商売が出来るものか。酔狂のお旦那がわざと台所口からはいって来て、私たちをまごつかせて喜ぶという事も無いわけではないが、眼つきが違いますよ。さっき、台所口から覗のぞいたお前さんの眼つきは、まるで、とがにんの眼つきだった。借金取りに追われて来たのさ。毎年、大晦日になると、こんなお客が二、三人あるんだ。世間には、似たものがたくさんある。玉虫色のお羽織に白柄しろつかの脇差わきざし、知らぬ人が見たらお歴々と思うかも知れないが、この婆の目から見ると無用の小細工。おおかた十五も年上の老い女房にょうぼうをわずかの持参金を目当てにもらい、その金もすぐ使い果し、ぶよぶよ太って白髪頭しらがあたまの女房が横坐りに坐って鼻の頭に汗を掻かきながら晩酌ばんしゃくの相手もさす

まじく、稼ぎに身がはいらず質八百置いて、もったいなくも母親には、黒米の碓をふませ、弟には煮豆売りに歩かせ、売れ残りの酸くなった煮豆は一家のお惣菜、それも母御の婆さまが食べすぎると言って夫婦でじろりと睨むやつさ。それにしても、お産の騒ぎとは考えた。取揚婆が四人もつめかけ、医者は次の間で早め薬とは、よく出来た。お互いに、そんな身分になりたいものさね。大阿呆め。お金は、それでもいくら持っているようだし、現金払いなら、こちらは客商売、まあ、ごゆるりと遊んでいらっしゃい。とにかく、この一歩金、いただいて置きましょう。
「やれうれしや。」と婆はこぼれるばかりの愛嬌を示して、一歩金を押しいただき、「鯛など買わずに、この金は亭主に隠して置いて、あたしの帯でも買いましょう。おほほほ。ことしの年の暮は、貧乏神と覚悟していたのに、このような大黒様が舞い込んで、これで来年中の仕合せもきまりました。お礼を申し上げますよ、旦那。さあ、まあ、どうぞ。いやですよ、こんな汚い台所などにお坐りになっていらしては。洒落すぎますよ。あんまり恐縮で冷汗が出るじゃありませんか。なんぼ何でも、お人柄にかかわりますよ。どうも、長者のお旦那に限って、台所口がお好きで、困ってしまいます。貧乏所帯の台所が、よっぽどもの珍らしいと見える。さ、粋にも程度がございます。どうぞ、奥へ。」世におそろしきものは、茶屋の婆のお世辞である。

お旦那は、わざとはにかんで頭を掻き、いやもう婆にはかなわぬ、と言ってなよなよと座敷に上り、
「何しろたべものには、わがままな男ですから、そこは油断なく、たのむ。」と、どうにもきざな事を言った。婆は内心いよいよ呆れて、たべものの味がわかる顔かよ。借金で首がまわらず青息吐息で、火を吹く力もないような情ない顔つきをしている癖に、たべものにわがままは大笑いだ。かゆの半杯も喉には通るまい。料理などは、むだな事だ、と有合せの卵二つを銅壺に投じ入れ、一ばん手数のかからぬ料理、うで卵にして塩を添え、酒と一緒に差出せば、男は、へんな顔をして、
「これは、卵ですか。」
「へえ、お口に合いますか、どうですか。」と婆は平然たるものである。
男は流石に手をつけかね、腕組みして渋面つくり、
「この辺は卵の産地か。何か由緒があらば、聞きたい。」
婆は噴き出したいのを怺えて、
「いいえ、卵に由緒も何も。これは、お産に縁があるかと思って、婆の志。それにまた、おいしい料理の食べあきたお旦那は、よく、うで卵など、酔興に召し上りますので、おほほ。」

「それで、わかった。いや、結構。卵の形は、いつ見てもよい。いっその事、これに目鼻をつけてもらいましょうか。」と極めてまずい洒落を言った。婆は察して、売れ残りの芸者ひとりを呼んで、あれは素性の悪い大馬鹿の客だけれども、いくらか持っているようだから、大晦日の少しは稼ぎになるだろう、せいぜいおだててやるんだね、と小声で言いふくめて、その不細工の芸者を客の座敷に突き出した。男は、それとも知らず、
「よう、卵に目鼻の御入来。」とはしゃいで、うで卵をむいて、食べて、口の端に卵の黄味をくっつけ、或いはきょうは惚れられるかも知れぬと、わが家の火の車も一時わすれて、お酒を一本飲み、二本飲みしているうちに、何だかこの芸者、見た事があるような気がして来た。馬鹿ではあるが、女に就いての記憶は悪強い男であった。女は、大晦日の諸支払いの胸算用をしながらも、うわべは春の如く、ただ矢鱈に笑って、客に酒をすすめ、
「ああ、いやだ。また一つ、としをとるのよ。ことしのお正月に、十九の春なんて、お客さんにからかわれ、羽根を突いてもたのしく、何かいい事もあるかと思って、うかうか暮しているうちに、あなた、一夜明けると、もう二十じゃないの。はたちなんて、いやねえ。たのしいのは、十代かぎり。こんな派手な振袖も、もう来年からは、

おかしいわね。ああ、いやだ。」と帯をたたいて、悶えて見せた。
「思い出した。その帯をたたく手つきで思い出した。」男は記憶力の馬鹿強いところを発揮した。「ちょうどいまから二十年前、お前さんは花屋の宴会でわしの前に坐り、いまと同じ事を言い、そんな手つきで帯をたたいたが、あの時にもたしか十九と言った。それから二十年経っているから、お前さんは、ことし三十九だ。十代もくそもない、来年は四十代だ。四十まで振袖を着ていたら、もう振袖に名残も無かろう。からだが小さいから若く見えるが、いまだに十九とは、ひどいじゃないか。」と粋人も、思わず野暮の高声になって攻めつけると、女は何も言わずに、伏目になって合掌した。
「わしは仏さんではないよ。縁起でもない。拝むなよ。興覚めるね。酒でも飲もう。」
手をたたいて婆を呼べば、婆はいち早く座敷の不首尾に気附いて、ことさらに陽気に笑いながら座敷に駈けつけ、
「まあ、お旦那。おめでとうございます。どうしても、御男子ときまりました。」
「何が。」と客はけげんな顔。
「のんきでいらっしゃる。お宅のお産をお忘れですか。」
「あ、そうか。生れたか。」何が何やら、わけがわからなくなって来た。

「いいえ、それはわかりませんが、いまね、この婆が畳算で占ってみたところ、あなた、三度やり直しても同じ事、どうしても御男子。私の占いは当りますよ。旦那、おめでとうございます。」と両手をついてお辞儀をした。

客は、まぶしそうな顔をして、

「いやいや、そう改ってお祝いを言われても痛みいる。それ、これはお祝儀。」と、またもや、財布から、一歩金一つ取り出して、婆の膝元に投げ出した。とても、いまいましい気持である。

婆は一歩金を押しいただき、

「まあ、どうしましょうねえ。暮から、このような、うれしい事ばかり。思えば、きよう、あけがたの夢に、千羽の鶴が空に舞い、四海波押しわけて万亀が泳ぎ、」と、うっとりと上目使いして物語をはじめながら、お金を帯の間にしまい込んで、「あの、本当でございますよ、旦那。眼がさめてから、やれ不思議な有難い夢よ、とひどく気がかりになっていたところにあなた、お産のすむまで宿を貸せと台所口から御入来ですものねえ、夢は、やっぱり、正夢、これも、日頃のお不動信心のおかげでございましょうか。おほほ。」と、ここを先途と必死のお世辞。

あまりと言えば、あまりの歯の浮くような見え透いたお世辞ゆえ、客はたすからぬ

気持で、
「わかった、わかった。めでたいよ。ところで何か食うものはないか。」と、にがにがしげに言い放った。
「おや、まあ、」と婆は、大袈裟にのけぞって驚き、「どうかと心配して居りましたのに、卵はお気に召したと見え、残らずおあがりになってしまった。すいなお方はこれだから好きさ。たべものにあきたお旦那には、こんなものが、ずいぶん珍らしいと見える。さ、それでは、こんど何を差し上げましょうか。数の子など、いかが？」
これも、手数がかからなくていい。
「数の子か。」客は悲痛な顔をした。
「あら、だって、お産にちなんで数の子ですよ。ねえ、つぼみさん。縁起ものですものね。ちょっと洒落た趣向じゃありませんか。お旦那は、そんな酔興なお料理が、いちばん好きだってさ。」と言い捨てて、素早く立ち去る。
旦那は、いよいよ、むずかしい顔をして、
「いまあの婆は、つぼみさん、と言ったが、お前さんの名は、つぼみか。」
「ええ、そうよ。」女は、やぶれかぶれである。つんとして答える。
「あの、花の蕾の、つぼみか。」

「くどいわねえ。何度言ったって同じじゃないの。あなたなに何を言ってるの。ひどいわ、ひどいわ。」と言って泣き出した。泣きながら、「あなた、お金ある？」と露骨な事を口走った。

客はおどろき、

「すこしは、ある。」

「あたしに下さい。」色気も何もあったものでない。「こまっているのよ。本当に、ことしの暮ほど困った事は無い。上の娘をよそにかたづけて、まず一安心と思っていたら、それがあなた、一年つか経たないうちに、乞食のような身なりで赤子をかかえ、四、五日まえにあたしのところへ帰って来て、亭主が手拭いをさげて銭湯へ出かけて、それっきり他(ほか)の女のところへ行ってしまった、と泣きながら言うけれど、馬鹿らしい話じゃありませんか。その亭主もひどいじゃありませんか。育ちがいいとかいって、のっぺりした顔の、俳諧(はいかい)だか何だかお得意なんだそうで、あたしは、はじめっから気がすすまなかったのに、娘が惚れ込んでしまっているものだから、仕方なく一緒にさせたら、銭湯へ行ってそのまま家へ帰らないとは、あんまり人を踏みつけていますよ。笑い事じゃない。娘はこれから赤子をかかえて、どうなるのです。」

「それでは、お前さんに孫もあるのだね。」

「あります。」とにこりともせず言い切って、ぐいと振り挙げた顔は、凄かった。

「馬鹿にしないで下さい。あたしだって、人間のはしくれです。子も出来れば、孫も出来ます。なんの不思議も無いじゃないか。お金を下さいよ。あなた、たいへんなお金持だっていうじゃありませんか。」と言って、頰をひきつらせて妙に笑った。

粋人には、その笑いがこたえた。

「いや、そんなでもないが、少しなら、あるよ。」とうろたえ気味で、財布から、最後の一歩金を投げ出し、ああ、いまごろは、わが家の女房、借金取りに背を向けて寝て、死んだ振りをしているであろう、この一歩金一つでもあれば、せめて三、四人の借金取りの笑顔を見る事は出来るのに、思えば、馬鹿な事をした、と後悔やら恐怖やら焦躁やらで、胸がわくわくして、生きて居られぬ気持になり、

「あゝ、めでたい。婆の占いが、男の子とは、蕾は、ふんと笑って、うれしいね。なかなか話せる婆ではないか。」とかすれた声で言ってはみたが、蕾は、ふんと笑って、

「お酒でもうんと飲んで騒ぎましょうか。」と万事を察してお銚子を取りに立った。

客はひとり残されて、暗憺、憂愁、やるかたなく、つい、苦しまぎれのおならなど出て、それもつまらない思いで、立ち上って障子をあけて匂いを放散させ、

「あれわいさのさ。」と、つきもない小唄を口ずさんで見たが一向に気持が浮き立たず、やがて、三十九歳の蕾を相手に、がぶがぶ茶碗酒をあおっても、ただ両人まじめになるばかりで、顔を見合せては溜息をつき、
「まだ日が暮れぬか。」
「冗談でしょう。おひるにもなりません。」
「さてさて、日が永い。」
地獄の半日は、竜宮の百年千年。うで卵のげっぷばかり出て悲しさ限りなく、
「お前さんはもう帰れ。わしはこれから一寝入りだ。眼が覚めた頃には、お産もすんでいるだろう。」と、いまは、わが嘘にみずから苦笑し、ごろりと寝ころび、
「本当にもう、帰ってくれ。その顔を二度とふたたび見せてくれるな。」と力無い声で歎願した。
「ええ、帰ります。」と蕾は落ちついて、客のお膳の数の子を二つ三つ口にほうり込み、「ついでに、おひるごはんを、ここでごちそうになりましょう。」と言った。
客は眼をつぶっても眠られず、わが身がぐるぐる大渦巻の底にまき込まれるような気持で、ばたんばたんと寝返りを打ち、南無阿弥陀、と思わずお念仏が出た時、廊下に荒き足音がして、

「やあ、ここにいた。」と、丁稚らしき身なりの若い衆二人、部屋に飛び込んで来て、
「旦那、ひどいじゃないか。てっきり、この界隈と見込みをつけ、一軒一軒さがして、いやもう大骨折さ。無いものは、いただこうとは申しませんが、こうしてのんきそうに遊ぶくらいのお金があったら、少しはこっちにも廻してくれるものですよ。ええと、ことしの勘定は、」と言って、書附けを差出し、寝ているのを引起して、詰め寄って何やら小声で談判ひとしきりの後、財布の小粒銀ありったけ、それに玉虫色のお羽織、白柄の脇差、着物までも脱がせて、若衆二人それぞれ風呂敷に包んで、
「あとのお勘定は正月五日までに。」と言い捨て、いそがしそうに立ち去った。
粋人は、下着一枚の奇妙な恰好で、気味わるくにやりと笑い、
「どうもねえ、友人から泣きつかれて、判を押してやったが、その友人が破産したとやら、こちらまで、とんだ迷惑。金を貸すとも、判は押すな、とはここのところだ。とにかく、大晦日には、思わぬ事がしゅったい致す。この姿では、外へも出られぬ。暗くなるまで、ここで一眠りさせていただきましょう。」と、これはまたつらい狸寝入り、陰陽、陰陽と念じて、わが家の女房と全く同様の、死んだ振りの形となった。

台所では、婆と蕾が、「馬鹿というのは、まだ少し脈のある人の事」と話合って大

笑いである。とかく昔の浪花あたり、このような粋人とおそろしい茶屋が多かったと、その昔にはやはり浪花の粋人のひとりであった古老の述懐。
(胸算用、巻二の二、訛言も只は聞かぬ宿)

## 遊興戒

むかし上方の三粋人、吉郎兵衛、六右衛門、甚太夫とて、としは若し、家に金あり、親はあまし、男振りもまんざらでもなし、しかも、話にならぬ阿呆というわけでもなし、三人さそい合って遊び歩き、そのうちに、上方の遊びもどうも手ぬるく思われて来て、生き馬の目を抜くとかいう東国の荒っぽい遊びを風聞してあこがれ、或るとし秋風に吹かれて江戸へ旅立ち、途中、大笑いの急がぬ旅をつづけて、それにしても世の中に美人は無い、色が白ければ鼻が低く、眉があざやかだと思えば顎が短い、いっそこうなれば女に好かれるよりは、きらわれたい、何とかして思い切りむごく振られてみたいものさ、などと天を恐れぬ雑言を吐き散らして江戸へ着き、あちらこちらと遊び廻ってみても、別段、馬の目を抜く殺伐なけしきは見当らず、やはりこの江戸の土地も金次第、どこへ行っても下にも置かずもてなされ、甚(はなは)だ拍子抜けがして、江戸にもこわいもの無し、どこかに凄(すご)い魔性のものはいないか、と懐手(ふところで)して三人、つまらなそうな様子で、上野黒門(くろもん)より池の端のほうへぶらりぶらり歩いて、しんちゅう屋の市右衛

門とて当時有名な金魚屋の店先にふと足をとどめ、中庭を覗けば綺麗な生簀が整然と七、八十もならび、一つ一つの生簀には清水が流れて水底には緑の藻がそよぎ、金魚、銀魚、藻をくぐり抜けて鱗を光らせ、中には尾鰭の長さ五寸以上のものもあり、生意気な三粋人も、その見事さには無邪気に眼を丸くして驚き、日本一の美人をここで見つけたと騒ぎ、なおも見ていると、その金魚を五両、十両の馬鹿高い値段で、少しも値切らず平気で買って行く人が次々とあるので、やっぱり江戸は違う、上方には無い事だ、あの十両の金魚は大名の若様のおもちゃであろうか、三日養って猫に食われてそれでも格別くやしそうな顔もせずまたこの店へ来て買うのであろうな、いかさま武蔵野は広い、はじめて江戸を見直したわい、などと口々に勝手な事を言って単純に興奮し、これを見ただけでも江戸へ来たかいがあった、上方へのよい土産話が出来た、と互いによろこび首肯き合っているところへ、賤しい身なりの小男が、小桶に玉網を持ち添えてちょこちょこと店へやって来て、金魚屋の番頭にやたらにお辞儀をしておっ従笑いなどしている。小桶を覗いてみると無数のぼうふらがうようよ泳いでいる。

「金魚のえさか。」とひとりが興覚め顔して呟いた。

「えさだ。」もうひとりも、溜息をついて言った。

何だか白けた真面目な気持ちになってしまった。

たかが金魚を、一つ十両で平然と

買って行く人もあり、また一方では、その餌のぼうふらを売って、ほそぼそと渡世している人もある。江戸は底知れずおそろしいところだ、と苦労知らずの三粋人も、さすがに感無量の態であった。
 小桶に一ぱいのぼうふらを、たった二十五文で買ってもらって、それでも嬉しそうに、金魚屋の下男にまで、それではまた、と卑しい愛嬌を振り撒きいそいそと立ち去るその小男のうしろ姿を見送ってひとりが、
「おや、あれは、利左じゃないか。」と言ったので、他の二人は、ぎょっとした。
 月夜の利左という浮名を流し、それこそ男振りはよし、金はあり、この三粋人と共に遊んで四天王と呼ばれ、数年前に吉州という評判の名妓を請出し、ふっと姿をかくした利左衛門。それが、まさか、と思えども見れば見るほど、よく似ている。
「利左だ、間違いない。」とひとりは強く断定を下し、「あの右肩をちょっと上げて歩く癖は、むかしから利左の癖で、あれがまた小粋だと言って、わしにも右肩を上げて歩けとうるさくすすめる女があって閉口した事がある。利左に違いない。それ、呼びとめろ。」
 三人は走って、ぼうふら売りをつかまえてみると、むざんや、まさしく利左がなれの果。

「利左、お前はひどい。吉州には、わしも少し惚れていたが、何もお前、そんな、わしはお前を恨みに思ったりなんかしてやしないよ。黙って姿を消すなんて、水くさいじゃないか。」
「そうよ、そうよ。どんなつらい事情があったって、一言くらいわしたちに挨拶して行くのが本当だぞ。困った事が起ったって、まあ、これがあの月夜の利左かい。わしが友達じゃない。見れば、ひどえ身なりで、こんな事になりはしなかったのに、ぽうふたちにたった一言でも知らせてくれたら、お互い様さ。茶屋酒のんで騒ぐばかりら売りとは洒落が過ぎらあ。」と悪口を言いながら涙を流し、六右衛門は分別顔して、利左衛門の痩せた肩を叩き、
「利左、でも、逢えてよかった。どこへ行ったかと心配していたのだ。お前がいなくなったら、淋しくてなあ。上方の遊びもつまらなくなって、こうして江戸へ出て来たが、お前と一緒でないと、どこの遊びも面白くない。ここで逢うたが百年目さ。どうだい、これから、わしたちと一緒に上方へ帰って、また昔のように四人で派手に遊ぼうじゃないか。お金の事や何かは心配するな。口はばったいが、わしたち三人が附いている。お前の一生は引受けた。」と頼もしげな事を言ったが、利左は、顔を青くしてふんと笑い、そっぽを向きながら、

「何を言っていやがる。人の世話など出来る面かよ。わざわざこの利左をなぶりに上方からやって来たのか。御苦労な事だ。こっちは、これが好きでやっているのさ。かまわないでくれ。遊びの果は皆こんなものだ。ふん。いまにお前たちだって、どんな事になるかわかったものじゃない。一生引受けたは笑わせやがる。でもまあ昔の馴染甲斐に江戸の茶碗酒でも一ぱい振舞ってやろうか。利左は落ぶれてもお前たちのごちそうにはならんよ。酒を飲みたかったら附いて来い。あはは。」と空虚な笑い方をして、小桶を手にさげてすたすた歩く。三人は、気まずい思いで顔を見合せ、とにかく利左の後を追って行くと、利左はひどく汚い居酒屋へのこのこはいって行って、財布をさかさに振り、

「おやじ、これだけある。昔の朋輩におごってやるんだ。茶碗で四はい。」と言って、昔に変らぬ気前のいいところを見せたつもりで、先刻の妻子の二十五文を残らず投げ出せば、入口でうろうろしている三人は、ああ、あの金は利左の妻子が今夜の米代としてあて事にして、いまごろは鍋を洗って待っているだろうに、おちぶれても、つまらぬ意地と見栄から、けちでないところを見せたつもりかも知れないが、あわれなものだ、と暗然とした。

「おい、まごまごしてないで、ここへ腰かけて飲めよ。茶碗酒の味も忘れられぬ。」

と口をゆがめて苦笑いしながら、わざと下品にがぶがぶ飲み、手の甲で口のまわりをぐいとぬぐって、「ああ、うめえ。」とまんざら嘘でもないように低く呻いた。三人も、おそるおそる店の片隅に腰をおろして、欠けた茶碗を持ち無言で乾盃して、少し酔って来たので口も軽くなり、

「時に利左、いまでも、やはり吉州と？」

「いまでも、とは何だ。」と利左は言葉を荒くして聞きとがめ、「粋人らしくもねえ。口のききかたに気をつけろ。」と言って、すぐまた卑屈ににやりと笑い、「その女ゆえに、御覧のとおりのぼうふら売りさ。悪い事は言わねえ。お前たちもいい加減に茶屋遊びを切り上げたほうがいいぜ。上方一と言われた女も、手活の花として眺めると、三日経てば萎（しを）れる。いまじゃ、長屋の、かかになって、ひとつき風呂（ふろ）へ行かなくても平気でいる。」

「子供もあるのか。」

「あたりめえよ。間の抜けた事を聞くな。親にも似ねえ猿（さる）みたいな顔をした四つの男の子が、根っからの貧乏人の子らしく落ちついて長屋で遊んでいやがる。見せてやろうか。少しはお前たちのいましめになるかも知れねえ。」

「連れて行ってくれ。吉州にも逢いたい。」と吉郎兵衛は本音を吐いた。利左は薄気

味悪い微笑を頰に浮べて、
「見たら、あいそが尽きるぜ。」と言い、蹌踉と居酒屋を出た。
谷中の秋の夕暮は淋しく、江戸とは名ばかり、このあたりは大竹藪風にざわつき、鶯、ならぬむら雀の初音町のはずれ、薄暗くじめじめした露路を通り抜けて、額にお
しめの滴を受け、かぼちゃの蔓を跨ぎ越え、すえ葉も枯れて生垣に汚くへばりついている朝顔の実一つ一つ取り集めている婆の、この種を植えてまた来年のたのしみ、と
来年どころか明日知れぬ八十あまりらしい見るかげも無き老軀を忘れて呟いている慾の深さに、三人は思わず顔を見合せて呆れ、利左ひとりは、何ともない顔をして小腰
をかがめ、婆さま、その朝顔の実を一つ二つわしの家へもわけて下さいまし、何だか曇ってまいりましていけませぬ、など近所のよしみ、有合せのつらいお世辞を言い、
陰干しの煙草をゆわえた細縄の下をくぐって突き当りのあばらやの、窓から四歳の男の子が、やあれ、ととさまが、ぜぜ持ってもどらしゃった、と叫ぶもふびん、三人の
足は一様に立ちすくんだ。利左は平気を装い、
「ここだ、この家だ。三人はいったら、坐るところが無いぞ。」と笑い、「おい、お客さまだぞ。」と内儀に声を掛ければ、内より細き声して、
「そのお三人のうち、伊豆屋吉郎兵衛さま、お帰り下さいまし。そのお方には昔お情

「いや、それはお固い。昔の事はさらりと水に流して。」と言えば、利左も、くるしそうに笑い、

「そうだ、そうだ。長屋の嬶にお情もくそもあるものか。自惚ちゃいけねえ。」とすさんだ口調で言い、がたぴし破戸をあけて三人を招き入れ、「座蒲団なんて洒落たものはねえぞ。お茶くらいは出す。」

女房は色青ざめ、ぼろの着物の裾をそそくさと合せて横坐りに坐って乱れた髪を掻き上げ、仰向いて三人の顔を見て少し笑い、

「まあ。」と小さい声で言ったきり、お辞儀をするのも忘れている。亭主はいそがしそうに狭い部屋を歩きまわり、仏壇の戸びらの片方はずれているのを引きむしり、菜切庖丁で打ち割って、七輪にくべてお茶をわかし、先刻窓から顔を出していた子供は、と見れば、いつの間にか部屋の隅の一枚蒲団にこぶ巻になって寝ている。どうやらすっぱだかの様子で、唇を紫にしてがたがた寒さにふるえている。

「坊やは、寒そうだな。」と客のひとりが、つい口をすべらしたら、内儀は坐ったまま子供のほうを振り返って見て、「着物を着るのがいやなんですって。妙な癖で、着物を着せてもすぐ脱いで、ああしてはだかで寝るんです。疳の虫のせいでしょうよ。」

とさり気なく言ったが、坊やは泣き声を出して、
「うそだ、うそだ。坊は、さっき溝へ落ちて、着るものが無くなったから、こうして寝かされて、着物のかわくのを待っているのだ。」という。亭主は七輪の煙にむせんだ振りをして眼をこする。三人の客は途方に暮れ、無言で眼まぜして帰り仕度をはじめ、ここに到ってこらえかね、人前もはばからず、泣き伏す。内儀も気丈な女ながら、挨拶もそこそこに草履をつっかけて門口に出て、それから小声で囁き合い、三人の所持の金子全部、一歩金三十八、こまがね七十目ばかり取り集め、門口に捨てられてある小皿の上に積みかさね、足音を忍ばせて立ち去った。狭い露路から出て、三人一緒にほっと大きい溜息をついた途端に、
「ふざけた真似をするな！」と背後に利左の声、ぎょっとして振りむくと利左衛門は金子を載せた小皿を持ち息せき切って、「人の家へやって来て、お茶も飲まずに帰り、そのうえ、こんな犬の糞みたいなものを門口に捨てやがって、人間の附き合いの法も知らねえ鼻ったれ小僧め。よくもよくも、月夜の利左をなめやがったな。もう二度とふたたびお前たちの鼻の下の長いつらを見たくねえ。これを持ってとっとと帰れ！」と件の小皿を地べたにたたきつけて、ふと眼の色をかえて喚き、「馬鹿にするな！」っと露路の夕闇に姿を消した。

「いや、ひどいめに遭った。」と吉郎兵衛は冷汗をぬぐい、「それにしても、吉州も、きたない女になりやがった。」
「色即是空か。」と甚太夫はひやかした。
「ほんとうに、」と吉郎兵衛は、少しも笑わず溜息をつき、「わしはもう、きょうから遊びをやめるよ。卒塔婆小町を眼前にありありと見ました。」
「出家でもしたいところだね。」と六右衛門はひとりごとのように言い、「わしはもう殺されるのではないかと思った。おちぶれた昔の友達ほどおそろしいものはない。路で逢っても、こちらから言葉をかけるのは遠慮すべきものかも知れない。誰だい、一ばん先に言葉をかけたのは。」
「わしではないよ。」と吉郎兵衛は口をとがらせて言い、「わしは、ただ、吉州にひとめ逢いたくて、それで。」と口ごもった。
「お前だよ。」と甚太夫は冷静な口調で、「お前が一ばんさきに走って行って、一ばんさきに声をかけて、おまけに、また、あいつの家へ連れて行ってくれなんて、つまらぬ事を言い出したのも、みんなお前じゃないか。つつしむべきは好色の念だねえ。」
「面目ない。」
「改心のついでに、」と吉郎兵衛は、素直にあやまり、「以後はふっつり道楽をやめる。」と口ごもった。足もとに散らばっているお金を拾い集めたらどうだ。」と六

右衛門は、八つ当りの不機嫌で、「これだって天下の宝だ。むかし青砥左衛門尉藤綱さまが、

「滑川を渡りし時、だろう。わかった、わかった。わしは土方人足というところか。さがしますよ、拾いますよ。」と吉郎兵衛は尻端折りして薄暗闇の地べたを這い一歩金やらこがねやらを拾い集めて、「こうして一つ一つにして拾ってみると、お金のありがたさがわかって来るよ。お前たちも、少し手伝ってごらん。まじめな気持ちになりますよ。」

さすが放埒の三人も、昔の遊び友達の利左の浅間しい暮しを見ては、うんざりして遊興も何も味気ないものに思われ、いささか分別ありげな顔になって宿へ帰り、翌日から殊勝らしく江戸の神社仏閣をめぐって拝み、いよいよ明日は上方へ帰ろうという前夜、宿の者にたのんで少からぬ金子を谷中の利左の家へ持たせてやり、亭主は受け取るまいから、内儀にこっそり、とくどいくらいに念を押して言い含めてやったのだが、その使いの者は、しばらくして気の毒そうな顔をして帰り、お言いつけの家をたずねましたが、昨日、田舎へ立ちのいたとやら、いろいろ近所の者にたずねても、どこへ行ったのかついに行先きを突きとめる事が出来ませんでしたという口上で、三人はそれを聞いて利左の行末を思い、いまさらながら、ぞっとして、わが身の

上も省（かえり）みられ、ああ、もう遊びはよそう、と何だかわけのわからぬ涙を流して誓約し、いよいよ寒さのつのる木枯しに吹きまくられて、東海道を急ぎに急ぎ、おのおのわが家に帰りついてからは、人が変ったみたいにけち臭くよろずに油断のない男になり、ために色街は一時さびれたという、この章、遊興もほどほどに止（とど）むべしとの戒飭（いましめか）

（置土産、巻二の二、人には棒振虫同前に思はれ）

## 吉野山

拝啓。その後は、ごぶさたを申して居ります。めでたく御男子御出生の由、大慶に存じます。いよいよ御家運御隆昌の兆と、おうらやましく思います。御一家いきいきと御家業にはげみ、御夕食後の御団欒はまた格別の事でありましょう。このお正月は御男子御出生と二つお目出度が重り、京の初春もわがものと思召し、ひとしお御一家の笑声も華やかに、昔の遊び仲間も集り、都の極上の酒を酌交し、とかく楽しみは京の町人、それにつけても先年おろかな無分別を起して出家し、眼夢とやら名を変えて吉野の奥にわけ入った九平太は、いまどうしているかしらんと、さだめし一座の笑草になさった事でございましょうね。いや味を申し上げているのではありません。眼夢、かくの如く、いまはつくづく無分別の出家遁世を後悔いたし、冬の吉野の庵室に寒さに震えて坐って居ります。思えば、私の遁世は、何の意味も無く、ただ親兄弟を泣かせ、そなた様をはじめ友人一同にも、無用の発心やめ給え、と繁く忠告致されましたが、とめられると尚更、意地になって是が非でも出家遁世しなければならぬような気

持ちになり、とめるな、とめるな、浮世がいやになり申した、明日ありと思う心の仇桜、など馬鹿な事を喚いて剃髪してしまいまして、それからすぐそっと鏡を覗いてみたら、私には坊主頭が少しも似合わず、かねがね私の最も軽蔑していた横丁の藪医者の珍斎にそっくりで、しかも私の頭のあちこちに小さい禿があるのを、その時はじめて発見仕り、うんざりして、実は既にその時から少し後悔していたのです。白状のしついでに私の出家遁世の動機をも、いまはつつまず申し上げますが、私はあなた様たちのお仲間にいれてもらって一緒にお茶屋などに遊びにまいりましても、ついに一度も、もてた事はなく、そのくせ遊びは好きで、あなた様たちの楽しそうな様子を見るにつけても、よし今夜こそはと店の金をごまかしやっぱり、私だけもてず、お勘定はいつも私が払い、その面白くない事、或る夜やぶれかぶれになって、女に向い、「男は女にふられるくらいでなくちゃ駄目なものだ」と言ったら、その女は素直に首肯き、

「本当に、そのお心掛けが大事ですわね」と真面目に感心したような口調で申しますので、立つ瀬が無く、「無礼者！」と大喝して女を力まかせに殴り、諸行無常を観じ、出家にならねばならぬと覚悟を極めた次第で、今日つらつらと私のような野暮で物欲しげで理窟っぽい男は、若い茶屋女に好かれる筈はなく、親爺のすすめる田舎

女でも、おとなしくもらって置けばよかったとひとり苦笑致して居ります。まことに山中のひとり暮しは、不自由とも話にならぬものでもまぎれて、まだ我慢も出来ますが、ごはんの煮たきは気持ちもまぎれて、まだ我慢も出来ますが、下着の破れを大あぐら搔かい繕い、また井戸端にしゃがんでふんどしの洗濯などは、御不浄の仕末以上にもの悲しく、殊勝らしくお経をあげてみても、このお経というものも、聞いている人がいないとさっぱり張合いの無いもので、すぐ馬鹿らしくなって、ひとりで噴き出したりして、やめてしまいます。立ち上って吉野山の冬景色を見渡しても、都の人たちが、花と見るまで雪ぞ降りけるだの、春に知られぬ花ぞ咲きけるだの、いい気持ちで歌っているのとは事違い、雪はやっぱり雪、ただ寒いばかりで、あの嘘うそつきの歌人めが、とむらむら腹が立って来ます。このように寒くては、墨染の衣一枚ではとてもしのぎ難がたく、墨染の衣の上にどてらをひっかけ、犬の毛皮を首に巻き、坊主頭もひやひやしますので寝ても起きても頰被かぶりして居ります。この犬の毛皮は、この山の下に住む里人から熊の皮だとだまされて、馬鹿高い値段で買わされたのですが、尻尾しっぽがへんに長くてその辺に白い毛もまじっていますので、これは、白と黒のぶちの犬の皮ではないか、と後で里人に申しますと、その白いところは熊の月の輪という部分で、熊に依っては月の輪がお尻のほうについている、との返事で、あまりの事に私も何とも言葉が出ませんでした。本当

に、この山の下の里人は、たちが悪くて、何かと私をだましてばかり居ります。諸行無常を観じて世を捨てた人には、金銭など不要のものと思いのほか、里人が持って来る米、味噌の値段の高い事、高いと言えば、むっと怒ったような顔をして、すぐに品物を持帰るような素振りを見せて、お出家様が御不自由していらっしゃるかと思って一日ひまをつぶしてこんな山の中に重いものを持ち運んで来るだ、いやなら仕方が無い、とひとりごとのように言い、私も、この品が無ければ餓死するより他は無いし、山を降りて他の里人にたのんでも同じくらいの値段を言い出すのはわかり切っていますし、泣き泣きその高い米、味噌を引きとらなければならないのです。山には木の実、草の実が一ぱいあって、それを気ままにとって食べてのんきに暮すのが山居の楽しみと心得ていましたが、聞いて極楽、見て地獄とはこの事、この辺の山野にはいずれも歴とした持主がありまして、ことしの秋に私がうっかり松茸を二、三本取って、山の番人からもう少しで殴り殺されるようなひどい目に遭いました。この方丈の庵も、すぐ近くの栗林の番小屋であったのを、私が少からぬ家賃で借りて、庵の裏の五坪ばかりの畑だけが、まあ、わずかに私の自由になるくらいのもので、野菜も買うとなるとなかなか高いので、大根人蔘の種を安くゆずってもらってこの裏の五坪の畑に播き、まことに興覚めな話で恐縮ですが、出家も尻端折りで肥柄杓を振りまわさなければな

らぬ事もあり、その収穫は冬に備えて、縁の下に大きい穴を掘って埋めて置かなければならず、目前に一目千本の樹海を見ながら、薪はやっぱり里人から買わないと、いやな顔をされるし、ここへ来てにわかに浮世の辛酸を嘗め、何のための遁世やら、さっぱりわけがわからなくなりました。遁世してこのようにお金がかかるものとは思いも寄らず、そんなにお金も持って来ませんでしたので、そろそろ懐中も心細くなり、何度下山を思い立ったかわかりません。けれども、一旦、濁世を捨てた法師が、またこの濁世の親御の家へ帰って泣いておわびをするなどは古今に例の無い事のようにも思われますし、これでも、私にはまだ少し恥を知る気持も意地もあり、また、ここを立ちのくにしても、里人への諸支払いがだいぶたまって居りますし、いま借りて使っている夜具や炊事道具を返すに当ってもまた金銭のややこしい問題が起るのではなかろうかと思えば、下山の決心もにぶります。と言えば、少していさいもいいけれども、実はもう一つ、とても私がいますぐ下山できないつらい理由があるのです。京の私の家のことし八十八歳になるばばさまが、大事のへそくりの百両を、二十年ほど前に小さい茶壺にいれて固く蓋をして、庭の植込みの奥深く、三本ならびの杉の木の下に昔から屋敷に伝っているささやかなお稲荷のお堂があって、そのお堂の縁の下にお盆くらいの大きさの平たい石があるのですが、その石の下にです、れいの茶壺を埋

めて置いて、朝から日の暮れるまでに三度、夜寝る前に一度、日に都合四度ずつ竹の杖をついて庭を見廻る振りをして、人知れず植込みの奥に眼を光らせてはいって行き、その隠し場所の安泰をたしかめ、私がまだ五つ六つの時分は、ばばさまにたいへん可愛がられてもいましたし、また私をほんの子供と思って気をゆるしていたのでございましょう、或る日、ばばは私を大事にした者に半分、いやいや一割あげるぞ、あの下に百両あるぞ、ばばを大事にした者に半分、いやいや一割あげるぞ、と嘆れた声で言いまして、私はそれ以来どうにもその石の下が気になってたまらず、二十年後あなた様たちに遊びを教えられて、たちまち金に窮して悪心起り、とうとう一夜、月の光をたよりに石の下を掘り起し、首尾よく茶壺を見つけて、その中から三十両ばかり無断で拝借して、またもとのように茶壺を埋め、上に石を載せて置き、ばばさまに見つかるかと、ひやひやしてしばらくは御飯ものどにとおらず、天を拝し地に伏してひたすら無事を念じ、ばばさまはやっぱりお年のせいか、あのように眼を光らせても石の下まで見抜く事は出来なかった様子で、毎日四度ずつ調べに行っても平気な顔で帰って来るので、私も次第に大胆になり、その後も十両、二十両と盗み、やがて無常の観じて出家する時には、残っている金をそっくり行きがけの駄賃として拝借して旅立ったようなわけで、あのばばさまの生きていらっしゃる限り、私はおそろしくて家へ

帰る事が出来ないのです。ばばさまは、まだきっとあの茶壺のからっぽな事にはお気附きなさらずず、相変らず日に四度ずつ見廻りに行っている事でありましょうが、お気附きなさらぬままで頓死でもなさったならば、ばばさまも仕合せ、また私の罪も永遠にうやむやになって、大手を振って家へ帰れるというわけになるのです。けれども、ばばさまのあのお元気では、きっと百まで生きるでしょうし、頓死など待っているうちに、孫の私のほうが山中の寒さに凍え死にするような事になるかも知れません。思えば思うほど、心細くなります。昔の遊び友達、あるいは朝湯で知合った人、または質屋の手代、出入りの大工、駕籠かきの九郎助にまで、とにかく名前を思い出し次第、知っている人全部に、吉野山の桜花の見事さを書き送り、おしなべて花の盛りになりにけり山の端毎にかかる白雲、などと古人の歌を誰の歌とも言わず、ちょっと書き添えて、またも古人みたいに無雑作らしく書き流し、遊びに来て下さい、と必ず書き添えて、その歌「吉野山やがて出でじと思ふ身を花散りなばと人や待つらむ」と思わせぶりに書き結び、日に二通も三通も里人に頼んで都に送り、わがまことの心境は「吉野山やがて出でんと思ふ身を花散る頃はお迎へたのむ」というような馬鹿げたものにて、みずから省みて苦笑の他なく、けれども、かかるせつなき真赤な嘘もまた出家の我慢忍辱と心得、吉野山のどかに住み易げに四方八方へ書き送り、さて、待てども待てども人

ひとり訪ねて来るどころか、返事さえ無く、あの駕籠かきの九郎助など、かねがね私があれほどたくさん酒手をやり、どこへ行くにも私のお供で、若旦那が死ねばおらも死にますなどと言っていたくせに、私があれほどていねいな手紙を書き送ってやったのに一片の返事も寄こさぬとは、ひどいじゃありませんか。九郎助に限らず、以前あんなに私を気前がいいの、正直だの、たのもしいだのと褒めていた遊び仲間たちも、どうした事でしょう、私が出家したら、ぱったり何もお便りを下さらず、もう私が何もあの人たちのお役に立たない身の上になったから、それでくるりと背を向けたというわけなのでしょうか、それにしても、あまり露骨でむごいじゃありませんか。こんなに皆から爪はじきされるとは心外です。私はいったいどんな悪い事をしたのでしょう。ばばさまのへそくりを拝借したとしても、それは一家の内の事で、また、地中に埋もれた財宝を、掘り出して世に活用せしめたのは考え様に依っては立派な行為とも言えると思うのです。しかも、諸行無常を観じ出家遁世するのは、上品な事で、昔の偉い人はたいていこれをやっているのです。それくらいの事は、皆さまにもわかりそうなものです。それなのに、私を軽蔑して仲間はずれにしようとなさる。それは、あんまりですよ。私は決して下品な男ではないんです。出家というものは、高貴なものです。馬鹿になさらず、どうかこれから大いに勉強もしようと思っているのです。

うかお見捨てなく、いつまでもお附き合いを願います。たまにはお手紙も下さいよ。あんなに皆に遊びに来いと書き送ってやったのだから、誰かひとり、ひょっとしたらお見えになるかも知れぬ、と毎日毎日むなしく待ちこがれ、落葉が風に吹かれて地を這う音を、都の人の足音かと飛立って外に駈け出し、蕭条たる冬木立を眺めて溜息をつき、夜は早く寝て風が雨戸をゆり動かすのを、もしや家から親御さまのお迎えかなど、らちも無い空頼みしていそいで雨戸をあけると寒月皎々と中空に懸り、わが身ひとつはもとの身にして、南無阿弥陀と心底からの御念仏を申し、掛蒲団を裏返しにして掛けて寝ると恋しい女の面影を夢に見ると言伝えられているようですから、こんな淋しい夜にこそ、と思うのですが、さて、私にはこれぞと定った恋人も無く、誰でもいいとはいうものの、さあ、誰の面影が出るか、など考えて、実に馬鹿らしくなり、深夜暗闇の中でひとりくすくす笑ってしまいました。ばばさまの面影などが出ては、たまりません。こんな味気ない夜には、お酒でもあると助かるのですが、いまいましく、この辺の地酒は、へんにすっぱくて胸にもたれ、その上、たいへん高価なので、この山里の人は、何かと慾が深く、十日にいちど五合くらい買って我慢しています。この下の渓流には鮎がうようよいて、私は出家の身ながら、なまぐさを時たま食べないと骨ばなれして五体がだるくてたまらなくなりますので、とって食おうと思い、さ

まざま工夫してみましたが、鮎もやはり生類、なかなかすばしこく、不器用な私にはとても捕獲出来ず、そのような私のむだな努力の姿を里人に見つけられ、里人は私のなまぐさ坊主たる事を看破致し、それにつけ込んで、にやにや笑いながら鮎の串焼きなど持って来て、おどろくほど高いお金を請求いたします。私は、もうここの里人から、すっかり馬鹿にされて、どしどしお金を捲き上げられ、犬の毛皮を熊の毛皮だと言って買わされたり、また先日は、すりばちをさかさにして持って来て、これは富士山の置き物で、御出家の床の間にふさわしい、安くします、と言い、あまりに人をなめた仕打ち故、私はくやし涙にむせかえりました。それにつけても、お金が欲しく、そろそろ富籤の当り番がわかった頃だと思いますが、私のは、たしか、イの六百八十九番だった筈です。当っているでしょうか。あの富籤を、京の家の私の寝間、床柱の根もとの節穴に隠して置きましたが、お願いですから、親爺に用ありげな顔をして私の家へ行き、寝間に忍び込んで床柱の根もとの節穴に指を突き込み、富籤を捜し出して当っているかどうか、調べてみて下さい。当っているといいんですけれどもね。たぶん当っていないかと思いますが、でも、とにかく、念のために調べて見て下さいまし。私がたしか一両であずけて置いた二寸ばかりの小さな観音像を受け出して下さいませんか。他の品は、みな流してもいいのです。お願いついでに、橋向うの質屋へ行って、

あの観音像だけは、是非とも受け出して幼少の頃もらったもので、珊瑚に彫ったものですから、一両では安すぎるのです。受け出して、道具屋の佐兵衛に二十両で売って下さい。佐兵衛は、あれを二十両でいつでも引取ると言っていたのです。ついでに私の寝間の、西北の隅の畳の下に色紙一枚かくしてありますから、あれも佐兵衛のところへ持って行ってみて下さい。あの色紙は、茶屋の枕屏風に張ってあったものですが、私はもてない腹いせに、ひっぱがして家へ持って帰ったのです。雪舟ではないかと思っているのですが、或いは贋物かも知れません。とにかく佐兵衛に見せて、そこはあなた様も抜け目なく、相応の値段で売りつけてやって下さい。贋物であっても、出来は悪くない色紙のようですから、五十両と吹かけてみて下さい。売れましたら、観音像の代金と一緒に、お手数でも、こちらへすぐにお送り願います。このたびは、あなた様にもいろいろ御手数をかけるわけですが、御礼として縞の羽織を差上げたいと思います。それはいま九郎助が持っているのです。ちょっと粋な縞で、裏の絹もずいぶん上等のものです。九郎助は駕籠かきのくせに、おしゃれな男で、あの羽織をむやみに着たがりますので、私は一時借してやってそのままになっているのです。決してくれてやったのではありませんから、どうか九郎助から取り上げてあなた様がお召しになって下さい。あんな恩知らずの九

郎助には、もっともっとこらしめを見せてやりたいと思います。かまいませんから、あれを九郎助から取上げてやって下さい。あなた様は色が白いから、きっとあの羽織はお似合いの事と思います。私は色が黒いのであの羽織は少しも似合いませんでした。墨染の衣だけでも似合うかと思いの他、私は肩幅が広いので弁慶のような荒法師の姿で、狼に衣の例に漏れず、何もかも面白くなく、既に出家していながら、更にまた出家遁世したくなって何が何やらわからず、ただもう死ぬるばかり退屈で、歎きわび世をそむくべき方知らず、吉野の奥も住み憂しと言へり

という歌の心、お察しねがいたく、実はこれとて私の作った歌ではなく、ひどく私はすれました。このたびのまことに無分別の遁世、何卒あわれと思召し、富籤と観音像と、それから色紙の事お忘れなく、昔の遊び仲間の方々にもよろしくお伝え下され、陽春の頃には、いちど皆様そろって吉野へ御来駕のほど、ひたすら御待ち申し上げます。頓首。

（万の文反古、巻五の四、桜の吉野山難儀の冬）

# 竹青

――新曲聊斎志異――
りょうさいしい

お伽草紙

むかし湖南の何とやら群邑に、魚容という名の貧書生がいた。どういうわけか、昔から書生は貧という事にきまっているようである。この魚容君なども、氏育ち共に賤しくなく、眉目清秀、容姿また閑雅の趣きがあって、書を好むこと色を好むが如しとは言えないまでも、とにかく幼少の頃より神妙に学に志して、これぞという道にはずれた振舞いも無かった人であるが、どういうわけか、福運には恵まれなかった。早く父母に死別し、親戚の家を転々として育って、自分の財産というものも、その間に綺麗さっぱり無くなっていて、いまは親戚一同から厄介者の扱いを受け、ひとりの酒くらいの伯父が、酔余の興にその家の色黒く痩せこけた無学の下婢をこの魚容に押しつけ、結婚せよ、よい縁だ、と傍若無人に勝手にきめて、魚容は大いに迷惑ではあったが、この伯父もまた育ての親のひとりであって、謂わば海山の大恩人に違いないのであるから、その酔漢の無礼な思いつきに対して怒る事も出来ず、涙を怺え、うつろな気持で自分より二つ年上のその痩せてひからびた醜い女をめとったのである。女は酒くらいの伯父の妾であったという噂もあり、顔も醜いが、心もあまり結構でなかった。魚容が「大学の道は至善に止るに在り」などと口ずさむ

のを聞いて、ふんと鼻で笑い、「そんな至善なんてものに止るよりは、お金に止って、おいしい御馳走に止る工夫でもする事だ」ととにくにくしげに言って、「あなた、すみませんが、これをみな洗濯して下さいな。少しは家事の手助けもするものです」と魚容の顔をめがけて女のよごれ物を投げつける。魚容はそのよごれ物をかかえて裏の河原におもむき、「馬嘶いて白日暮れ、剣鳴って秋気来る」と小声で吟じ、さて、何の面白い事もなく、わが故土にいながらも天涯の孤客の如く、心は渺として空しく河上を徘徊するという間の抜けた有様であった。

「いつまでもこのような惨めな暮しを続けていては、わが立派な祖先に対しても申しわけが無い。乃公もそろそろ三十、而立の秋だ。よし、ここは、一奮発して、大いなる声名を得なければならぬ」と決意して、まず女房を一つ殴って家を飛び出し、満々たる自信を以て郷試に応じたが、如何にせん永い貧乏暮しのために腹中に力無く、しどろもどろの答案しか書けなかったので、見事に落第。とぼとぼと、また故郷のあばら屋に帰る途中の、悲しさは比類が無い。おまけに腹がへって、どうにも足がすすまなくなって、洞庭湖畔の呉王廟の廊下に這い上って、ごろりと仰向に寝ころび、「ああ、この世とは、ただ人を無意味に苦しめるだけのところだ。乃公の如きは幼少の頃より、もっぱら其の独りを慎んで古聖賢の道を究め、学んで而して時に之を習うて

も、遠方から福音の訪れ来る気配はさらに無く、毎日毎日、忍び難い侮辱ばかり受けて、大勇猛心を起して郷試に応じても無惨の失敗をするし、この世には鉄面皮の悪人ばかり栄えて、乃公の如き気の弱い貧書生は永遠の敗者として嘲笑せられるだけのものか。女房をぶん殴って颯爽と家を出たところまではよかったが、試験に落第して帰ったのでは、どんなに強く女房に罵倒せられるかわからない。ああ、いっそ死にたい」と極度の疲労のため精神朦朧となり、君子の道を学んだ者にも似合わず、しきりに世を呪い、わが身の不幸を嘆いて、薄目をあいて空飛ぶ烏の大群を見上げ、「からすには、貧富が無くて、仕合せだなあ。」と小声で言って、眼を閉じた。

　この湖畔の呉王廟は、三国時代の呉の将軍甘寧を呉王と尊称し、之を水路の守護神としてあがめ祀っているもので、霊顕すこぶるあらたかの由、湖上往来の舟がこの廟前を過ぐる時には、舟子ども必ず礼拝し、廟の傍らの林には数百の烏が棲息していて、舟を見つけると一斉に飛び立ち、啞々とやかましく噪いで舟の帆柱に戯れ舞い、舟子どもは之を王の使いの烏として敬愛し、羊の肉片など投げてやるとさっと飛んで来て口に咥え、千に一つも受け損ずる事は無い。落第書生の魚容は、この使い烏の群が、嬉々として大空を飛び廻っている様をうらやましがり、烏は仕合せだなあ、と哀れな細い声で呟いて眠るともなく、うとうとしたが、その時、「もし、もし。」と黒衣の

男にゆり起されたのである。

魚容は未だ夢心地で、

「ああ、すみません。叱らないで下さい。あやしい者ではありません。どうか、叱らないで下さい。」と小さい時からただ人に叱られて育って来たので、人を見ると自分を叱るのではないかと怯える卑屈な癖が身についていて、この時も、譫言のように「すみません」を連発しながら寝返りを打って、また眼をつぶる。

「叱るのではない。」とその黒衣の男は、不思議な嗄れたる声で言って、「呉王さまのお言いつけだ。そんなに人の世がいやになって、からすの生涯がうらやましかったら、ちょうどよい。いま黒衣隊が一卒欠けているから、それの補充にお前を採用してあげるというお言葉だ。早くこの黒衣を着なさい。」ふわりと薄い黒衣を、寝ている魚容にかぶせた。

たちまち、魚容は雄の烏。眼をぱちぱちさせて起き上り、ちょんと廊下の欄干にとまって、嘴で羽をかいつくろい、翼をひろげて危げに飛び立ち、いましも斜陽を一ぱい帆に浴びて湖畔を通る舟の上に、むらがり噪いで肉片の饗応にあずかっている数百の神烏にまじって、右往左往し、舟子の投げ上げる肉片を上手に嘴に受けて、すぐ

にもう、生れてはじめてと思われるほどの満腹感を覚え、岸の林に引上げて来て、梢にとまり、林に嘴をこすって、水満々の洞庭の湖面の夕日に映えて黄金色に輝いている様を見渡し、「秋風飄す黄金浪花千片か」などと所謂君子蕩々然とうそぶいていると、

「あなた。」と艶なる女性の声がして、「お気に召しまして？」

見ると、自分と同じ枝に雌の烏が一羽とまっている。

「おそれいります。」魚容は一揖して、「何せどうも、身は軽くして泥滓を離れたのですからなあ。叱らないで下さいよ。」とつい口癖になっているので、余計な一言を附加えた。

「存じて居ります。」と雌の烏は落ちついて、「ずいぶんいままで、御苦労をなさいましたそうですからね。お察し申しますわ。でも、もう、これからは大丈夫。あたしがついていますわ。」

「失礼ですが、あなたは、どなたです。」

「あら、あたしは、ただ、あなたのお傍に。どんな用でも言いつけて下さいまし。あたしは、何でも致します。そう思っていらして下さい。おいや？」

「いやじゃないが、」魚容は狼狽して、「乃公にはちゃんと女房があります。浮気は

に分別顔を装うて言った。
「ひどいわ。あたしが軽はずみの好色の念からあなたに言い寄ったとでもお思いなの？ひどいわ。あたし、これはみな呉王さまの情深いお取りはからいですわ。あなたをお慰め申すように、あたしは呉王さまから言いつかったのよ。あなたはもう、人間でないのですから、人間界の奥さんの事なんか忘れてしまってもいいのよ。あなたの奥さんはずいぶんお優しいお方かも知れないけれど、あたしだってそれに負けずに、一生懸命あなたのお世話をしますわ。鳥の操みさおよりも、人間の操よりも、もっと正しいという事をお見せしてあげますから、おいやでしょうけど、これから、あたしをお傍に置いて下さいな。あたしの名前は、竹青ちくせいというの。」
 魚容は情に感じて、
「ありがとう。乃公も実は人間界でさんざんの目に遭って来ているので、どうも疑い深くなって、あなたの御親切も素直に受取る事が出来なかったのです。ごめんなさい。」
「あら、そんなに改まった言い方をしては、おかしいわ。きょうから、あたしはあなたの召使いだんなじゃないの。それでは旦那様、ちょっと食後の御散歩は、いかがでしょ

「うむ、」と魚容もいまは鷹揚にうなずき、「案内たのむ。」
「それでは、ついていらっしゃい。」とぱっと飛び立つ。

　秋風嫋々と翼を撫で、洞庭の烟波眼下にあり、はるかに望めば岳陽の甍、灼爛と落日に燃え、さらに眼を転ずれば、君山、玉鏡に可憐一点の翠黛を描いて湘君の俤をしのばしめ、黒衣の新夫婦は啞々と鳴きかわして先になり後になり憂えず懼れず心のままに飛翔して、疲れると帰帆の檣上にならんで止って翼を休め、顔を見合わせて微笑み、やがて日が暮れると洞庭秋月皎々たるを賞しながら飄然と塒に帰り、互に羽をすり寄せて眠り、朝になると二羽そろって洞庭の湖水でぱちゃぱちゃとからだを洗い口を嗽ぎ、岸に近づく舟をめがけて飛び立てば、舟子どもから朝食の奉納があり、新婦の竹青は初い初いしく恥じらいながら影の形に添う如くいつも傍にあって何かと優しく世話を焼き、落第書生の魚容も、その半生の不幸をここで一ぺんに吹き飛ばしたような思いであった。

　その日の午後、いまは全く呉王廟の神烏の一羽になりすまして、折から兵士を満載した大舟が通り、仲間の烏どもは、あれは危いと逃げて、竹青もけたたましく鳴いて警告したのだけれども、魚容の神烏は何せ自由に飛翔でき

るのがうれしくてたまらず、得意げにその兵士の舟の上を旋回していたら、ひとりのいたずらっ児の兵士が、ひょうと矢を射てあやまたず魚容の胸をつらぬき、石のように落下する間一髪、竹青、稲妻の如く迅速に飛んで来て魚容の翼を咥え、颯と引上げて、呉王廟の廊下に、瀕死の魚容を寝かせ、涙を流しながら甲斐甲斐しく介抱した。

けれども、かなりの重傷で、とても助からぬと見て竹青は、一声悲しく高く鳴いて数百羽の仲間の烏を集め、羽ばたきの音も物凄く一斉に飛び立ってかの舟を襲い、羽で湖面を煽って大浪を起し忽ち舟を顛覆させて見事に報讐し、大烏群は全湖面を震撼させるほどの騒然たる凱歌を挙げた。竹青はいそいで魚容の許に引返し、その嘴を魚容の頬にすり寄せて、

「聞えますか。あの、仲間の凱歌が聞えますか。」と哀慟して言う。

魚容は傷の苦しさに、もはや息も絶える思いで、見えぬ眼をわずかに開いて、

「竹青。」と小声で呼んだ、と思ったら、ふと眼が醒めて、気がつくと自分は人間の、しかも昔のままの貧書生の姿で呉王廟の廊下に寝ている。斜陽あかあかと目前の楓の林を照らして、そこには数百の烏が無心に啞々と鳴いて遊んでいる。

「気がつきましたか。」と農夫の身なりをした爺が傍に立っていて笑いながら尋ねる。

「あなたは、どなたです。」

「わしはこの辺の百姓だが、きのうの夕方ここを通つたら、お前さんが死んだやうに深く眠つてゐて、眠りながら時々微笑んだりして、わしは、ずいぶん大声を挙げてお前さんを呼んでも一向に眼を醒まさない。肩をつかんでゆすぶつても、ぐたりとしてゐる。家へ帰つてからも気になるので、たびたびお前さんの様子を見に来て、眼の醒めるのを待つてゐたのだ。見れば、顔色もよくないが、どこか病気か。」

「いいえ、病気ではございません。」不思議におなかも今はちつとも空いてゐない。

「すみませんでした。」とれいのあやまり癖が出て、坐り直して農夫にお辞儀をして、「お恥かしい話ですが、」と前置きをしてこの廟の廊下に行倒れるにいたつた事情を正直に打明け、重ねて、「すみませんでした。」とお詫びを言つた。

農夫は憐れに思つた様子で、懐から財布を取出ししいくらかの金を与へ、

「人間万事塞翁の馬。元気を出して、再挙を図るさ。人生七十年、いろいろさまざまの事がある。人情は翻覆して洞庭湖の波瀾に似たり。」と洒落た事を言つて立ち去る。

魚容はまだ夢の続きを見てゐるやうな気持で、呆然と立つて農夫を見送り、それから振りかへつて楓の梢にむらがる烏を見上げ、

「竹青！」と叫んだ。一群の烏が驚いて飛び立ち、ひとしきりやかましく騒いで魚容の頭の上を飛びまわり、それからまつすぐに湖の方へいそいで行つて、それつきり、

何の変った事も無い。やっぱり、夢だったかなあ、と魚容は悲しげな顔をして首を振り、一つ大きい溜息をついて、力無く故土に向けて発足する。

故郷の人たちは、魚容が帰って来ても、格別うれしそうな顔もせず、さっそく伯父の家の庭石の運搬を魚容に命じ、魚容は汗だくになって河原から大いなる岩石をいくつも伯父の庭先まで押したり曳いたり担いだりして運び、「貧して怨無きは難し」とつくづく嘆じ、「朝に竹青の声を聞かば夕に死するも可なり矣」と何につけても洞庭一日の幸福な生活が燃えるほど劇しく懐慕せられるのである。

伯夷叔斉は旧悪を念わず、怨是を用いて希なり。わが魚容君もまた、君子の道に志している高邁の書生であるから、不人情の親戚をも努めて憎まず、無学の老妻にも逆わず、ひたすら古書に親しみ、閑雅の清趣を養っていたが、それでも、さすがに身辺の者から受ける蔑視には堪えかねる事があって、それから三年目の春、またもや女房をぶん殴って、いまに見ろ、と青雲の志を抱いて家出して試験に応じ、やっぱり見事に落第した。よっぽど出来ない人だったと見える。帰途、また思い出の洞庭湖畔、呉王廟に立ち寄って、見るものみな懐しく、悲しみもまた千倍して、おいおい声を放って廟前で泣き、それから懐中のわずかな金を全部はたいて羊肉を買い、それを廟前に

ばら撒いて神鳥に供して樹上から降りて肉を啄む群鳥を眺めて、この中に竹青もいるのだろうなあ、と思っても、皆一様に真黒で、それこそ雌雄をさえ見わける事が出来ず、

「竹青はどれですか。」と尋ねても振りかえる鳥は一羽も無く、みんなただ無心に肉を拾ってたべている。魚容はそれでも諦められず、

「この中に、竹青がいたら一番あとまで残っておいで。」と、千万の思慕の情をこめて言ってみた。そろそろ肉が無くなって、群鳥は二羽立ち、五羽立ち、むらむらぱっと大部分飛び立ち、あとには三羽、まだ肉を捜して居残り、魚容はそれを見て胸をとどろかせ手に汗を握ったが、肉がもう全く無いと見てぱっと未練げも無く、その三羽も飛び立つ。魚容は気抜けの余りくらくら眩暈して、それでも尚、この場所から立ち去る事が出来ず、廟の廊下に腰をおろして、春霞に煙る湖面を眺めてただやたらに溜息をつき、「ええ、二度も続けて落第して、何の面目があっておめおめ故郷に帰られよう。生きて甲斐ない身の上だ、むかし春秋戦国の世にかの屈原も衆人皆酔い、我独り醒めたり、と叫んでこの湖に身を投げて死んだとかいう話を聞いている、乃公もこの思い出なつかしい洞庭に身を投げて死ねば、或いは竹青がどこかで見ていて涙を流してくれるかも知れない、乃公を本当に愛してくれたのは、あの竹青だけだ、あとは

皆、おそろしい我慾の鬼ばかりだった、人間万事塞翁の馬だと三年前にあのお爺さんが言ってはげましてくれたけれども、あれは嘘だ、不仕合せに生れついた者は、いつまで経っても不仕合せのどん底であがいているばかりだ、これすなわち天命を知るという事か、あはは、死のう、竹青が泣いてくれたら、それでよい、他には何も望みは無い」と、古聖賢の道を究めた筈の魚容も失意の憂愁に堪えかね、今夜はこの湖で死ぬる覚悟。やがて夜になると、輪郭の滲んだ満月が中空に浮び、洞庭湖はただ白く茫として空と水の境が無く、岸の平沙は昼のように明るく柳の枝は湖水の靄を含んで重く垂れ、遠くに見える桃畑の万朶の花は霰に似て、微風が時折、天地の溜息の如く通過し、いかにも静かな春の良夜、これがこの世の見おさめと思えば涙も袖にあまり、どこからともなく夜猿の悲しそうな鳴声が聞えて来て、愁思まさに絶頂に達した時、背後にはたはたと翼の音がして、

振り向いて見ると、月光を浴びて明眸皓歯、二十ばかりの麗人がにっこり笑っている。

「どなたです、すみません。」とにかく、あやまった。

「いやよ、」と軽く魚容の肩を打ち、「竹青をお忘れになったの?」

「別来、恙無きや。」

「竹青！」

魚容は仰天して立ち上り、それから少し躊躇したが、ええ、ままよ、といきなり美女の細い肩を掻き抱いた。

「離して。」「あたしは、どこへも行かないわよ。もう、一生あなたのお傍に。」

のがれて、「あたし、いきが、とまるわよ。」と竹青は笑いながら言って巧みに魚容の腕からのがれ、「たのむ！ そうしておくれ。お前がいないので、乃公は今夜この湖に身を投げて死んでしまうつもりだった。お前は、いったい、どこにいたのだ。」

「あたしは遠い漢陽に。あなたと別れてからここを立ち退き、いまは漢水の神鳥になっているのです。さっき、この呉王廟にいる昔のお友達があなたのお見えになっている事を知らせに下さったので、あたしは、漢陽からいそいで飛んで来ておそろしい事をお考えになっては、いやよ。ちょっと、あなたこうして来たのです。あなたの好きな竹青が、ちゃんとこうして来たのですから、もう、死ぬなんておそろしい事をお考えになっては、いやよ。ちょっと、あなたも痩せたわねえ、もう、どんな目に遭うかわからない。つくづくこの世が、いやになった。」

「痩せる筈さ。二度も続けて落第しちゃったんだ。故郷に帰れば、またどんな目に遭うかわからない。つくづくこの世が、いやになった。」

「あなたは、ご自分の故郷にだけ人生があると思い込んでいらっしゃるから、そんなに苦しくおなりになるのよ。人間到るところに青山があるとか書生さんたちがよく歌

っているじゃありませんか。いちど、あたしと一緒に漢陽の家へいらっしゃい。生きているのも、いい事だと、きっとお思いになりますから。」
「漢陽は、遠いなあ。」いずれが誘うともなく二人ならんで廟の廊下から出て月下の湖畔を逍遥しながら、「父母在せば遠く遊ばず、遊ぶに必ず方有り、というからね え。」魚容は、もっともらしい顔をして、れいの如くその学徳の片鱗を示した。
「何をおっしゃるの。あなたには、お父さんもお母さんも無いくせに。」
「なんだ、知っているのか。しかし、故郷には父母同様の親戚の者たちが多勢いる。乃公は何とかして、あの人たちに、乃公の立派に出世した姿をいちど見せてやりたい。あの人たちは昔から乃公をまるで阿呆か何かみたいに思っているのだ。そうだ、漢陽へ行くよりは、これからお前と一緒に故郷に帰り、お前のその綺麗な顔をみんなに見せて、おどろかしてやりたい。ね、そうしようよ。乃公は、故郷の親戚の者たちの前で、いちど、思いきり、大いに威張ってみたいのだ。故郷の者たちに尊敬されるという事は、人間の最高の幸福で、また終極の勝利だ。」
「どうしてそんなに故郷の人たちの思惑ばかり気にするのでしょう。むやみに故郷の人たちの尊敬を得たくて努めている人を、郷原というんじゃなかったかしら。郷原は徳の賊なりと論語に書いてあったわね。」

魚容は、ぎゃふんとまいって、やぶれかぶれになり、

「よし、行こう。漢陽に行こう。連れて行ってくれ。逝者は斯の如き夫、昼夜を舎てず。」てれ隠しに、甚だ唐突な詩句を誦して、「ああ、うれしい。ちょっと、眼をつぶって。」

「まいりますか。」竹青はいそいそして、「ああ、うれしい。ちょっと、眼をつぶって。」

魚容は言われるままに眼を軽くつぶると、はたはたと翼の音がして、それから何か自分の肩に薄い衣のようなものがかかったと思うと、すっとからだが軽くなり、眼をひらいたら、すでに二人は雌雄の烏、月光を受けて漆黒の翼は美しく輝き、ちょんちょん平沙を歩いて、啞々と二羽、声をそろえて叫んで、ぱっと飛び立つ。

月下白光三千里の長江、洋々と東北方に流れて、魚容は酔えるが如く、流れにしたがっておよそ二ときばかり飛翔して、ようよう夜も明けはなれて遥か前方に水の都、漢陽の家々の甍が朝靄の底に静かに沈んで眠っているのが見えて来た。近づくにつれて、晴川歴々たり漢陽の樹、芳草萋々たり鸚鵡の洲、対岸には黄鶴楼の聳えるあり、長江をへだてて晴川閣と何事か昔を語り合い、麓には帆影点々といそがしげに江上を往来し、更にすすめば大別山の高峰眼下にあり、更に北方には水漫々の月湖ひろがり、漢水蜿蜒と天際に流れ、東洋のヴェニス一眸の中に収り、「わが郷関何れの処ぞ是な

る、煙波江上、人をして愁えしむ」と魚容は、うっとり呟いた時、竹青は振りかえって、
「さあ、もう家へまいりました。」と漢水の小さな孤洲の上で悠然と輪を描きながら言った。魚容も真似して大きく輪を描いて飛びながら、脚下の孤洲を見ると、緑楊水にひたり若草烟るが如き一隅にお人形の住家みたいな可憐な美しい楼舎があって、いましもその家の中から召使いらしき者五、六人、走り出て空を仰ぎ、手を振って魚容たちを歓迎している様が豆人形のように小さく見えた。竹青は眼で魚容に合図して、翼をすぼめ、一直線にその家めがけて降りて行き、魚容もおくれじと後を追い、二羽、その洲の青草原に降り立ったとたんに、二人は貴公子と麗人、にっこり笑い合って寄り添い、迎えの者に囲まれながらその美しい楼舎にはいった。
竹青に手をひかれて奥の部屋へ行くと、その部屋は暗く、卓上の銀燭は青烟を吐き、垂幕の金糸銀糸は鈍く光って、寝台には赤い小さな机が置かれ、その上に美酒佳肴がならべられて、数刻前から客を待ち顔である。
「まだ、夜が明けぬのか。」魚容は間の抜けた質問を発した。
「あら、いやだわ。」と竹青は少し顔をあからめて、「暗いほうが、恥かしくなくていいと思って。」と小声で言った。

「君子の道は闇然たり、か？」魚容は苦笑して、つまらぬ洒落を言い、「しかし、隠に素いて怪を行う、という言葉も古書にある。よろしく窓を開くべしだ。漢陽の春の景色を満喫しよう。」

魚容は、垂幕を排して部屋の窓を押しひらいた。朝の黄金の光が颯っと射し込み、庭園の桃花は繚乱たり、鶯の百囀が耳朶をくすぐり、かなたには漢水の小波が朝日を受けて躍っている。

「ああ、いい景色だ。くにの女房にも、いちど見せたいなあ。」魚容は思わずそう言ってしまって、愕然とした。乃公は未だあの醜い女房を愛しているのか、とわが胸に尋ねた。そうして、急になぜだか、泣きたくなった。

「やっぱり、奥さんの事は、お忘れでないと見える。」竹青は傍で、しみじみ言い、幽かな溜息をもらした。

「いや、そんな事は無い。あれは乃公の学問を一向に敬重せず、よごれ物を洗濯させたり、庭石を運ばせたりしやがって、その上あれは、伯父の妾であったという評判だ。一つとして、いいところが無いのだ。」

「その、一つとしていいところの無いのが、あなたにとって尊くなつかしく思われているのじゃないの？　あなたの御心底は、きっと、そうなのよ。惻隠の心は、どんな

人にもあるというじゃありませんか。奥さんを憎まず怨まず呪わず、一生涯、労苦をわかち合って共に暮して行くのが、やっぱり、あなたの本心の理想ではなかったのかしら。あなたは、すぐにお帰りなさい。」竹青は、一変して厳粛な顔つきになり、きっぱりと言い放つ。

魚容は大いに狼狽して、

「それは、ひどい。あんなに乃公を誘惑して、いまさら帰れとはひどい。郷原だの何だのと言って乃公を攻撃して故郷を捨てさせたのは、お前じゃないか。まるでお前は乃公を、なぶりものにしているようなものだ。」と抗弁した。

「あたしは神女です。」と竹青は、きらきら光る漢水の流れをまっすぐに見つめたまま、更にきびしい口調で言った。「あなたは、郷試には落第いたしましたが、神の試験には及第しました。あなたが本当に鳥の身の上を羨望しているのかどうか、よく調べてみるように、あたしは呉王廟の神様から内々に言いつけられていたのです。禽獣に化して真の幸福を感ずるような人間は、神に最も倦厭せられます。いちどは、こらしめのため、あなたを弓矢で傷つけて、人間界にかえしてあげましたが、あなたは再び鳥の世界に帰る事を乞いました。神は、こんどはあなたに遠い旅をさせて、さまざまの楽しみを与え、あなたがその快楽に酔い痴れて全く人間の世界を忘却するかど

うか、試みたのです。忘却したら、あなたに与えられる刑罰は、恐しすぎて口に出して言う事さえ出来ないほどのものです。お帰りなさい。あなたは、神の試験には見事に及第なさいました。人間の愛憎の中で苦しまなければならぬものの、がれ出る事は出来ません。忍んで、努力を積むだけです。学問も結構ですが、やたらに脱俗を衒うのは卑怯です。もっと、むきになって、この俗世間を愛惜し、愁殺し、一生そこに没頭してみて下さい。神は、そのような人間の姿を一ばん愛しています。あれに乗って、故郷へまっすぐにお帰りなさい。さようなら。」と言い終ると、竹青の姿はもとより、ただいまお召使いの者たちに、舟の仕度をさせて居ります。

魚容は川の中の孤洲に呆然と独り立っている。園も忽然と消えて、帆も楫も無い丸木舟が一艘するすると岸に近寄り、魚容は吸われるようにそれに乗ると、その舟は、飄然と自行して漢水を下り、長江を溯り、洞庭を横切り、魚容の故郷ちかくの漁村の岸畔に突き当り、魚容が上陸すると無人の小舟は、またするすると自ら引返して行って洞庭の烟波の間に没し去った。

頗るしょげて、おっかなびっくり、わが家の裏口から薄暗い内部を覗くと、ああ、驚くべし、竹青ではないか。

「あら、おかえり。」と艶然と笑って出迎えたのは、

「やあ！　竹青！」

「何をおっしゃるの。あなたは、まあ、どこへいらしていたの？　あたしはあなたの留守に大病して、ひどい熱を出して、誰もあたしを看病してくれる人がなくて、しみじみあなたが恋いしくなって、あたしが今まであなたを馬鹿にしていたのは本当に間違った事だったと後悔して、あなたのお帰りを、どんなにお待ちしていたかわかりません。熱がなかなかさがらなくて、そのうちに全身が紫色に腫れて来て、これもあなたのようないいお方を粗末にした罰だと当然の報いだとあきらめて、もう死ぬのを静かに待っていたら、腫れた皮膚が破れて青い水がどっさり出て、すっとからだが軽くなり、けさ鏡を覗いてみたら、あたしの顔は、すっかり変って、こんな綺麗な顔になっているので嬉しくて、病気も何も忘れてしまい、寝床から飛び出て、さっそく家の中のお掃除などはじめていたのよ。あたしは、うれしいわ。それから、心も変ったのよ。あたしは悪かったわ。でも、過去のあたしの悪事は、あの青い水と一緒にみんな流れ出てしまったのですから、あなたも昔の事は忘れて、あたしをゆるして、あなたのお傍に一生置いて下さいな。」

　一年後に、玉のような美しい男子が生れた。魚容はその子に「漢産」という名をつ

けた。その名の由来は最愛の女房にも明さなかった。神鳥の思い出と共に、それは魚容の胸中の尊い秘密として一生、誰にも語らず、また、れいの御自慢の「君子の道」も以後はいっさい口にせず、ただ黙々と相変らずの貧しいその日暮しを続け、親戚の者たちにはやはり一向に敬せられなかったが、格別それを気にするふうも無く、極めて平凡な一田夫（でんぷ）として俗塵（ぞくじん）に埋もれた。

　自註。これは、創作である。支那（しな）のひとたちに読んでもらいたくて書いた。漢訳せられる筈である。

# お伽草紙

前書き

「あ、鳴った。」
と言って、父はペンを置いて立ち上る。警報くらいでは立ち上らぬのだが、高射砲が鳴り出すと、仕事をやめて、五歳の女の子に防空頭巾をかぶせ、これを抱きかかえて防空壕にはいる。既に、母は二歳の男の子を背負って壕の奥にうずくまっている。
「近いようだね。」
「ええ。どうも、この壕は窮屈で。」
「そうかね。」と父は不満そうに、「しかし、これくらいで、ちょうどいいのだよ。あまり深いと生理めの危険がある。」
「でも、もすこし広くしてもいいでしょう。」
「うむ、まあ、そうだが、いまは土が凍って固くなっているから掘るのが困難だ。そのうちに」などあいまいな事を言って、母をだまらせ、ラジオの防空情報に耳を澄ます。

母の苦情が一段落すると、こんどは、五歳の女の子が、もう壕から出ましょう、と主張しはじめる。これをなだめる唯一の手段は絵本だ。桃太郎、カチカチ山、舌切雀、瘤取り、浦島さんなど、父は子供に読んで聞かせる。
　この父は服装もまずしく、容貌も愚なるに似ているが、しかし、元来ただものでなく物語を創作するというまことに奇異なる術を体得している男なのだ。
　ムカシ　ムカシノオ話ヨ
などと、間の抜けたような妙な声で絵本を読んでやりながらも、その胸中には、またおのずから別個の物語が醞醸せられているのである。

# 瘤取り

**ムカシ　ムカシノオ話ヨ
ミギノ　ホオニ　ジャマッケナ
コブヲ　モッテル　オジイサン**

　このお爺さんは、四国の阿波、剣山のふもとに住んでいたのである。というような気がするだけの事で、別に典拠があるわけではない。もともと、この瘤取りの話は、宇治拾遺物語から発しているものらしいが、防空壕の中で、あれこれ原典を詮議する事は不可能である。この瘤取りの話に限らず、次に展開して見ようと思う浦島さんの話でも、まず日本書紀にその事実がちゃんと記載せられているし、また万葉にも浦島を詠じた長歌があり、そのほか、丹後風土記やら本朝神仙伝などというものに依っても、それらしいものが伝えられているようだし、また、つい最近に於いては鷗外の戯曲があるし、逍遥などもこの物語を舞曲にした事は無かったかしら、とにかく、能楽、歌舞伎、芸者の手踊りに到るまで、この浦島さんの登場はおびただしい。私には、読

んだ本をすぐ人にやったり、また売り払ったりする癖があるので、蔵書というようなものは昔から持った事が無い。それで、こんな時に、おぼろげな記憶をたよって、むかし読んだ筈の本を捜しに歩かなければならぬはめに立ち到るのであるが、それもむずかしいだろう。私は、いま、壕の中にしゃがんでいるのである。私の膝の上には、一冊の絵本がひろげられているだけなのである。私はいまは、物語の考証はあきらめて、ただ自分ひとりの空想を繰りひろげるにとどめなければならぬだろう。いや、かえってそのほうが、活き活きして面白いお話が出来上るかも知れぬ。などと、負け惜しみに似たような自問自答をして、さて、その父なる奇妙の人物は、を胸中に描き出す。

　ムカシ　ムカシノオ話ヨ

と壕の片隅に於いて、絵本を読みながら、その絵本の物語と全く別個の新しい物語

　このお爺さんは、お酒を、とても好きなのである。酒飲みというものは、その家庭に於いて、たいてい孤独なものである。孤独だから酒を飲むのか、酒を飲むから家の者たちにきらわれて自然に孤独の形になるのか、それはおそらく、両の掌をぽんと撃ち合せていずれの掌が鳴ったかを決定しようとするような、キザな穿鑿に終るだけの事であろう。とにかく、このお爺さんは、家庭に在っては、つねに浮かぬ顔をしてい

るのである。と言っても、このお爺さんの家庭は、別に悪い家庭では無いのである。お婆さんは健在である。もはや七十歳ちかいけれども、このお婆さんは、腰もまがらず、眼許も涼しい。昔は、なかなかの美人であったそうである。若い時から無口であって、ただ、まじめに家事にいそしんでいる。

「もう、春だねえ。桜が咲いた。」とお爺さんがはしゃいでも、

「そうですか。」と興の無いような返辞をして、「ちょっと、どいて下さい。ここを、お掃除しますから。」と言う。

お爺さんは浮かぬ顔になる。

また、このお爺さんには息子がひとりあって、もうすでに四十ちかくになっているが、これがまた世に珍しいくらいの品行方正、酒も飲まず煙草も吸わず、どころか、笑わず怒らず、よろこばず、ただ黙々と野良仕事、近所近辺の人々もこれを畏敬せざるはなく、阿波聖人の名が高く、妻をめとらず髯を剃らず、ほとんど木石ではないかと疑われるくらい、結局、このお爺さんの家庭は、実に立派な家庭、と言わざるを得ない種類のものであった。

けれども、お爺さんは、何だか浮かぬ気持である。そうして、家族の者たちに遠慮しながらも、どうしてもお酒を飲まざるを得ないような気持になるのである。しかし、

うちで飲んでは、いっそう浮かぬ気持になるばかりであった。お婆さんも、また息子の阿波聖人も、お爺さんがお酒を飲んだって、別にそれを叱りはしない。お爺さんが、ちびちび晩酌をやっている傍で、黙ってごはんを食べている事を言い出す。「いよいよ、春になったね。燕も来た。」
「時に、なんだね」とお爺さんは少し酔って来ると話相手が欲しくなり、つまらぬ事を言わなくたっていい事である。
お婆さんも息子も、黙っている。
「春宵一刻、価千金、か。」と、また、言わなくてもいい事を呟いてみる。
「ごちそうさまでござりました。」と阿波聖人は、ごはんをすまして、お膳に向いうやうやしく一礼して立つ。
「そろそろ、私もごはんにしよう。」とお爺さんは、悲しげに盃を伏せる。
うちでお酒を飲むと、たいていそんな工合いである。

アルヒ　アサカラ　ヨイテンキ
ヤマヘ　ユキマス　シバカリニ

このお爺さんの楽しみは、お天気のよい日、腰に一瓢をさげて、剣山にのぼり、たきぎを拾い集める事である。いい加減、たきぎ拾いに疲れると、岩上に大あぐらをか

「よい眺めじゃのう。」
と言い、それから、おもむろに腰の瓢のお酒を飲む。実に、楽しそうな顔をしている。うちにいる時とは別人の観がある。ただ変らないのは、右の頬の大きい瘤くらいのものである。この瘤は、いまから二十年ほど前、お爺さんが五十の坂を越した年の秋、右の頬がへんに暖くなって、むずかゆく、そのうちに頬が少しずつふくらみ、撫でさすっていると、いよいよ大きくなって、お爺さんは淋しそうに笑い、
「こりゃ、いい孫が出来た。」と言ったが、息子の聖人は頗るまじめに、
「頬から子供が生れる事はござりませんね。」と興覚めた事を言い、また、お婆さんも、
「いのちにかかわるものではないでしょう。」と、にこりともせず一言、尋ねただけで、それ以上、その瘤に対して何の関心も示してくれない。かえって、近所の人が、同情して、どういうわけでそんな瘤が出来たのでしょうね。痛みませんか、さぞやジャマッケでしょうね、などとお見舞いの言葉を述べる。しかし、お爺さんは、笑ってかぶりを振る。ジャマッケどころか、お爺さんは、いまは、この瘤を本当に、可愛い孫のように思い、自分の孤独を慰めてくれる唯一の相手として、朝起きて顔を洗う時にも、特別にていねいにこの瘤に清水をかけて洗い清めているのである。きょ

「よい眺めじゃのう。」と偉そうに咳ばらいを一つして、
き、えへん！

うのように、山でひとりで、お酒を飲んで御機嫌の時には、この瘤は殊にも、お爺さんに無くてかなわぬ恰好の話相手である。お爺さんは岩の上に大あぐらをかき、瓢のお酒を飲みながら、頬の瘤を撫で、
「なあに、こわい事なんか無いさ。遠慮には及びませぬて。人間すべからく酔うべしじゃ。まじめにも、程度がありますよ。阿波聖人とは恐れいる。お見それ申しました。偉いんだってねえ。」など、誰やらの悪口を瘤に囁き、そうして、えへん！と高く咳ばらいをするのである。

　ニワカニ　クラク　ナリマシタ
　カゼガ　ゴウゴウ　フイテキテ
　アメモ　ザアザア　フリマシタ

　春の夕立ちは、珍しい。しかし、剣山ほどの高い山に於いては、このような天候の異変も、しばしばあると思わなければなるまい。山は雨のために白く煙り、雉、山鳥があちこちから、ぱっぱっと飛び立って矢のように早く、雨を避けようとして林の中に逃げ込む。お爺さんは、あわてず、にこにこして、
「この瘤が、雨に打たれてヒンヤリするのも悪くないわい。」
と言い、なおもしばらく岩の上にあぐらをかいたまま、雨の景色を眺めていたが、

雨はいよいよ強くなり、いっこうに止みそうにも見えないので、
「こりゃ、どうも。ヒンヤリしすぎて寒くなった。」と言って立ち上り、大きいくしゃみを一つして、それから拾い集めた柴を背負い、こそこそと林の中に這入って行く。
林の中は、雨宿りの鳥獣で大混雑である。
「はい、ごめんよ。ちょっと、ごめんよ。」
とお爺さんは、猿や兎や山鳩に、いちいち上機嫌で挨拶して林の奥に進み、山桜の大木の根もとが広い虚になっているのに潜り込んで、
「やあ、これはいい座敷だ。どうです、みなさんも、」と兎たちに呼びかけ、「この座敷には偉いお婆さんも聖人もいませんから、どうか、遠慮なく、どうぞ。」などと、ひどくはしゃいで、そのうちに、すうすう小さい鼾をかいて寝てしまった。酒飲みというものは酔ってつまらぬ事も言うけれど、しかし、たいていは、このように罪の無いものである。

　　ユウダチ　ヤムノヲ　マツウチニ
　　ツカレガ　デタカ　オジイサン
　　イツカ　グッスリ　ネムリマス
　　オヤマハ　ハレテ　クモモナク

この月は、春の下弦の月である。浅みどり、とでもいうのか、そ の月が浮び、林の中にも月影が、松葉のように一ぱいこぼれ落ちている。しかし、お爺さんは、まだすやすや眠っている。蝙蝠が、はたはたと木の虚から飛んで出た。お爺さんは、ふと眼をさまし、もう夜になっているので驚き、

「これは、いけない。」

と言い、すぐ眼の前に浮ぶのは、あのまじめなお婆さんの顔と、おごそかな聖人の顔で、ああ、これは、とんだ事になった、あの人たちは未だ私を叱った事は無いけども、しかし、どうも、こんなにおそく帰ったのでは、どうも気まずい事になりそうだ、えい、お酒はもう無いか、と瓢を振れば、底に幽かにピチャピチャという音がする。

「あるわい。」と、にわかに勢いづいて、一滴のこさず飲みほして、ほろりと酔い、

「や、月が出ている。春宵一刻、——」などと、つまらぬ事を呟きながら木の虚から這い出ると、

オヤ　ナンデショウ　サワグコエ
アカルイ　ツキヨニ　ナリマシタ
ミレバ　フシギダ　ユメデショカ

という事になるのである。

見よ。林の奥の草原に、この世のものとも思えぬ不可思議の光景が展開されているのである。鬼、というものは、どんなものだか、私は知らない。見た事が無いからである。幼少の頃から、その絵姿には、うんざりするくらいたくさんお目にかかって来たが、その実物に面接するの光栄には未だ浴していないのである。鬼にも、いろいろの種類があるらしい。殺人鬼、吸血鬼、などと憎むべきものを鬼と呼ぶところから見ても、これはとにかく醜悪の性格を有する生き物らしいと思っていると、また一方に於いては、文壇の鬼才何某先生の傑作、などという文句が新聞の新刊書案内欄に出ていたりするので、まごついてしまう。まさか、その何某先生が鬼のような醜悪の才能を持っているという事実を暴露し、以て世人に警告を発するつもりで、その案内欄に鬼才などという怪しむべき奇妙な言葉を使用したのでもあるまい。甚だしきに到ってはいくら何でも、その何某先生も御立腹なさるだろうと思うと、また、そうでもないらしく、その何某先生は、そんな失礼千万の醜悪な綽名をつけられても、まんざらでないらしく、御自身ひそかにその奇怪の称号を許容しているらしいという噂などを聞いて、迂愚の私は、いよいよ戸惑うばかりである。あの、虎の皮のふんどしを

した赤つらの、そうしてぶざいくな鉄の棒みたいなものを持った鬼が、もろもろの芸術の神であるとは、どうしても私には考えられないのである。鬼才だの、文学の鬼だのという難解な言葉は、あまり使用しないほうがいいのではあるまいか、とかねてから愚案していた次第であるが、しかし、それは私の見聞の狭いゆえであって、鬼にも、いろいろの種類があるのかも知れない。このへんで、日本百科辞典でも、ちょっと覗いてみると、私もたちまち老幼婦女子の尊敬の的たる博学の士に一変して、(世の物識りというものは、たいていそんなものである)しさいらしい顔をして、鬼に就いて縷々千万言を開陳できるのでもあろうが、生憎と私は壕の中にしゃがんで、そうして膝の上には、子供の絵本が一冊ひろげられてあるきりなのである。私は、ただこの絵本の絵に依って、論断せざるを得ないのである。

見よ。林の奥の、やや広い草原に、異形の物が十数人、と言うのか、十数匹と言うのか、とにかく、まぎれもない虎の皮のふんどしをした、あの、赤い巨大の生き物が、円陣を作って坐り、月下の宴のさいちゅうである。

お爺さん、はじめは、ぎょっとしたが、しかし、お酒飲みというものは、お酒を飲んでいない時には意気地が無くてからきし駄目でも、酔っている時には、かえって衆にすぐれて度胸のいいところなど、見せてくれるものである。お爺さんは、いまは、

ほろ酔いである。かの厳粛なるお婆さんをも、また品行方正の聖人をも、なに恐れんやというようなかなりの勇者になっているのである。眼前の異様の風景に接して、腰を抜かすなどという醜態を示す事は無かった。虚から出た四つ這いの形のままで、前方の怪しい酒宴のさまを熟視し、

「気持よさそうに、酔っている。」とつぶやき、そうして何だか、胸の奥底から、妙なよろこばしさが湧いて出て来た。お酒飲みというものは、よそのものたちが酔っているのを見ても、一種のよろこばしさを覚えるものらしい。所謂利己主義者ではないのであろう。つまり、隣家の仕合せに対して乾盃を挙げるというような博愛心に似たものを持っているのかも知れない。自分も酔いたいが、隣人もまた、共に楽しく酔ってくれたら、そのよろこびは倍加するもののようである。お爺さんだって、知っていてくれたら、そのよろこびは倍加するもののようである。

眼前の、その、人とも動物ともつかぬ赤い巨大の生き物が、鬼というおそろしい種族のものであるという事は、直覚している。虎の皮のふんどし一つに依っても、それは間違いの無い事だ。しかし、その鬼どもは、いま機嫌よく酔っているのも酔っている。これは、どうしても、親和の感の起らざるを得ないところだ。お爺さんは、四つ這いの形のままで、なおもよく月下の異様の酒宴を眺める。鬼、と言っても、この眼前の鬼どもは、殺人鬼、吸血鬼などの如く、佞悪の性質を有している種族

のものでは無く、顔こそ赤くおおそろしげではあるが、ひどく陽気で無邪気な鬼のようだ、とお爺さんは見てとった。お爺さんのこの判定は、だいたいに於いて的中していた。つまり、この鬼どもは、剣山の隠者とでも称すべき頗る温和な性格の鬼なのである。地獄の鬼などとは、まるっきり種族が違っているのである。だいいち、鉄棒などという物騒なものを持っていない。これすなわち、害心を有していない証拠と言ってよい。しかし、隠者とは言っても、かの竹林の賢者たちのように、ありあまる知識をもてあまして、竹林に逃げ込んだというようなものでは無くて、この剣山の隠者の心は甚だ愚である。仙という字は山の人と書かれているから、何でもかまわぬ、山の奥に住んでいる人を仙人と称してよろしいという、ひどく簡明の学説を聞いた事があるけれども、かりにその学説に従うなら、この剣山の隠者たちも、その心いかに愚なりと雖も、仙の尊称を贈呈して然るべきものかも知れない。とにかく、いま月下の宴に打興じているこの一群の赤く巨大の生き物は、鬼と呼ぶよりは、隠者または仙人と呼称するほうが妥当のようなしろものなのである。その心の愚なる事は既に言ったけれども、ただ意味も無く奇声を発し、膝をたたいて大笑い、または立ち上って矢鱈にはねまわり、または巨大のからだを丸くして円陣の端から端まで、ごろごろところがって行き、それが踊りのつもりらしいのだから、その智能の程度は

察するにあまりあり、芸の無い事おびただしい。この一事を以てしても、鬼才とか文学の鬼とかいう言葉は、まるで無意味なものだということを証明できるように思われる。こんな愚かな芸無しどもが、もろもろの芸術の神であるとは、どうしても私には考えられないのである。お爺さんも、この低能の踊りには呆れた。ひとりでくすくす笑い、

「なんてまあ、下手な踊りだ。ひとつ、私の手踊りでも見せてあげましょうかい。」

とつぶやく。

　オドリノ　スキナ　オジイサン
　スグニ　トビダシ　オドッタラ
　コブガ　フラフラ　ユレルノデ
　トテモ　オカシイ　オモシロイ

お爺さんには、ほろ酔いの勇気がある。なおその上、鬼どもに対し、親和の情を抱いているのであるから、何の恐れるところもなく、円陣のまんなかに飛び込んで、お爺さんご自慢の阿波踊りを踊って、むすめ島田で年寄りゃかつらじゃ赤い襷（たすき）に迷うも無理やない

嫁も笠きて行かぬか来い来いとかいう阿波の俗謡をいい声で歌う。鬼ども、喜んだのなんの、キャッキャッケタケタと奇妙な声を発し、よだれやら涙やらを流して笑いころげる。お爺さんは調子に乗って、

大谷通れば石ばかり
笹山通れば笹ばかり

とさらに一段と声をはり上げて歌いつづけ、いよいよ軽妙に踊り抜く。

　オニドモ　タイソウ　ヨロコンデ
　ツキヨニャ　カナラズ　ヤッテキテ
　オドリ　オドッテ　ミセトクレ
　ソノ　ヤクソクノ　オシルシニ
　ダイジナ　モノヲ　アズカロウ

と言い出し、鬼たち互いにひそひそ小声で相談し合い、どうもあの頰ぺたの瘤はてかてか光って、なみなみならぬ宝物のように見えるではないか、あれをあずかって置いたら、きっとまたやって来るに違いない、と愚昧なる推量をして、矢庭に瘤をむしり取る。無智ではあるが、やはり永く山奥に住んでいるおかげで、何か仙術みたいな

ものを覚え込んでいたのかも知れない。何の造作も無く綺麗に瘤をむしり取った。お爺さんは驚き、

「や、それは困ります。私の孫ですよ。」と言えば、鬼たち、得意そうにわっと歓声を挙げる。

アサデス　ツユノ　ヒカルミチ
コブヲ　トラレタ　オジイサン
ツマラナソウニ　ホオヲ　ナデ
オヤマヲ　オリテ　ユキマシタ

瘤は孤独のお爺さんにとって、唯一の話相手だったのだから、その瘤を取られて、お爺さんは少し淋しい。しかしまた、軽くなった頰が朝風に撫でられるのも、悪い気持のものではない。結局まあ、損も得も無く、一長一短というようなところか、久しぶりで思うぞんぶん歌ったり踊ったりしただけが得、という事になるかな？　など、のんきな事を考えながら山を降りて来たら、途中で、野良へ出かける息子の聖人とばったり出逢う。

「おはようござります。」と聖人は、頰被りをとって荘重に朝の挨拶をする。

「いやあ。」とお爺さんは、ただまごついている。それだけで左右に別れる。お爺さ

んの瘤が一夜のうちに消失しているのを見てとって、さすがの聖人も、内心すこしく驚いたのであるが、しかし、父母の容貌に就いてとやかくの批評がましい事を言うのは、聖人の道にそむくと思い、気附かぬ振りして黙って別れたのである。

家に帰るとお婆さんは、

「お帰りなさいまし。」と落ちついて言い、「おみおつけが冷たくなりまして、」と低くつぶやいて、お爺さんはいっさい問わず、朝食の支度をする。

「いや、冷たくてもいいさ。あたためるには及びませんよ。」とお爺さんは、やたらに遠慮して小さくかしこまり、朝食のお膳につく。お婆さんにお給仕されてごはんを食べながら、お爺さんは、昨夜の不思議な出来事を知らせてやりたくて仕様が無い。しかし、お婆さんの儼然たる態度に圧倒されて、言葉が喉のあたりにひっからまって何も言えない。うつむいて、わびしくごはんを食べている。

「瘤が、しなびたようですね。」お婆さんは、ぽつんと言った。

「うむ。」

「破れて、水が出たのでしょう。」とお婆さんは事も無げに言って、澄ましている。

「うむ。」

「また、水がたまって腫れるんでしょうね。」
「そうだろう。」

　結局、このお爺さんの一家に於いて、瘤の事などは何の問題にもならなかったわけである。ところが、このお爺さんの近所に、もうひとり、左の頬にジャマッケな瘤を持ってるお爺さんがいたのである。そうして、このお爺さんこそ、その左の頬の瘤を、本当に、ジャマッケなものとして憎み、とかくこの瘤が私の出世のさまたげ、このためだ、私はどんなに人からあなどられ嘲笑せられて来た事か、と日に幾度か鏡を覗いて溜息を吐き、頬髯を長く伸ばしてその瘤を髯の中に埋没させて見えなくしてしまおうとたくらんだが、悲しい哉、瘤の頂きが白髯の四海波の間から初日出のようにあざやかにあらわれ、かえって天下の奇観を呈するようになったのである。このお爺さんの人品骨柄は、いやしく無い。体軀は堂々、鼻も大きく眼光も鋭い。言語動作は重々しく、思慮分別も十分の如くに見える。服装だって、どうしてなかなか立派で、それに何やら学問もあるそうで、あのお酒飲みのお爺さんなどとは較べものにならぬくらいどっさりあるとかいう話で、近所の人たちも皆このお爺さんに一目置いて、「旦那」あるいは「先生」などという尊称を奉り、何もかも結構立派なお方ではあったが、どうもその左の頬のジャマッケな瘤のために、旦那は日夜、

鬱々として楽しまない。このお爺さんのおかみさんは、ひどく若い。三十六歳である。そんなに美人でもないが色白くぽっちゃりして、少し蓮葉なくらいいつも陽気に笑ってはしゃいでいる。十二、三の娘がひとりあって、これはなかなかの美少女であるが、性質はいくらか生意気の傾向がある。でも、この母と娘は気が合って、いつも何かと笑い騒ぎ、そのために、この家庭は、お旦那の苦虫を嚙みつぶしたような表情にもかわらず、まず明るい印象を人に与える。

「お母さん、お父さんの瘤は、どうしてそんなに赤いのかしら。蛸の頭みたいね。」

と生意気な娘は、無遠慮に率直な感想を述べる。母は叱りもせず、ほほほと笑い、

「そうね。でも、木魚を頬ぺたに吊しているようにも見えるわね。」

「うるさい！」と旦那は怒り、ぎょろりと妻子を睨んですっくと立ち上り、奥の薄暗い部屋に退却して、そっと鏡を覗き、がっかりして、

「これは、駄目だ。」と呟く。

いっそもう、小刀で切って落そうか、死んだっていい、とまで思いつめた時に、近所のあの酒飲みのお爺さんの瘤が、このごろふっと無くなったという噂を小耳にはさむ。暮夜ひそかに、お旦那は、酒飲み爺さんの草屋を訪れ、そうしてあの、月下の不思議な宴の話を明かしてもらった。

「キイテ　タイソウ　ヨロコンデ
「ヨショシ　ワタシモ　コノコブヲ
ゼヒトモ　トッテ　モライマショウ」

と勇み立つ。さいわいその夜も月が出ていた。お旦那は、出陣の武士の如く、眼光炯々、口をへの字型にぎゅっと引き結び、いかにしても今宵は、天晴れの舞いを一さし舞い、その鬼どもを感服せしめ、もし万一、感服せずば、この鉄扇にて皆殺しにしてやろう、たかが酒くらいの愚かな鬼ども、何程の事があろうや、と鬼に踊りを見せに行くのだか、鬼退治に行くのだか、何が何やら、ひどい意気込みで鉄扇右手に、肩いからして剣山の奥深く踏み入る。このように、所謂「傑作意識」にこりかたまった人の行う芸事は、とかくまずく出来上るものである。お爺さんの踊りも、あまりにどうも意気込みがひどすぎて、遂に完全の失敗に終った。鬼どもの酒宴の円陣のまんなかに恭々粛々と歩を運び、

「ふつつかながら。」と会釈し、鉄扇はらりと開き、屹っと月を見上げて、大樹の如く凝然と動かず。しばらく経って、とんと軽く足踏みして、おもむろに呟き出すは、

「是は阿波の鳴門に一夏を送る僧にて候。さても此浦は平家の一門果て給ひたる所なれば痛はしく存じ、毎夜此磯辺に出でて御経を読み奉り候。磯山に、暫し岩根のまつ

程に、暫し岩根のまつ程に、誰が夜舟とは白波に、楫音ばかり鳴門の、浦静かなる今宵かな。きのふも過ぎ、けふと暮れ、明日またかくこそ有るべけれ。」そろりとわずかに動いて、またも屹っと月を見上げて端凝たり。

オニドモ　ヘイコウ　ジュンジュンニ　タッテ　ニゲマス　ヤマオクヘ

「待って下さい！」とお旦那は悲痛の声を挙げて鬼の後を追い、「いま逃げられては、たまりません。」

「逃げろ、逃げろ。鍾馗かも知れねえ。」

「いいえ、鍾馗ではございません。この瘤を、どうか、どうかとって下さいまし。」

「何、瘤？」鬼はうろたえているので聞き違い、「なんだ、そうか。あれは、こないだの爺さんからあずかっている大事の品だが、しかし、お前さんがそんなに欲しいならやってもいい。とにかく、あの踊りは勘弁してくれ。せっかくの酔いが醒める。たのむ。放してくれ。これからまた、別なところへ行って飲み直さなくちゃいけねえ。たのむ。たのむから放せ。おい、誰か、この変な人に、こないだの瘤をかえしてやっ

てくれ。欲しいんだそうだ。」

オニハ　コナイダ　アズカッタ　コブヲ　ツケマス　ミギノ　ホオ　オヤオヤ　トウトウ　コブ　フタツ　ブランブラント　オモタイナ　ハズカシソウニ　オジイサン　ムラヘ　カエッテ　ユキマシタ

実に、気の毒な結果になったものだ。お伽噺に於いては、たいてい、悪い事をした人が悪い報いを受けるという結末になるものだが、しかし、このお爺さんは別に悪事を働いたというわけではない。緊張のあまり、踊りがへんてこな形になったというだけの事ではないか。それかと言って、このお爺さんの家庭にも、これという悪人はいなかった。また、あのお酒飲みのお爺さんも、また、その家族も、または、剣山に住む鬼どもだって、少しも悪い事はしていない。つまり、この物語には所謂「不正」の事件は、一つも無かったのに、それでも不幸な人が出てしまったのである。それゆえ、この瘤取り物語から、日常倫理の教訓を抽出しようとすると、たいへんややこしい事になって来るのである。それでは一体、何のつもりでお前はこの物語を書いたのだ、

と短気な読者が、もし私に詰寄って質問したなら、私はそれに対してこうでも答えて置くより他はなかろう。性格の悲喜劇というものです。人間生活の底には、いつも、この問題が流れています。

## 浦島さん

浦島太郎という人は、丹後の水江とかいうところに実在していたようである。丹後といえば、いまの京都府の北部である。あの北海岸の某寒村に、いまもなお、太郎をまつった神社があるとかいう話を聞いた事がある。私はその辺に行ってみた事が無いけれども、人の話に依ると、何だかひどく荒涼たる海浜らしい。そこにわが浦島太郎が住んでいた。もちろん、ひとり暮しをしていたわけではない。父も母もある。弟も妹もある。また、おおぜいの召使いもいる。つまり、この海岸で有名な、旧家の長男であったわけである。旧家の長男というものには、昔も今も一貫した或る特徴があるようだ。趣味性、すなわち、之である。善く言えば、風流。悪く言えば、道楽。しかし、道楽とは言っても、女狂いや酒びたりの所謂、放蕩とは大いに趣きを異にしている。下品にがぶがぶ大酒を飲んで素性の悪い女にひっかかり、親兄弟の顔に泥を塗るというような荒んだ放蕩者は、次男、三男に多く見掛けられるようである。長男にはそんな野蛮性が無い。先祖伝来の所謂恒産があるものだから、おのずから恒心も生じ

て、なかなか礼儀正しいものである。つまり、長男の道楽は、次男三男の酒乱の如くムキなものではなく、ほんの片手間の遊びである。そうして、その遊びに依って、旧家の長男にふさわしいゆかしさを人に認めてもらい、みずからもその生活の品位にうっとりする事が出来たら、それでもうすべて満足なのである。
「兄さんには冒険心が無いから、駄目(だめ)ね。」とことし十六のお転婆(てんば)の妹が言う。「ケチだわ。」
「いや、そうじゃない。」と十八の乱暴者の弟が反対して、「男振りがよすぎるんだよ。」
 浦島太郎は、弟妹たちのそんな無遠慮な批評を聞いても、別に怒りもせず、ただ苦笑して、
「好奇心を爆発させるのも冒険、また、好奇心を抑制するのも、やっぱり冒険、どちらも危険さ。人には、宿命というものがあるんだよ。」と何の事やら、わけのわからんような事を悟り澄ましたみたいな口調で言い、両腕をうしろに組み、ひとり家を出て、あちらこちら海岸を逍遥(しょうよう)し、苅薦(かりごも)の

乱れ出づ
　見ゆ
　海人の釣船

などと、れいの風流めいた詩句の断片を口ずさみ、
「人は、なぜお互い批評し合わなければ、生きて行けないのだろう。」という素朴の疑問に就いて鷹揚に首を振って考え、「砂浜の萩の花も、這い寄る小蟹も、入江に休む鴎も、何もこの私を批評しない。人間も、須くかくあるべきだ。人おのおの、生きる流儀を持っている。その流儀を、お互い尊敬し合って行く事が出来ぬものか。誰にも迷惑をかけないように努めて上品な暮しをしているのに、それでも人は、何のかのと言う。うるさいものだ。」と幽かな溜息をつく。
「もし、もし、浦島さん。」とその時、足許で小さい声。
　これが、れいの問題の亀である。別段、物識り振るわけではないが、亀にもいろいろの種類がある。淡水に住むものと、鹹水に住むものとは、おのずからその形状も異っているようだ。弁天様の池畔などで、ぐったり寝そべって甲羅を干しているのは、浦島さんが、あの石亀の背に乗って小手をかざし、はるか竜宮を眺めている絵があるようだが、あんな亀は、あれは、いしがめとでもいうのであろうか、絵本には時々、

海へ這入ったとたんに鹹水にむせて頓死するだろう。しかし、お祝言の時などの島台の、れいの蓬萊山、尉姥の身辺に鶴と一緒に侍って、鶴は千年、亀は万年とか言われて目出度がられているのは、どうやらこの石亀のようだ。それゆえ、絵本の画伯もつい、（蓬萊も竜宮も、同じ様な場所なんだから）浦島さんの案内役も、この石亀に違いないと思い込むのも無理のない事である。しかしどうも、あの爪の生えたぶざいくな手で水を掻き、海底深くもぐって行くのは、不自然のように思われる。ここはどうしても、たいまいの手のような広い鰭状の手で悠々と水を掻きわけてもらわなくてはならぬところだ。しかした、いや決して物識り振るわけではないが、ここにもう一つ困った問題がある。たいまいの産地は、本邦では、小笠原、琉球、台湾などの南の諸地方だという話を聞いている。丹後の北海岸、すなわち日本海のあの辺の浜には、たいまいは、遺憾ながら這い上って来そうも無い。それでは、いっそ浦島さんを小笠原か、琉球のひとにしようかとも思ったが、しかし、浦島さんは昔から丹後の水江の人ときまっているらしく、その上、丹後の北海岸には浦島神社が現存しているようだから、いかにお伽噺は絵空事ときまっているとは言え、日本の歴史を尊重するという理由からでも、そんなあまりの軽々しい出鱈目は許されない。どうしても、これは、小笠原か琉球のたいま

いに、日本海までおいでになってもらわなければならぬ、と生物学者のほうから抗議が出て、とかく文学者というものには科学精神が欠如している、などと軽蔑せられるのも不本意である。そこで、私は考えた。たいまいの他に、掌（てのひら）の鰭状を為している鹹水産の亀は、無いものか。赤海亀、とかいうものが無かったか。十年ほど前、（私も、としをとったものだ）沼津の海浜で一夏を送った事があったけれども、あの時、あの浜に、甲羅の直径五尺ちかい海亀があがったといって、漁師たちが騒いで、私もたしかにこの眼で見た。赤海亀、という名前だったと記憶する。あれだ。あれにしよう。沼津の浜にあがったのならば、まあ、ぐるりと日本海のほうにまわって、丹後の浜においでになってもらっても、そんなに生物学界の大騒ぎにはなるまいだろうと思われる。それでも潮流がどうのこうのとか言って騒ぐのだったら、もう、私は知らぬ。その、おいでになる場所に出現したのが、不思議さ、ただの海亀ではあるまい、と言って澄ます事にしよう。科学精神というものも、あんまり、あてになるものじゃないんだ。定理、公理も仮説じゃないか。威張っちゃいけねえ。ところで、その赤海亀は、（赤海亀という名は、ながったらしくて舌にもつれるから、以下、単に亀と呼称する）頸を伸ばして浦島さんを見上げ、

「もし、もし。」と呼び、「無理もねえよ。わかるさ。」と言った。浦島は驚き、

「なんだ、お前。こないだ助けてやった亀ではないか。まだ、こんなところに、うろついていたのか。」

「うろついていたのか、とは情無い。恨むぜ、若旦那。私は、こう見えても、あなたに御恩がえしをしたくて、あれから毎日毎晩、この浜へ来て若旦那のおいでを待っていたのだ。」

これがつまり、子供のなぶる亀を見て、浦島さんは可哀想にと言って買いとり海へ放してやったという、あの亀なのである。

「それは、浅慮というものだ。或いは、無謀とも言えるかも知れない。また子供たちに見つかったら、どうする。こんどは、生きては帰られまい。」

「気取っていやがる。また捕まえられたら、また若旦那に買ってもらうつもりさ。浅慮で悪うござんしたね。私は、どうしたって若旦那に、もう一度お目にかかりたかったんだから仕様がねえ。この仕様がねえ、というところが惚れた弱味よ。心意気を買ってくんな。」

浦島は苦笑して、

「身勝手な奴だ。」と呟く。亀は聞きとがめて、

「なあんだ、若旦那。自家撞着していますぜ。さっきご自分で批評がきらいだなんて

おっしゃってた癖に、ご自分では、私の事を浅慮だの無謀だの、さかんに批評してやがるじゃないか。若旦那こそ身勝手だ。私には私の生きる流儀があるんですからね。ちっとは、みとめて下さいよ。」と見事に逆襲した。

浦島は赤面し、

「私のは批評ではない、これは、訓戒というものだ。諷諫、といってもよかろう。諷諫、耳に逆うもその行を利す、というわけのものだ。」ともっともらしい事を言ってごまかした。

「気取らなけれあ、いい人なんだが。」と亀は小声で言い、「いや、もう私は、何も言わん。私のこの甲羅の上に腰かけて下さい。」

浦島は呆れ、

「お前は、まあ、何を言い出すのです。私はそんな野蛮な事はきらいです。亀の甲羅に腰かけるなどは、それは狂態と言ってよかろう。決して風流の仕草ではない。」

「どうだっていいじゃないか、そんな事は。こっちは、先日のお礼として、これから竜宮城へ御案内しようとしているだけだ。さあ早く私の甲羅に乗って下さい。」

「何、竜宮？」と言って噴き出し、「おふざけでない。竜宮というのは昔から、歌に詠よまれ、酔っているのだろう。とんでもないことを言い出す。

また神仙譚として伝えられていますが、あれはこの世には無いもの、ね、わかりますか？」上品すぎて、少しきざな口調になった。
こんどは亀のほうで噴き出して、
「たまらねえ。風流の講釈は、あとでゆっくり伺いますから、まあ、私の言う事を信じてとにかく私の甲羅に乗って下さい。あなたはどうも冒険の味を知らないからいけない。」
「おや、お前もやっぱり、うちの妹と同じ様な失礼な事を言うね。いかにも私は、冒険というものはあまり好きでない。たとえば、あれは、曲芸のようなものだ。派手なようでも、やはり下品だ。邪道、と言っていいかも知れない。めくら蛇におじず、とでもいうような形だ。私ども正統の風流に就いての教養が無い。宿命に対する諦観が無い。伝統に就いての教養が無い。軽蔑している、と言っていいかも知れない。私は先人のおだやかな道を、まっすぐに歩いて行きたい。」
「ぷ！」と亀はまた噴き出し、「その先人の道こそ、冒険の道じゃありませんか。いや、冒険なんて下手な言葉を使うから何か血なまぐさくて不衛生な無頼漢みたいな感じがして来るけれども、信じる力とでも言い直したらどうでしょう。あの谷の向う側

にたしかに美しい花が咲いていると信じ得た人だけが、何の躊躇もなく藤蔓にすがって向う側に渡って行きます。それを人は曲芸かと思って、或いは喝采し、或いは何の人気取りめがと響蔑します。しかし、それは絶対に曲芸師の綱渡りとは違っているのです。藤蔓にすがって谷を渡っている人は、ただ向う側の花を見たいだけなのです。自分がいま冒険をしているなんて、そんな卑俗な見栄みたいなものは持ってやしないんです。なんの冒険が自慢になるものですか。ばかばかしい。信じているのです。花のある事を信じ切っているのです。そんな姿を、まあ、仮に冒険と呼んでいるだけです。あなたに冒険心が無いというのでは無い。あなたには信じる能力が無いという事です。信じる事は、下品ですか。信じる事は、邪道ですか。どうも、あなたがた紳士は、信じない事を誇りにして生きているのだから、しまつが悪いや。それはね、あなたに、頭のよさじゃないんですよ。もっと卑しいものなのですよ。吝嗇というものです。損をしたくないという事ばかり考えている証拠ですよ。御安心なさい。誰も、あなたに、ものをねだりやしませんよ。人の深切をさえ、あなたたちは素直に受取る事を知らないんだからなあ。あとのお返しが大変だ、なんてね。いや、どうも、風流の士なんてケチなもんだ。」

「ひどい事を言う。妹や弟にさんざん言われて、浜へ出ると、こんどは助けてやった

亀にまで同じ様な失敬な批評を加えられる。どうも、われとわが身に伝統の誇りを自覚していない奴は、好き勝手な事を言うものだ。一種のヤケと言ってよかろう。私には何でもよくわかっているのだ。私の口から言うべき事では無いが、お前たちの宿命と私の宿命には、たいへんな階級の差がある。生れた時から、もう違っているのだ。私のせいではない。それは天から与えられたものだ。しかし、お前たちには、それがよっぽど口惜しいらしい。何のかのと言って、私の宿命をお前たちの宿命にまで引下げようとしているが、しかし、天の配剤、人事の及ばざるところさ。お前は私を竜宮へ連れて行くなどと大法螺（おおぼら）を吹いて、私と対等の附合（つきあ）いをしようとたくらんでいるらしいが、もういい、私には何もかもよくわかっているのだから、あまり悪あがきしないでさっさと海の底のお前の住居へ帰れ。なんだ、せっかく私が助けてやったのに、また子供たちに捕まったら何にもならぬ。お前たちこそ、人の深切を素直に受け取る法を知らぬ。」

「えへへ」と亀は不敵に笑い、「せっかく助けてやったは恐れいる。紳士は、これだから、いやさ。自分がひとに深切を施すのは、たいへんの美徳で、そうして内心ささか報恩などを期待しているくせに、ひとの深切には、いやもうひどい警戒で、あいつと対等の附合いになってはかなわぬなどと考えているんだから、げっそりします

よ。それじゃ私だって言いますが、あなたが私を助けてくれたのは、私が亀で、して、いじめている相手は子供だったからでしょう。亀と子供じゃあ、そうって仲裁しても、あとくされがありませんからね。それに、子供たちには、五文のお金でも大金ですからね。しかし、まあ、五文とは値切ったものだ。私は、も少し出すかと思った。あなたのケチには、呆れましたよ。私のからだの値段が、たった五文かと思ったら、私は情け無かったね。それにしてもあの時、相手が亀と子供だったから、あなたは五文でも出して仲裁したんだ。まあ、気まぐれだね。しかし、あの時の相手が亀と子供でなく、たとえば荒くれた漁師が病気の乞食をいじめていたのだったら、あなたは五文はおろか、一文だって出さず、いや、ただ顔をしかめて急ぎ足で通り過ぎたに違いないんだ。あなたたちは、人生の切実の姿を見せつけられるのを、とても、いやがるからね。それこそ御自身の高級な宿命に、亀だから助けたんだ。子供だからお金をやったんだ。荒くれた漁師と病気の乞食の場合は、まっぴらなんだ。実生活の生臭い風にお顔を撫でられるのが、とてもとても、いやなんだ。お手を、よごすのがいやなのさ。なんてね、こんなのを、聞いたふうの事、と言うんですよ、浦島さん。あなたは怒りやしませんね。だって、私はあなたを好きなんだもの。いや、

怒るかな？　あなたのように上流の宿命を持っているお方たちは、私たち下賤のものに好かれる事をさえ不名誉だと思っているらしいのだから始末がわるい。殊に私は亀なんだからな。亀に好かれたんじゃあ気味がわるいか、しかし、まあ勘弁して下さいよ、好き嫌いは理窟じゃ無いんだ。あなたに助けられたから好きというわけでも無いし、あなたが風流人だから好きというのでも無い。ただ、ふっと好きなんだ。好きだから、あなたの悪口を言って、あなたをからかってみたくなるんだ。これがつまり私たち爬虫類の愛情の表現の仕方なのさ。どうもね、爬虫類だからね、蛇の親類なんだからね、信用のないのも無理がねえよ。しかし私は、エデンの園の蛇じゃない、はばかりながら日本の亀だ。あなたに竜宮行きをそそのかして堕落させようなんて、たくらんでいるんじゃねえのだ。心意気を買ってくんな。私はただ、あなたと一緒に遊びたいのだ。竜宮へ行って遊びたいのだ。あの国には、うるさい批評なんか無いのだ。みんな、のんびり暮しているよ。だから、遊ぶにはもって来いのところなんだ。私は陸にもこうして上って来れるし、また海の底へも、もぐって行けるから、両方の暮しを比較して眺める事が出来るのだが、どうも、陸上の生活は騒がしい。お互い批評が多すぎるよ。陸上生活の会話の全部が、人の悪口か、でなければ自分の広告だ。うんざりするよ。私もちょいちょいこうして陸に上って来たお蔭で、陸上生活に少しかぶ

れて、それこそ聞いたふうの批評なんかを口にするようになって、どうもこれはとんでもない悪影響を受けたものだと思いながらも、この批評癖にも、やめられぬ味がありまして、批評の無い竜宮城の暮しにもちょっと退屈を感ずるようになったのです。どうも、悪い癖を覚えたものです。いまでは私は、自分が海の魚だか陸の虫だか、わからなくなりましたよ。文明病の一種ですかね。ぬ蝙蝠のようなものですね。悲しき性になりました。たとえばあの、鳥だか獣だかわからようなところですかね。だんだん故郷の竜宮城にも居にくくなりましてね。まあ海底の異端者とでもいったあそこは遊ぶには、いいところです。それだけは保証します。しかし、と、美食と酒の国です。あなたたち風流人には、もって来いの国です。信じて下さい。歌と舞つき批評はいやだとつくづく慨歎していたではありませんか。竜宮には批評はありません よ。」

　浦島は亀の驚くべき饒舌に閉口し切っていたが、しかし、その最後の一言に、ふと心をひかれた。

「本当になあ、そんな国があったらなあ。」

「あれ、まだ疑っていやがる。私は嘘をついているのじゃありません。なぜ私を信じないんです。怒りますよ。実行しないで、ただ、あこがれて溜息をついているのが風

流人ですか。いやらしいものだ。」

性温厚の浦島も、そんなにまでひどく罵倒されては、このまま引下るわけにも行かなくなった。

「それじゃまあ仕方が無い。」と苦笑しながら、「仰せに随って、お前の甲羅に腰かけてみるか。」

「言う事すべて気にいらん。」と亀は本気にふくれて、「腰かけてみるか、とは何事です。腰かけてみるのも、腰かけるのも、結果に於いては同じじゃないか。疑いながら、ためしに右へ曲るのも、信じて断乎として右へ曲るのも、その運命は同じ事です。どっちにしたって引返すことは出来ないんだ。試みたとたんに、あなたの運命がちゃんときめられてしまうのだ。人生には試みなんて、存在しないんだ。やってみるのは、やったのと同じだ。実にあなたたちは、往生際が悪い。引返す事が出来るものだと思っている。」

「わかったよ、わかったよ。それでは信じて乗せてもらおう！」

「よし来た。」

亀の甲羅に浦島が腰をおろしたとみるみる亀の背中はひろがって畳二枚くらい敷けるくらいの大きさになり、ゆらりと動いて海にはいる。汀から一丁ほど泳いで、それ

から亀は、
「ちょっと眼をつぶって。」ときびしい口調で命令し、浦島は素直に眼をつぶると夕立ちの如き音がして、身辺ほのあたたかく、春風に似て春風よりも少し重たい風が耳朶をなぶる。
「水深千尋（ひろ）。」と亀が言う。
浦島は船酔いに似た胸苦しさを覚えた。
「吐いてもいいか。」と眼をつぶったまま亀に尋ねる。
「なんだ、へどを吐くのか。」と亀は以前の剽軽（ひょうきん）な口調にかえって、「きたねえ船客だな。おや、馬鹿正直に、まだ眼をつぶっていやがる。これだから私は、太郎さんが好きさ。もう眼をあいてもようござんすよ。眼をあいて、よもの景色をごらんになったら、胸の悪いのなんかすぐになおってしまいます。」
眼をひらけば冥茫（めいぼう）模糊、薄みどり色の奇妙な明るさで、そうしてどこにも影がなく、ただ茫々（ぼうぼう）たるものである。
「竜宮か。」と浦島は寝呆（ねぼ）けているような間伸びた口調で言った。
「何を言ってるんだ。まだやっと水深千尋じゃないか。竜宮は海底一万尋だ。」
「へえ。」浦島は妙な声を出した。「海ってものは、広いもんだねえ。」

「浜育ちのくせに、山奥の猿みたいな事を言うなよ。あなたの家の泉水よりは少し広いさ。」

前後左右どちらを見ても、ただ杳々茫々、脚下を覗いてもやはり際限なく薄みどり色のほの明るさが続いているばかりで、上を仰いでも、これまた蒼穹に非ざる洸洋たる大洞、ふたりの話声の他には、物音一つ無く、春風に似て春風よりも少しねばっこいような風が浦島の耳朶をくすぐっているだけである。

浦島はやがて遥か右上方に幽かな、一握りの灰を撒いたくらいの汚点を認めて、

「あれは何だ。雲かね？」と亀に尋ねる。

「冗談言っちゃいけねえ。海の中に雲なんか流れていやしねえ。」

「それじゃ何だ。墨汁一滴を落したような感じだ。単なる塵芥かね。」

「間抜けだね、あなたは。見たらわかりそうなものだ。あれは、鯛の大群じゃないか。」

「へえ？　微々たるものだね。あれでも二、三百匹はいるんだろうね。」

「馬鹿だな。」と亀はせせら笑い、「本気で云っているのか？」

「それじゃあ、二、三千か。」

「しっかりしてくれ。まず、ざっと五、六百万。」

「五、六百万？　おどかしちゃいけない。」

亀はにやにやと笑って、

「あれは、鯛じゃないんだ。海の火事だ。ひどい煙だ。あれだけの煙だと、そうさね、日本の国を二十ほど寄せ集めたくらいの広大な場所が燃えている。」

「嘘をつけ。海の中で火が燃えるもんか。」

「浅慮、浅慮。水の中だって酸素があるんですからね。火の燃えないわけはない。」

「ごまかすな。それは無智な詭弁だ。冗談はさて置いて、いったいあの、ゴミのようなものは何だ。やっぱり、鯛かね？　まさか、火事じゃあるまい。」

「いや、火事だ。いったい、あなた、陸の世界の無数の河川が昼夜をわかたず、海にそそぎ込んでも、それでも海の水が増しもせず減りもせず、いつも同じ量をちゃんと保って居られるのは、どういうわけか、考えてみた事がありますか。海のほうだって困りますよ。あんなにじゃんじゃん水を注ぎ込まれちゃ、処置に窮しますよ。それでまあ時々、あんな工合にして不用の水を焼き捨てるのですな。やあ、燃える、燃える、大火事だ。」

「なに、ちっとも煙が広がりやしない。いったい、あれは、何さ。さっきから、少しも動かないところを見ると、さかなの大群でもなさそうだ。意地わるな冗談なんか言

「それじゃ、教えておくれ。」
「また、かつぐんじゃないのか？」
「いいえ、海の底には、陸の影法師は何も写りませんが、天体の影法師は、やはり真上から落ちて来ますから写るのです。月の影法師だけでなく、星辰の影法師も皆、写ります。だから、竜宮では、その影法師をたよりに暦を作り、四季を定めます。あの月の影法師は、まんまるより少し欠けていますから、きょうは十三夜かな？」
真面目な口調でそういうので、浦島も、或いはそうかも知れぬと思ったが、しかし、何だかへんだとも思った。でもまた、見渡す限り、ただ薄みどり色の茫洋乎たる大空洞の片隅に、幽かな黒一点をとどめているものが、たといそれは嘘にしても月の影法師だと云われて見ると、鯛の大群や火事だと思って眺めるよりは、風流人の浦島にとって、はるかに趣きがあり、郷愁をそそるに足るものがあった。
そのうちに、あたりは異様に暗くなり、ごうという凄じい音と共に烈風の如きものが押し寄せて来て、浦島はもう少しで亀の背中からころげ落ちるところであった。
「ちょっとまた眼をつぶって。」と亀は厳粛な口調で言い、「ここはちょうど、竜宮の入口になっているのです。人間が海の底を探検しても、たいていここが海底のどん

づまりだと見極めて、また最後かも知れません。」

くるりと亀はひっくりかへつたやうに、つまり、腹を上にしたまま泳いで、半分しかけたやうな形で、けれどもこぼれ落ちる事もなく、さかさにすっと亀と共に上の方へ進行するやうな、まことに妙な錯覚を感じたのである。

「眼をあいてごらん。」と亀に言はれた時には、しかし、もうそんな、さかさの感じは無く、当り前に亀の甲羅の上に坐って、そうして、亀は下へ下へと泳いでいる。あたりは、あけぼのの如き薄明で、脚下にぼんやり白いものが見える。どうも、何だか、山のようだ。塔が連立しているやうにも見えるが、塔にしては洪大すぎる。

「あれは何だ。山か。」

「そうです。」

「竜宮の山か。」興奮のため声が嗄れていた。

「そうです。」亀は、せっせと泳ぐ。

「まっ白じゃないか。雪が降っているのかしら。」

「どうも、高級な宿命を持っている人は、考える事も違いますね。立派なものだ。海

「しかし、海の底にも火事があるそうだしね。」
の底にも雪が降ると思っているんだからね。」
りで、「雪だって降るだろうさ。何せ、酸素があるんだから。」
「雪と酸素じゃ縁が遠いや。縁があっても、まず、風と桶屋ぐらいの関係じゃないの。洒落が下手だ。雪はよいよい帰りはこわいってのはどんなもんだい。あんまりばかばかしい。そんな事で私をおさえようたって駄目さ。どうも、お上品なお方たちは、うまくもねえか。それでも酸素よりはいいだろう。さんそネッと来るか。はくそみたいだ。酸素はどうも、助からねえ。」やはり、口では亀にかなわない。
浦島は苦笑しながら、
「ところで、あの山は、」と云いかけると、亀はまたあざ笑い、
「ところで、とは大きく出たじゃないか。ところであの山は、雪が降っているのではないのです。あれは真珠の山です。」
「真珠？」と浦島は驚き、「いや、嘘だろう。たとい真珠を十万粒二十万粒積み重たって、あれくらいの高い山にはなるまい。」
「十万粒、二十万粒とは、ケチな勘定の仕方だ。竜宮では真珠を一粒二粒なんて、そんなこまかい算え方はしませんよ。一山、二山、とやるね。一山は約三百億粒だとかいう

話だが、誰もそれをいちいち算えた事も無い。それを約百万山くらい積み重ねると、まずざっとあれくらいの峯が出来る。真珠の捨場には困っているんだ。もとをただせば、さかなの糞だからね。」

とかくして竜宮の正門に着く。案外に小さい。真珠の山の裾に蛍光を発してちょこんと立っている。浦島は亀の甲羅から降りて、亀に案内をせられ、小腰をかがめてその正門をくぐる。あたりは薄明である。そうして森閑としている。

「静かだね。おそろしいくらいだ。地獄じゃあるまいね。」

「しっかりしてくれ、若旦那。」と亀は鰭でもって浦島の背中を叩き、「王宮というものは皆このように静かなものだよ。丹後の浜の大漁踊りみたいな馬鹿騒ぎを年中やっているのが竜宮だなんて陳腐な空想をしていたんじゃねえのか。あわれなものだ。簡素幽邃というのが、あなたたちの風流の極致だろうじゃないか。地獄とは、あさましい。馴れてくると、この薄暗いのが、何とも言えずやわらかく心を休めてくれる。あれ、あなたはまだ草履をはいているね。脱ぎなさいよ、失礼な。」

「何だこの道は。気持が悪い。」

浦島は赤面して草履を脱いだ。はだしで歩くと、足の裏がいやにぬらぬらする。足許に気をつけて下さいよ。滑ってころんだりしては醜態だ。

「道じゃない。ここは廊下ですよ。あなたは、もう竜宮城へはいっているのです。」
「そうかね。」と驚いてあたりを見廻したが、壁も柱も何も無い。薄闇が、ただ漾々と身辺に動いている。
「竜宮には雨も降らなければ、雪も降りません。」と亀はへんに慈愛深げな口調で教える。「だから、陸上の家のようにあんな窮屈な屋根や壁を作る必要は無いのです。」
「でも、門には屋根があったじゃないか。」
「あれは、目じるしです。門だけではなく、乙姫のお部屋にも、屋根や壁はあります。しかし、それもまた乙姫の尊厳を維持するために作られたもので、雨露を防ぐためのものではありません。」
「そんなものかね。」と浦島はなおもけげんな顔つきで、「その乙姫の部屋というのは、どこにあるの？」見渡したところ冥途もかくや、蕭寂たる幽境、一木一草も見当らんじゃないか。」
「どうも田舎者には困るね。でっかい建物や、ごてごてした装飾には口をあけておったまげても、こんな幽邃の美には一向に感心しない。浦島さん、あなたの上品もあてにならんね。もっとも丹後の荒磯の風流人じゃ無理もないがね。伝統の教養とやらも、正統の風流人とはよくも言った。こうして実地に臨んでみると、聞いて冷汗が出るよ。

田舎者まる出しなんだから恐れいる。人真似こまねの風流ごっこは、まあ、これから は、やめるんだね。」

亀の毒舌は竜宮に着いたら、何だかまた一段と凄すごくなって来た。浦島は心細さ限り無く、

「だって、何も見えやしないんだもの。」とほとんど泣き声で言った。

「だから、足許に気をつけなさいって、言ってるじゃありませんか。この廊下は、ただの廊下じゃないんですよ。魚の掛橋ですよ。よく気をつけてごらんなさい。幾億という魚がひしとかたまって、廊下の床ゆかみたいな工合いになっているのですよ。」

浦島はぎょっとして爪先つまさき立った。どうりで、さっきから足の裏がぬらぬらすると思っていた。見ると、なるほど、大小無数の魚どもがすきまもなく背中を並べて、身動きもせず凝じっとしている。

「これは、ひどい。」と浦島は、にわかにおっかなびっくりの歩調になって、「悪い趣味だ。これがすなわち簡素幽邃の美かね。さかなの背中を踏みつけて歩くなんて、野蛮きわまる事じゃないか。だいいちこのさかなたちに気の毒だ。こんな奇妙な風流は、私のような田舎者にはわかりませんねぇ。」とさっき田舎者と言われた鬱憤うっぷんをここに於いてはらして、ちょっと溜飲りゅういんがさがった。

「いいえ」とその時、足許で細い声がして、「私たちはここに毎日集って、乙姫さまの琴の音にね聞き惚ほれているのです。魚の掛橋は風流のために作っているのではありません。かまわず、どうかお通り下さい。」
「そうですか。」と浦島はひそかに苦笑して、「私はまた、これも竜宮の装飾の一つかと思って。」
「それだけじゃあるまい。」亀はすかさず口をはさんで、「ひょっとしたら、この掛橋も浦島の若旦那を歓迎のために、乙姫さまが特にさかなたちに命じて、」
「あ、これ」と浦島は狼狽ろうばいし、赤面し、「まさか、それほど私は自惚うぬぼれてはいません。でも、ね、お前はこれを廊下の床のかわりだなんていい加減を言うものだから、私も、つい、その、さかなたちが踏まれて痛いかと思ってね。」
「さかなの世界には、床なんてものは必要がありません。これがまあ、陸上の家にたとえたならば、廊下の床にでも当るかと思って私はあんな説明をしてあげたので、決していい加減を言ったんじゃない。なに、さかなたちは痛いなんて思うもんですか。海の底では、あなたのからだだって紙一枚の重さくらいしか無いのですよ。何だかご自分のからだが、ふわふわ浮くような気がするでしょう？　そう言われてみると、ふわふわするような感じがしないでもない。浦島は、重ね重

ね、亀から無用の嘲弄を受けているような気がして、いまいましくてならぬ。
「私はもう何も信じる気がしなくなった。これだから私は、冒険というものはいやなんだ。だまされたって、それを看破する法が無いんだからね。ただもう、道案内者の言う事に従っていなければいけない。これはこんなものだと言われたら、それっきりなんだからね。実に、冒険は人を欺む。琴の音も何も、ちっとも聞えやしないじゃないか。」とついに八つ当りの論法に変じた。

亀は落ちついて、
「あなたはどうも陸上の平面の生活ばかりしていらっしゃる。しかし、海にはもう二元の方向がある。すなわち、上と下です。あなたはさっきから、乙姫の居所を前方にばかり求めていらっしゃる。ここにあなたの重大なる誤謬が存在していたわけだ。なぜ、あなたは頭上を見ないのです。また、脚下を見ないのです。海の世界は浮いて漂っているものです。さっきの正門も、また、あの真珠の山だって、みんな少し浮いて動いているのです。他の物の動いているのが、わからないだけなのです。あなたは、さっきからずいぶん前方にお進みになっていらっしゃるかも知れないけれど、まあ、同じ位置ですね。かえって後退しているかも知

れない。いまは潮の関係で、ずんずんうしろに流されています。そうして、さっきから見ると、百尋くらいみんな一緒に上方に浮きました。まあ、とにかくこの魚の掛橋をもう少し渡ってみましょう。足を踏みはずさないように気をつけて下さいよ。なに、踏みはずしたってよう。ほうら、魚の背中もだんだんまばらになって来たでしょう。足を踏みはずさないように気をつけて下さいよ。なに、踏みはずしたってとんと落下する気づかいはありませんがね、何せ、あなたも紙一枚の重さなんだから、すとんと落下する気づかいはありませんがね、何せ、あなたも紙一枚の重さなんだから、すつまり、この橋は断橋なのです。この廊下を渡っても前方には何も無い。しかし、脚下を見よです。おい、さかなども、少しどけ、若旦那が乙姫さまに逢いに行くのだ。こいつらは、こうして竜宮城の本丸の天蓋をなしているようなものです。海月なす漂える天蓋、とでも言ったら、あなたたち風流人は喜びますかね」

さかなたちは、静かに無言で左右に散る。かすかに、琴の音が脚下に聞える。日本の琴の音によく似ているが、しかしあれほど強くはなく、もっと柔かで、はかなく、そうしてへんに嫋々たる余韻がある。菊の露。薄ごろも。夕空。きぬた。浮寝。きぎす。どれでもない。風流人の浦島にも、何だか見当のつかぬ可憐な、たよりない、けれども陸上では聞く事の出来ぬ気高い凄しさが、その底に流れている。

「不思議な曲ですね。あれは、何という曲ですか。」

亀もちょっと耳をすまして聞いて、

「聖諦。」と一言、答えた。

「せいてい?」

「神聖の聖の字に、あきらめ。」

「ああ、そう、聖諦。」と呟いて浦島は、はじめて海の底の竜宮の生活に、自分たちの趣味と段違いの崇高なものを感得した。いかにも自分の上品などとは、あてにならぬ。伝統の教養だの、正統の風流だのと自分が云うのを聞いて亀が冷汗をかくのも無理がない。自分の風流は人真似こまねだ。田舎の山猿にちがいない。

「これからは、お前の言う事は何でも信じるよ。聖諦。なるほどなあ。」浦島は呆然とつっ立ったまま、なおもその不思議な聖諦の曲に耳を傾けた。

「さあ、ここから飛び降りますよ。あぶない事はありません。こうして両腕をひろげて一歩足を踏み出すと、ゆらゆらと気持よく落下します。この魚の掛橋の尽きたところから真っすぐに降りて行くと、ちょうど竜宮の正殿の階段の前に着くのです。さあ、何をぼんやりしているのです。飛び降りますよ。両腕をひろげ、魚の掛橋の外に一歩、足を踏み出すと、すっと下に気持よく吸い込まれ、頬が微風に吹かれているように涼しく、やがてあたりが、緑の樹陰のような色合いになり、琴の音もいよいよ近く

亀はゆらゆら沈下する。浦島も気をとり直して、両腕をひろげ、魚の掛橋の外に一

に聞えて来たと思ううちに、亀と並んで正殿の階段の前に立っていた。階段とは言っても、段々が一つずつ分明になっているわけではなく、灰色の鈍く光る小さい珠の敷きつめられたゆるい傾斜の坂のようなものである。

「これも真珠かね。」と浦島は小声で尋ねる。

亀は、あわれむような眼で浦島の顔を見て、

「珠を見れば、何でも真珠だ。真珠は、捨てられて、あんなに高い山になっているじゃありませんか。まあ、ちょっとその珠を手で掬ってごらんなさい。」

浦島は言われたとおりに両手で珠を掬おうとすると、ひやりと冷たい。

「あ、霰だ！」

浦島は素直に、その氷のように冷たい珠を、五つ六つ頬張った。

「うまい。」

「そうでしょう？　これは、海の桜桃です。これを食べると三百年間、老いる事が無いのです。」

「そうか、いくつ食べても同じ事か。」と風流人の浦島も、ついたしなみを忘れて、「私はどうも、老醜というものがきらいもっと掬って食べようという気勢を示した。

でね。死ぬのは、そんなにこわくもないけれど、どうも老醜だけは私の趣味に合わない。もっと、食べて見ようかしら。」
「笑っていますよ。上をごらんなさい。乙姫さまがお迎えに出ています。やあ、きょうはまた一段とお綺麗。」
桜桃の坂の尽きるところに、青い薄布を身にまとった小柄の女性が幽かに笑いながら立っている。薄布をとおして真白い肌が見える。浦島の顔は真赤である。
「乙姫か。」と亀に囁く。
「きまっているじゃありませんか。何をへどもどしているのです。さあ、早く御挨拶をなさい。」
浦島はいよいよまごつき、
「でも、何と言ったらいいんだい。私のようなものが名乗りを挙げてみたって、どうにもならんし、どだいどうも、私たちの訪問は唐突だよ。意味が無いよ。帰ろうよ。」
と上級の宿命の筈の浦島も、乙姫の前では、すっかり卑屈になって逃支度をはじめた。
「乙姫さまは、あなたの事なんか、もうとうにご存じですよ。階前万里というじゃありませんか。観念して、ただていねいにお辞儀しておけばいいのです。また、たとい乙姫さまが、あなたの事を何もご存じ無くったって、乙姫さまは警戒なんてケチくさ

い事はてんで知らないお方ですから、何も斟酌には及びません。遊びに来ましたよ、と言えばいい。」

浦島は、両手が自分の足の爪先にとどくほどのていねいなお辞儀をした。

亀は、はらはらして、

「ていねいすぎる。いやになるね。あなたは私の恩人じゃないか。もう少し威厳のある態度を示して下さいよ。へたへたと最敬礼なんかして、上品もくそもあったものじゃない。それ、乙姫さまのお招きだ。行きましょう。さあ、ちゃんと胸を張って、おれは日本一の好男子で、そうして、最上級の風流人だというような顔をして威張って歩くのですよ。あなたは私たちに対してはひどく高慢な乙な構え方をするけれども、女には、からきし意気地が無いんですね。」

「いやいや、高貴なお方には、それ相当の礼を尽さなければ。」と緊張のあまり声がしゃがれて、足がもつれ、よろよろと千鳥足で階段を昇り、見渡すと、そこは万畳敷とでも云っていいくらいの広い座敷になっている。いや、座敷というよりは、庭園とでも言った方が適切かも知れない。どこから射して来るのか樹陰のような緑色の光線を受けて、模糊と霞んでいるその万畳敷とでも言うべき広場には、やはり靄のような小粒

の珠が敷きつめられ、ところどころに黒い岩が秩序無くころがっていて、そうしてそれっきりである。屋根はもちろん、柱一本も無く、見渡す限り廃墟と言っていいくらいの荒涼たる大広場である。気をつけて見ると、それでも小粒の珠のすきまから、ちょいちょい紫色の小さい花が顔を出しているのが見えて、それがまた、かえって淋しさを添え、これが幽邃の極というのかも知れないが、しかし、よくもまあ、こんな心細いような場所で生活が出来るものだ、と感歎の溜息に似たものがふうと出て、さらにまた思いをあらたにして乙姫の顔をそっと盗み見た。

乙姫は無言で、くるりとうしろを向き、そろそろと歩き出す。その時はじめて気がついたのであるが、乙姫の背後には、めだかよりも、もっと小さい金色の魚が無数にかたまってぴらぴら泳いで、乙姫が歩けばそのとおりに従って移動し、そのさまは金色の雨がたえず乙姫の身辺に降り注いでいるようにも見えて、さすがにこの世のものならぬ貴い気配が感ぜられた。

乙姫は身にまとっている薄布をなびかせ裸足で歩いているが、よく見ると、その青白い小さい足は、下の小粒の珠を踏んではいない。足の裏と珠との間がほんのわずか隙いている。あの足の裏は、いまだいちども、ものを踏んだ事が無いのかも知れぬ。生れたばかりの赤ん坊の足の裏と同じようにやわらかくて綺麗なのに違いない、と思

えば、これという目立った粉飾一つも施していない乙姫のからだが、いよいよ真の気品を有しているものの如く、奥ゆかしく思われて来た。竜宮に来てみてよかった、と次第にこのたびの冒険に感謝したいような気持が起って来て、うっとり乙姫のあとについて歩いていると、
「どうです、悪くないでしょう。」と亀は、低く浦島の耳元に囁き、鰭でもって浦島の横腹をちょこちょことくすぐった。
「ああ、なに」と浦島は狼狽して、「この花は、この紫の花は綺麗だね。」と別の事を言った。
「これですか。」と亀はつまらなさそうに、「これは海の桜桃の花です。ちょっと菫に似ていますね。この花びらを食べると、それは気持よく酔いますよ。竜宮のお酒です。それから、あの岩のようなもの、あれは藻です。何万年も経っているので、こんな岩みたいにかたまっていますが、羊羹よりも柔いくらいのものです。あれは、陸上のどんなごちそうよりもおいしいですよ。岩によって一つずつみんな味わいが違います。竜宮ではこの藻を食べて、花びらで酔い、のどが乾けば桜桃を含み、乙姫さまの琴の音に聞き惚れ、生きている花吹雪のような小魚たちの舞いを眺めて暮しているのです。どうですか、竜宮は歌と舞いと、美食と酒の国だと私はお誘いする時にあ

なたに申し上げた筈ですが、どうですか、御想像と違いましたか？」

浦島は答えず、深刻な苦笑をした。

「わかっていますよ。あなたの御想像は、まあドンジャンドンジャンの大騒ぎで、大きなお皿に鯛のさしみやら鮪のさしみ、赤い着物を着た娘っ子の手踊り、そうしてやたらに金銀珊瑚綾錦のたぐいが、——」

「まさか」と浦島もさすがに少し不愉快そうな顔になり、「私はそれほど卑俗な男ではありません。しかし、私は自分を孤独な男だと思っていた事などありましたが、ここへ来て真に孤独なお方にお目にかかり、私のいままでの気取った生活が恥かしくてならないのです。」

「あのかたの事ですか？」と亀は小声で言って無作法に乙姫のほうを顎でしゃくり、「あのかたは、何も孤独じゃありませんよ。平気なものです。野心があるから、孤独なんて事を気に病むので、他の世界の事なんかてんで問題にしてなかったら、百年千年ひとりでいたって楽なものです。それこそ、れいの批評が気にならない者にとってはね。ところで、あなたは、どこへ行こうてんですか？」

「いや、なに、べつに、」と浦島は、意外の問に驚き、「だって、お前、あのお方が、——」

「乙姫はべつにあなたを、どこかへ案内しようとしているわけじゃありません。あのかたは、もう、あなたの事なんか忘れていますよ。あのかたは、ご自分のお部屋に帰るのでしょう。しっかりして下さい。ここが竜宮なんです、これからご自分のお部屋に帰るのでしょう。しっかりして下さい。ここが竜宮なんです、この場所が。ほかにどこも、ご案内したいようなところもありません。まあ、ここで、お好きなようにして遊んでいるのですね。これだけじゃ、不足なんですか。」
「いじめないでくれよ。私は、いったいどうしたらいいんだ。」と浦島はべそをかいて、「だって、あのお方がお迎えに出て下さっていたので、べつに私は自惚れたわけじゃないけど、あのお方のあとについて行くのが礼儀だと思ったんだよ。べつに不足だなんて考えてやしないよ。それだのに私に何か、別ないやらしい下心でもあるみたいなへんな言い方をするんだもの。お前は、じっさい意地が悪いよ。ひどいじゃないか。私は生れてから、こんなに体裁の悪い思いをした事は無いよ。本当にひどいよ。」
「そんなに気にしちゃいけない。乙姫は、おっとりしたものです。そりゃ、陸上からはるばるたずねて来た珍客ですもの、それにあなたは、私の恩人ですからね、お出迎えするのは当り前ですよ。さらにまた、あなたは、気持はさっぱりしているし、男っぷりは佳いし、と来ているから、いや、これは冗談ですよ、へんにまた自惚れられちゃかなわない。とにかく、乙姫はご自分の家へやって来た珍客を階段まで出迎えて、そ

うして安心して、あとはあなたのお気の向くままに幾日でもここで遊んでいらっしゃるようにと、素知らぬ振りしてああしてご自分のお部屋に引上げて行くというわけのものじゃないんですかね。何せ、どうにも、おっとりしていますから。」
「いや、そう言われてみると、私には、少し判りそうな気がして来たよ。お前の推察も、だいたいに於いて間違いはなさそうだ。つまり、こんなのが、真の貴人の接待法なのかも知れない。客を迎えて客を忘れる。しかも客の身辺には美酒珍味が全く無造作に並べ置かれてある。歌舞音曲も別段客をもてなそうという露骨な意図でもって行われるのではない。乙姫は誰に聞かせようという心も無くて琴をひく。魚どもは誰に見せようという術も無く自由に嬉々として舞い遊ぶ。客の讃辞をあてにしない。寝ころもまた、それにことさらに留意して感服したような顔つきをする必要も無い。客んで知らん振りしていたって構わないわけです。主人はもう客の事なんか忘れているのだ。しかも、自由に振舞ってよいという許可は与えられているのだ。食いたければ食うし、食いたくなければ食わなくていいんだ。酔って夢うつつに琴の音を聞いていたって、敢えて失礼には当らぬわけだ。ああ、客を接待するには、すべからくこのようにありたい。何のかのと、ろくでも無い料理をうるさくすすめて、くだらないお世

辞を交換し、おかしくもないのに、矢鱈におほほと笑い、まあ！　なんて珍らしくもない話に大仰に驚いて見せたり、一から十まで嘘ばかりの社交を行い、天晴上流の客あしらいをしているつもりのケチくさい小利口の大馬鹿野郎どもに、この竜宮の鷹揚なもてなし振りを見せてやりたい。あいつらはただ、自分の品位を落しやしないか、それだけを気にしてわくわくして、そうして妙に客を警戒して、ひとりでからまわりして、実意なんてものは爪の垢ほども持ってやしないんだ。なんだい、ありゃ。お酒一ぱいにも、飲ませてやったぞ、いただきましたぞ、というような証文を取かわしていたんじゃ、かなわない。」

「そう、その調子。」と亀は大喜びで、「しかし、あまりそんなに興奮して心臓麻痺なんか起されても困る。ま、この藻の岩に腰をおろして、桜桃の酒でも飲むさ。桜桃の花びらだけでは、はじめての人には少し匂いが強すぎるかも知れないから、桜桃五、六粒と一緒に舌の上に載せると、しゅっと溶けて適当に爽涼のお酒になります。まぜ合せの仕方一つで、いろんな味に変化しますからまあ、ご自分で工夫して、お好きなようなお酒を作ってお飲みなさい。」

浦島はいま、ちょっと強いお酒を飲みたかった。花びら三枚に、桜桃二粒を添えて舌端に載せるとたちまち口の中一ぱいの美酒、含んでいるだけでも、うっとりする。

軽快に喉をくすぐりながら通過して、体内にぽっと灯りがともったような嬉しい気持になる。
「これはいい。まさに、憂いの玉箒だ。」
「憂い？」と亀はさっそく聞きとがめ、「何か憂鬱な事でもあるのですか？」
「いや、べつに、そんなわけではないが、あははは」ととれ隠しに無理に笑い、それから、ほっと小さな溜息をつき、ちらと乙姫のうしろ姿を眺める。
乙姫は、ひとりで黙って歩いている。薄みどり色の光線を浴び、すきとおるようなかぐわしい海草のようにも見え、ゆらゆら揺蕩しながらたったひとりで歩いている。
「どこへ行くんだろう。」と思わず呟く。
「お部屋でしょう。」亀は、きまりきっているというような顔つきで、澄まして答える。
「さっきから、お前はお部屋お部屋と言っているが、そのお部屋はいったい、どこにあるの？　何も、どこにも、見えやしないじゃないか。」
見渡すかぎり平坦の、曠野と言っていいくらいの鈍く光る大広間で、御殿らしいものの影は、どこにも無い。
「ずっと向う、乙姫の歩いて行く方角の、ずっと向うに、何か見えませんか。」と亀

に言われて、浦島は、眉をひそめてその方向を凝視し、
「ああ、そう言われて見ると、何かあるようだね。」
ほとんど一里も先と思われるほどの遠方、幽潭の底を覗いた時のような何やら朦朧と烟ってたゆとうているあたりに、小さな純白の水中花みたいなものが見える。
「あれか。小さいものだね。」
「乙姫がひとりおやすみになるのに、大きい御殿なんか要らないじゃありませんか。」
「そう言えば、まあ、そうだが」と浦島はさらに桜桃の酒を調合して飲み、「あのお方は、何かね、いつもあんなに無口なのかね。」
「ええ、そうです。言葉というものは、生きている事の不安から、芽ばえて来たものじゃないですかね。腐った土から赤い毒きのこが生えて出るように、生命の不安が言葉を醱酵させているのじゃないのですか。よろこびの言葉もあるにはありますが、そればさえなお、いやらしい工夫がほどこされているじゃありませんか。人間は、よろこびの中にさえ、不安を感じているのでしょうかね。人間の言葉はみんな工夫気取ったものです。不安の無いところには、何もそんな、いやらしい工夫など必要ないでしょう。私は乙姫が、ものを言ったのを聞いた事が無い。しかし、また、黙っている人によくありがちの、皮裏の陽秋というんですか、そんな胸中ひそかに辛辣の観

察を行うなんて事も、乙姫は決してなさらない。何も考えてやしないんです。ただあしてあ幽かに笑って琴をかき鳴らしたり、またこの広間をふらふら歩きまわって、桜桃の花びらを口に含んだりして遊んでいます。実に、のんびりしたものです。」
「そうかね。あのお方も、やっぱりこの桜桃の酒を飲むかね。まったく、これは、いいからなあ。これさえあれば、何も要らない。もっといただいてもいいかしら。」
「ええ、どうぞ。ここへ来て遠慮なんかするのは馬鹿げています。目に見える岩すべて珍味でされているのです。ついでに何か食べてみたらどうです。軽くちょっと酸っぱいようなのがいいですか。どんな味のものでもありますよ。」
「ああ、琴の音が聞える。寝ころんで聞いてもいいんだろうね。」無限に許されているという思想は、実のところ生れてはじめてのものであった。浦島は、風流の身だしなみも何も忘れて、仰向けにながながと寝そべり、「ああ、ああ、酔って寝ころぶのは、いい気持だ。ついでに何か、食べてみようかな。雉の焼肉みたいな味の藻があるかね。」
「あります。」
「それと、それから、桑の実のような味の藻は？」

「あるでしょう。しかしあなたも、妙に野蛮なものを食べるのですね。」
「本性暴露さ。私は田舎者だよ。」と言葉つきさえ、どこやら変って来て、「これが風流の極致だってさ。」

眼を挙げて見ると、はるか上方に、魚の天蓋がのどかに浮び漂っているのが、青く霞んで見える。とたちまち、その天蓋から一群の魚がむらむらとわかれて、おのおの銀鱗を光らせて満天に雪の降り乱れるように舞い遊ぶ。

竜宮には夜も昼も無い。いつも五月の朝の如く爽やかで、樹陰のような緑の光線で一ぱいで、浦島は幾日をここで過したか、見当もつかぬ。その間、浦島は、それこそ無限に許されていた。浦島は、乙姫のお部屋にも、はいった。乙姫は何の嫌悪も示さなかった。ただ、幽かに笑っている。

そうして、浦島は、やがて飽きた。許される事に飽きたのかも知れない。陸上の貧しい生活が恋しくなった。お互い他人の批評を気にして、泣いたり怒ったり、ケチにこそこそ暮している陸上の人たちが、たまらなく可憐で、そうして、何だか美しいものかのようにさえ思われて来た。

浦島は乙姫に向って、さようなら、と言った。この突然の暇乞いもまた、無言の微笑でもって許された。つまり、何でも許された。始めから終りまで、許された。乙姫

は、竜宮の階段まで見送りに出て、黙って小さい貝殻を差し出す。まばゆい五彩の光を放っているきっちり合った二枚貝である。これが所謂、竜宮のお土産の玉手箱であった。

行きはよいよい帰りはこわい。また亀の背に乗って、浦島はぼんやり竜宮から離れた。へんな憂愁が浦島の胸中に湧いて出る。ああ、お礼を言うのを忘れた。あんないいところは、他に無いのだ。ああ、いつまでも、あそこにいたほうがよかった。しかし、私は陸上の人間だ。どんなに安楽な暮しをしていても、自分の家が、自分の里が、自分の頭の片隅にこびりついて離れぬ。美酒に酔って眠っても、夢は、故郷の夢なんだからなあ。げっそりするよ。私には、あんないいところで遊ぶ資格は無かった。

「わあ、どうも、いかん。淋しいわい。」と浦島はやけくそに似た大きい声で叫んだ。
「なんのわけだかわからないが、どうも、いかん。おい、亀。何とか、また景気のいい悪口でも言ってくれ。お前は、さっきから何も一ことも、ものを言わんじゃないか。」

亀は先刻から、ただ黙々と鰭を動かしているばかり。
「怒っているのかね。私が竜宮から食い逃げ同様で帰るのを、お前は、怒っているのかね。」

「ひがんじゃいけねえ。陸上の人はこれだからいやさ。帰りたくなったら帰るさ。どうでも、あなたの気の向いたように、とはじめから何度も言ってるじゃないか。」
「でも、何だかお前、元気が無いじゃないか。」
「そう言うあなたこそ、妙にしょんぼりしているぜ。私や、どうも、お迎えはいいけれど、このお見送りってやつは苦手だ。」
「行きはよいよい、かね。」
「洒落(しゃれ)どころじゃありません。どうも、このお見送りってやつは、気のはずまねえものだ。溜息ばかり出て、何を言ってもしらじらしく、いっそもう、この辺でお別れしてしまいたいようなものだ。」
「やっぱり、お前も淋しいのかね。」浦島は、ほろりとして、「こんどはずいぶん、お前のお世話にもなったね。お礼を言います。」
亀は返事をせず、なんだそんなこと、と言わぬばかりにちょっと甲羅をゆすって、そうしてただ、せっせと泳ぐ。
「あのお方は、やっぱりあそこで、たったひとりで遊んでいるのだろうね。」浦島は、いかにもやるせないような溜息をついて、「私にこんな綺麗(きれい)な貝をくれたが、これはまさか、食べるものじゃないだろうな。」

亀はくすくす笑い出し、
「ちょっと竜宮にいるうちに、あなたも、ばかに食い意地が張って来ましたね。それだけは、食べるものでは無いようです。私にもよくわかりませんが、その貝の中に何かはいっているのじゃないんですか？」と亀は、ここに於いて、かのエデンの園の蛇の如く、何やら人の好奇心をそそるような妙な事を、ふいと言った。やはりこれも、爬虫類共通の宿命なのであろうか。いやいや、そうきめてしまうのは、この善良な亀に対して気の毒だ。亀自身も以前、浦島に向って、「しかし、私は、エデンの園の蛇ではない、はばかりながら日本の亀だ。」と豪語している。信じてやらなけりゃ可哀想だ。それにまた、この亀のこれまでの浦島に対する態度から判断しても、決してかのエデンの園の蛇の如く、佞奸邪智にして、恐ろしい破滅の誘惑を囁くような性質のものでは無いように思われる。それどころか、所謂さっきの鯉の吹流しの、愛すべき多弁家に過ぎないのではないかと思われる。つまり、何の悪気も無かったのだ。私は、そのように解したい。亀は、さらにまた言葉をつづけて、「でも、その貝は、あけて見ないほうがいいかも知れません。きっとその中には竜宮の精気みたいなものがこもっているのでしょうから。それを陸上であけたら、奇怪な蜃気楼が立ち昇り、あなたを発狂させたり何かするかも知れないし、或いはまた、海の潮が噴出して大洪水を起

「そうかも知れないね。あんな高貴な竜宮の雰囲気が、もしこの貝の中にひめられてあるとしたら、陸上の俗悪な空気にふれた時には、戸惑いして、大爆発でも起すかも知れない。まあ、これはこうして、いつまでも大事に、家の宝として保存して置くことにしよう。」

　浦島は亀の深切を信じた。

　既に海上に浮ぶ。太陽の光がまぶしい。ふるさとの浜が見える。浦島はいまは一刻も早く、わが家に駈け込み、父母弟妹、また大勢の使用人たちを集めて、つぶさに竜宮の模様を物語り、冒険とは信じる力だ、この世の風流なんてものはケチくさい猿真似だ、正統というのは、あれは通俗の別称さ、わかるかね、わかるかね、真の上品というのは聖諦の境地さ、ただのあきらめじゃ無いぜ、わかるかね、批評なんてうるさいものは無いんだ、無限に許されているんだ、そうしてただ微笑があるだけだ、わかるかね、客を忘れているのだ、わかるまい、などとそれこそ、たったいま聞いて来たふうの新知識を、めちゃ苦茶に振りまわして、そうしてあの現実主義の弟のやつが、もし少しでも疑うような顔つきを見せた時には、すなわちこの竜宮の美しいお土産をあいつの鼻先

にきつけて、ぎゃふんと参らせてやろう、と意気込み、亀に別離の挨拶するのも忘れて汀に飛び降り、あたふたと生家に向って急げば、

ドウシタンデショウ　モトノサト
ドウシタンデショウ　モトノイエ
ミワタスカギリ　アレノハラ
ヒトノカゲナク　ミチモナク
マツフクカゼノ　オトバカリ

という段どりになるのである。浦島は、さんざん迷った末に、とうとうかの竜宮のお土産の貝殻をあけて見るという事になるのであるが、これに就いて、なお、あけて見たい誘惑を感ずると云う人間の弱点を負う必要はないように思われる。「あけてはならぬ」と言われると、あのパンドラの箱の物語に於いても、それと同様の心理が取りあつかわれているようだ。しかし、あのパンドラの箱の場合は、はじめから神々の復讐が企図せられていたのである。「あけてはならぬ」という一言が、パンドラの好奇心を刺戟して、必ずや後日パンドラが、その箱をあけて見るにちがいないという意地悪い予想のもとに「あけるな」という禁制を宣告したのである。それに引きかえ、われわれの善良な亀は、まっ

たくの深切から浦島にそれを言ったのだ。あの時の亀の、余念なさそうな言い方に依っても、それは信じていいと思う。あの亀は正直者だ。あの亀には責任が無い。それは私も確信をもって証言できるのであるが、さて、もう一つ、ここに妙な腑に落ちない問題が残っている。浦島は、その竜宮のお土産をあけて見ると、中から白い煙が立ち昇り、たちまち彼は三百歳だかのお爺さんになって、だから、あけなきゃよかったのに、つまらない事になった、お気の毒に、などというところでおしまいになるのが、一般に伝えられている「浦島さん」物語であるが、私はそれに就いて深い疑念にとらわれている。するとこの竜宮のお土産も、あの人間のもろもろの禍の種の充満したパンドラの箱の如く、乙姫の深刻な復讐、或いは懲罰の意を秘めた贈り物であったのか。あのように何も言わず、ただ微笑して無限に許しているような素振りを見せながらも、皮裏にひそかに峻酷の陽秋を蔵していて、浦島のわがままを一つも許さず、厳罰を課する意味であの貝殻を与えたのか。いや、それほど極端の悲観論を称えずとも、或いは、貴人というものは、しばしば、むごい嘲弄を平気でするものであるから、乙姫もまったく無邪気の悪戯のつもりで、こんなひとのわるい冗談をやらかしたのか。いずれにしても、あの真の上品の筈の乙姫が、こんな始末の悪いお土産を与えたとは、不可解きわまる事である。パンドラの箱の中には、疾病、恐怖、怨恨、哀愁、疑惑、

嫉妬、憤怒、憎悪、呪咀、焦慮、後悔、卑屈、貪慾、虚偽、怠惰、暴行などのあらゆる不吉の妖魔がはいっていて、パンドラがその箱をそっとあけると同時に、羽蟻の大群の如く一斉に飛び出し、この世の隅から隅まで残るくまなくはびこるに到ったという事になっているが、しかし、呆然たるパンドラが、うなだれて、そのからっぽの箱の底を眺めた時、その底の闇に一点の星のように輝いている小さな宝石を見つけたというではないか。そうして、その宝石には、なんと、「希望」という字がしたためられていたという。これに依って、パンドラの蒼白の頬にも、幽かに血の色がのぼったという。それ以来、人間は、いかなる苦痛の妖魔に襲われても、この「希望」に依って、勇気を得、困難に堪え忍ぶ事が出来るようになったという。ただ、煙だ。そうして、たちまち三百歳のお爺さんである。よしんば、その「希望」の星が貝殻の底に残っていたとしたところで、浦島さんは既に三百歳である。三百歳のお爺さんに「希望」を与えたって、それは悪ふざけに似ている。どだい、無理だ。それでは、ここで一つ、れいの「聖諦」を与えてみたらどうか。しかし、相手は三百歳である。いまさら、そんな気取ったきざったらしいものを与えなくたって、人間三百歳にもなりゃ、いい加減、諦めているよ。どうにも、これはひどいお土産で、何もかも駄目である。救済の手の差伸べようが無い。

をもらって来たものだ。しかし、ここで匙を投げたら、或いは、日本のお伽噺はギリシャ神話よりも残酷である。などと外国人に言われるかも知れない。それはいかにも無念な事だ。また、あのなつかしい竜宮の名誉にかけても、何とかして、この不可解のお土産に、貴い意義を発見したいものである。いかに竜宮の数日が陸上の数百年に当るとは言え、何もその歳月を、ややこしいお土産などにして浦島に持たせてよこさなくてもよさそうなものだ。浦島が竜宮から海の上に浮かび出たとたんに、白髪の三百歳に変化したというのなら、まだ話がわかる。また、乙姫のお情で、浦島をいつまでも青年にして置くつもりだったのならば、そんな危険な「あけてはならぬ」品物を、わざわざ浦島に持たせてよこす必要は無い。竜宮のどこかの隅に捨てて置いたっていいじゃないか。それとも、お前のたれた糞尿は、お前が持って帰ったらいいだろう、という意味なのだろうか。それでは、何だかひどく下等な乙姫のあの聖諦の乙姫が、そんな長屋の夫婦喧嘩みたいな事をたくらむとは考えられない。まさかあの聖諦の乙姫が、そんな長屋の夫婦喧嘩（げんか）みたいな事をたくらむとは考えられない。どうも、わからぬ。私は、それに就いて永い間、思案した。そうして、このごろに到って、ようやく少しわかって来たような気がして来たのである。
つまり、私たちは、浦島の三百歳が、浦島にとって不幸であったという先入感に依って誤られて来たのである。絵本にも、浦島は三百歳になって、それから、「実に、

「悲惨な身の上になったものさ。気の毒だ。気の毒だ。」などというような事は書かれていない。

それでおしまいである。気の毒だ、馬鹿だ、などというのは、私たち俗人の勝手な盲断に過ぎない。三百歳になったのは、浦島にとって、決して不幸ではなかったのだ。貝殻の底に、「希望」の星があって、それで救われたなんてのは、考えてみるとちょっと少女趣味で、こしらえものの感じが無くもないような気もするが、浦島は、立ち昇る煙それ自体で救われているのである。貝殻の底には、何も残っていなくたっていい。そんなものは問題でないのだ。曰く、

**タチマチ　シラガノ　オジイサン**

年月は、人間の救いである。

忘却は、人間の救いである。

竜宮の高貴なもてなしも、この素晴らしいお土産に依って、まさに最高潮に達した観がある。思い出は、遠くへだたるほど美しいというではないか。しかも、その三百年の招来をさえ、浦島自身の気分にゆだねた。ここに到っても、浦島は、乙姫から無限の許可を得ていたのである。淋しくなかったら、浦島は、貝殻をあけて見るような事はしないだろう。どう仕様も無く、この貝殻一つに救いを求めた時には、あけるかも知れない。あけたら、たちまち三百年の年月と、忘却である。これ以上の説明はよ

そう。日本のお伽噺には、このような深い慈悲がある。

浦島は、それから十年、幸福な老人として生きたという。

## カチカチ山

カチカチ山の物語に於ける兎は少女、そうしてあの惨めな敗北を喫する狸は、その兎の少女を恋している醜男。これはもう疑いを容れぬ儼然たる事実のように私には思われる。これは甲州、富士五湖の一つの河口湖畔、いまの船津の裏山あたりで行われた事件であるという。甲州の人情は、荒っぽい。だいいち、どうも、この物語も、他のお伽噺に較べて、いくぶん荒っぽく出来ている。お道化にも洒落にもなってやしない。狸も、つまらない悪戯をしたものである。婆汁なんてのは、ひどい。縁の下に婆さんの骨が散らばっていたなんて段に到ると、まさに陰惨の極度であって、所謂児童読物としては、遺憾ながら発売禁止の憂目に遭わざるを得ないところであろう。現今発行せられているカチカチ山の絵本は、それゆえ、狸が婆さんに怪我をさせて逃げたなんて工合いに、賢明にごまかしているようである。それはまあ、発売禁止も避けられるし、大いによろしい事であろうが、しかし、たったそれだけの悪戯に対する懲罰としてはどうも、兎の仕打は、執拗すぎる。一撃

のもとに倒すというような颯爽たる仇討ちではない。って、そうして最後は泥舟でぶくぶくである。その手段は、一から十まで詭計である。これは日本の武士道の作法ではない。しかし、狸が婆汁などという悪どい欺術を行ったのならば、その返報として、それくらいの執拗のいたぶりを受けるのは致し方の無いところでもあろうと合点のいかない事もないのであるが、童心に与える影響ならびに発売禁止のおそれを顧慮して、狸が単に婆さんに怪我をさせて逃げた罰として兎からあのようなかずかずの恥辱と苦痛と、やがてぶていさい極まる溺死とを与えられるのは、いささか不当のようにも思われる。もともとこの狸は、何の罪とがも無く、山でのんびり遊んでいたのを、爺さんに捕えられ、そうして狸汁にされるという絶望的な運命に到達し、それでも何とかして一条の血路を切りひらきたく、もがき苦しみ、窮余の策として婆さんを欺き、九死に一生を得たのである。婆汁なんかをたくらんだのは大いに悪いが、しかし、このごろの絵本のように、謂わば正当防衛のために働いて怪我させたくらいの事は、狸もその時は必死の努力で、逃げるついでに婆さんを引掻いて怪我を与えたのかも知れないし、それはそんなに憎むべき罪でも無いように思われる。私の家の五歳の娘は、器量も父に似て頗るまずいが、頭脳もまた不幸にも父に似て、へんなところがあるようだ。私が防空壕

の中で、このカチカチ山の絵本を読んでやったら、
「狸さん、可哀想ね。」
と意外な事を口走った。もっとも、この娘の「可哀想」は、このごろの彼女の一つ覚えで、何を見ても「可哀想」を連発し、以て子に甘い母の称讃を得ようという下心が露骨に見え透いているのであるから、格別おどろくには当らない。或いは、この子は、父に連れられて近所の井の頭動物園に行った時、檻の中を絶えずチョコチョコ歩きまわっている狸の一群を眺め、愛すべき動物であると思い込み、それゆえ、このカチカチ山の物語に於いても、理由の如何を問わず、狸に鼻屓していたのかも知れない。いずれにしても、わが家の小さい同情者の言は、あまりあてにならない。思想の根拠が、薄弱である。同情の理由が、朦朧としている。どだい、何も、問題にする価値が無い。しかし私は、その娘の無責任きわまる放言を聞いて、或る暗示を与えられた。この子は、何も知らずにただ、このごろ覚えた言葉を出鱈目に呟いただけの事であるが、しかし、父はその言葉に依って、なるほど、これでは少し兎の仕打がひどすぎる、こんな小さい子供たちなら、まあ何とか言ってごまかせるけれども、もっと大きい子供で、武士道とか正々堂々とかの観念を既に教育せられている者には、この兎の懲罰は所謂「やりかたが汚い」と思われはせぬか、これは問題だ、と愚かな父は眉をひそ

めたというわけである。

このごろの絵本のように、狸が婆さんに単なる引掻き傷を与えたくらいで、このように兎に意地悪く飜弄せられ、背中は焼かれ、その焼かれた個所には唐辛子を塗られ、あげくの果には泥舟に乗せられて殺されるという悲惨の運命に立ち到るという筋書では、国民学校にかよっているほどの子供ならば、すぐに不審を抱くであろう事は勿論、よしんば狸が、不埒な婆汁などを試みたとしても、なぜ正々堂々と名乗りを挙げて彼に膺懲の一太刀を加えなかったか。兎が非力であるから、などはこの場合、弁解にならない。仇討ちは須く正々堂々たるべきである。神は正義に味方する。かなわぬまでも、天誅！　と一声叫んで真正面からおどりかかって行くべきである。あまりにも腕前の差がひどかったならば、その時には臥薪嘗胆、鞍馬山にでもはいって一心に剣術の修行をする事だ。昔から日本の偉い人たちは、たいていそれをやっている。いかなる事情があろうと、詭計を用いて、しかもなぶり殺しにするなどという仇討物語は、日本に未だ無いようだ。それをこのカチカチ山ばかりは、どうも、その仇討の仕方が芳しくない。男らしくないじゃないか、と子供でも、また大人でも、いやしくも正義にあこがれている人間ならば、誰でもこれに就いてはいささか不快の情を覚えるのではあるまいか。

安心し給え。私もそれに就いて、考えた。そうして、兎のやり方が男らしくないのは、それは当然だという事がわかった。この兎は男じゃないんだ。それは、たしかだ。この兎は十六歳の処女だ。いまだ何も、色気は無いが、美人だ。そうして人間のうちで最も残酷なのは、えてして、このたちの女性である。ギリシャ神話には美しい女神がたくさん出て来るが、その中でも、ヴィナスを除いては、アルテミスという処女神が最も魅力ある女神とせられているようだ。ご承知のように、アルテミスは月の女神で、額には青白い三日月が輝き、そうして敏捷できかぬ気で、一口で言えばアポロンをそのまま女にしたような神である。そうして下界のおそろしい猛獣は全部この女神の家来である。けれども、その姿態は決して荒くれて岩乗な大女ではない。むしろ小柄で、ほっそりとして、手足も華奢で可愛く、ぞっとするほどあやしく美しい顔をしているが、しかし、ヴィナスのような「女らしさ」が無く、乳房も小さい。水浴の姿をちらと覗き見した男気にいらぬ者には平気で残酷な事をする。自分の水浴しているところを覗き見した男に、颯っと水をぶっかけて鹿にしてしまった事さえある。水浴の姿をちらと見ただけでも、そんなに怒るのである。手なんか握られたら、どんなにひどい仕返しをするかわからない。こんな女に惚れたら、男は惨憺たる大恥辱を受けるにきまっているのだ。けれども、男は、それも愚鈍の男ほど、こんな危険な女性に惚れ込み易いものである。

そうして、その結果は、たいていきまっているのである。疑うものは、この気の毒な狸を見るがよい。狸は、そのようなアルテミス型の兎の少女に、かねてひそかに思慕の情を寄せていたのだ。兎が、このアルテミス型の少女だったと規定すると、あの狸が婆汁か引掻き傷かいずれの罪を犯した場合でも、その懲罰が、へんに意地くね悪く、そうして「男らしく」ないのが当然だと、溜息と共に首肯せられなければならぬわけである。しかも、この狸たるや、アルテミス型の少女に惚れる男のごたぶんにもれず、狸仲間でも風采あがらず、ただ団々として、愚鈍大食の野暮天であったというに於いては、その悲惨なり行きは推するに余りがある。
 狸は爺さんに捕えられ、もう少しのところで狸汁にされるところであったが、あの兎の少女にひとめまた逢いたくて、大いにあがいて、やっと逃れて山へ帰り、ぶつぶつ何か言いながら、うろうろ兎を捜し歩き、やっと見つけて、
「よろこんでくれ！　おれは命拾いをしたぞ。爺さんの留守をねらって、あの婆さんを、えい、とばかりにやっつけて逃げて来た。おれは運の強い男さ。」と得意満面、このたびの大厄難突破の次第を、唾を飛ばし散らしながら物語る。
 兎はぴょんと飛びしりぞいて唾を避け、ふん、といったような顔つきで話を聞き、
「何も私が、よろこぶわけは無いじゃないの。きたないわよ、そんなに唾を飛ばして。

それに、あの爺さん婆さんは、私のお友達よ。知らなかったの？」
「そうか」と狸は愕然として、「知らなかった。かんべんしてくれ。そうと知っていたら、おれは、狸汁にでも何にでも、なってやったのに。」と、しょんぼりする。
「いまさら、そんな事を言ったって、もうおそいわ。あのお家の庭先に私が時々あそびに行って、そうして、おいしいやわらかな豆なんかごちそうになったのを、あなただって知ってたじゃないの。それだのに、知らなかったなんて嘘ついて、ひどいわ。あなたは、私の敵よ。」とむごい宣告をする。兎にはもうこの時すでに、狸に対して或る種の復讐を加えてやろうという心が動いている。処女の怒りは辛辣である。殊に醜悪な魯鈍なものに対しては容赦が無い。
「ゆるしてくれよ。おれは、ほんとに、知らなかったのだ。嘘なんかつかない。信じてくれよ。」と、いやにねばっこい口調で歎願して、頸を長くのばしてうなだれて見せて、傍に木の実が一つ落ちているのを見つけ、ひょいと拾って食べて、もっと無いかとあたりをきょろきょろ見廻しながら、「本当にもう、お前にそんなに怒られると、おれはもう、死にたくなるんだ。」
「何を言ってるの。食べる事ばかり考えてるくせに。」兎は軽蔑し果てたというように、つんとわきを向いてしまって、「助平の上に、また、食い意地がきたないったら

「ありゃしない。」
「見のがしてくれよ。おれは、腹がへっているんだ。」となおもその辺を、うろうろ捜し廻りながら、「まったく、いまのおれのこの心苦しさが、お前にわかってもらえたらなあ。」
「傍へ寄って来ちゃ駄目だって言ったら。くさいじゃないの。もっとあっちへ離れてよ。あなたは、とかげを食べたんだってね。私は聞いたわよ。それから、ああ可笑しい、ウンコも食べたんだってね。」
「まさか。」と狸は力弱く苦笑した。それでも、なぜだか、強く否定する事の能わざる様子で、さらにまた力弱く、「まさかねえ。」と口を曲げて言うだけであった。
「上品ぶったって駄目よ。あなたのそのにおいは、ただの臭みじゃないんだから。」
と兎は平然と手きびしい引導を渡して、それから、ふいと別の何か素晴らしい事でも思いついたらしく急に眼を輝かせ、笑いを噛み殺しているような顔つきで狸のほうに向き直り、「それじゃあね、こんど一ぺんだけ、ゆるしてあげる。あれ、寄って来ちゃ駄目だって言うのに。よだれを拭いたらどう？ 下顎が べろべろしてるじゃないの。落ちついて、よくお聞き。こんど一ぺんだけは特別にゆるしてあげるけれど、でも、条件があるのよ。あの爺さんは、いまごろはきっとひど

く落胆して、山に柴刈りに行く気力も何も無くなっているでしょうから、私たちはその代りに柴刈りに行ってあげましょうよ。」

「一緒に？　お前も一緒に行くのか？」狸の小さい濁った眼は歓喜に燃えた。

「おいや？」

「いやなものか。きょうこれから、すぐに行こうよ。」よろこびの余り、声がしゃがれた。

「あしたにしましょう、ね、あしたの朝早く。きょうはあなたもお疲れでしょうし、それに、おなかも空いているでしょうから。」といやに優しい。

「ありがたい！　おれは、あしたお弁当をたくさん作って持って行って、一心不乱に働いて十貫目の柴を刈って、そうして爺さんの家へとどけてあげる。そうしたら、お前は、おれをきっと許してくれるだろうな。仲よくしてくれるだろうな。もしかしたら、仲よくしてあげるかも知れないわ。」

「くどいわね。その時のあなたの成績次第でね。仲よくしてくれるだろうか、してくれないだろうか、這い寄って来た大きい蜘蛛を素早くぺろりと食べ、「おれは、もう、どんなに嬉しいか、いっそ、男泣きに泣いてみたいくら

「えへへ、」と狸は急にいやらしく笑い、「その口が憎いや。苦労させるぜ、こんちきしょう。おれは、もう、」と言いかけて、

いだ。」と鼻をすすり、嘘泣きをした。

　夏の朝は、すがすがしい。河口湖の湖面は朝霧に覆われ、白く眼下に烟っている。山頂では狸と兎が朝露を全身に浴びながら、せっせと柴を刈っている。狸の働き振りを見ると、一心不乱どころか、ほとんど半狂乱に近いあさましい有様である。ううむ、ううむ、と大袈裟に唸りながら、めちゃ苦茶に鎌を振りまわして、時々、あいたたたた、などと聞えよがしの悲鳴を挙げ、ただもう自分がこのように苦心惨憺しているというところを兎に見てもらいたげの様子で、縦横無尽に荒れ狂う。ひとしきり、そのように凄じくあばれて、さすがにもうだめだ、というような疲れ切った顔つきをして鎌を投げ捨て、
「これ、見ろ。手にこんなに豆が出来た。ああ、手がひりひりする。のどが乾く。おなかも空いた。とにかく、大労働だったからなあ。ちょっと休息という事にしようじゃないか。お弁当でも開きましょうかね。うふふふ。」とてれ隠しみたいに妙に笑って、大きいお弁当箱を開く。ぐいとその石油缶ぐらいの大きさのお弁当箱に鼻先を突込んで、むしゃむしゃ、がつがつ、ぺっぺっ、という騒々しい音を立てながら、それこそ一心不乱に食べている。兎はあっけにとられたような顔をして、柴刈りの手を休

め、ちょっとそのお弁当箱の中を覗いて、あ！　と小さい叫びを挙げ、両手で顔を覆った。何だか知れぬが、そのお弁当箱の中には、すごいものがはいっていたようであるけれども、きょうの兎は、何か内証の思惑でもあるのか、いつものように狸に向って侮辱の言葉も吐かず、先刻から無言で、ただ技巧的な微笑を口辺に漂わせてせっせと柴を刈っているばかりで、お調子に乗った狸のいろいろな狂態をも、知らん振りして見のがしてやっているのである。狸の大きいお弁当箱の中を覗いて、ぎょっとしたけれども、やはり何も言わず、肩をきゅっとすくめて、またもや柴刈りに取かかる。狸は兎にきょうはひどく寛大に扱われるので、ただもうほくほくして、とうとうやつさんも、おれのさかんな柴刈姿には惚れ直したかな？　おれの、この、男らしさにまいらぬ女もあるまいて、ああ、食った、眠くなった、どれ一眠り、などと全く気もゆるしてわがままいっぱいに振舞い、ぐうぐう大鼾を搔いて寝てしまった。眠りながらも、何のたわけた夢を見ているのか、惚れ薬ってのは、あれは駄目だぜ、きかねえや、などわけのわからぬ寝言を言い、眼をさましたのは、お昼ちかく。

「ずいぶん眠ったのね。」と兎は、やはりやさしく、「もう私も、柴を一束こしらえたから、これから背負って爺さんの庭先まで持って行ってあげましょうよ。」

「ああ、そうしよう。」と狸は大あくびしながら腕をぽりぽり搔いて、「やけにおな

かが空いた。こうおなかが空くと、眠って居られるものじゃない。おれは敏感なんだ。」ともっともらしい顔で言い、「どれ、それではおれも刈った柴を大急ぎで集めて、下山としようか。お弁当も、もう、からになったし、この仕事を早く片づけて、それからすぐに食べ物を捜さなくちゃいけない。」

二人はそれぞれ刈った柴を背負って、帰途につく。

「あなた、さきに歩いてよ。この辺には、蛇がいるんで、私こわくて。」

「蛇？ 蛇なんてこわいもんか。見つけ次第おれがとって」食べる、と言いかけて、口ごもり、「おれがとって、殺してやる。さあ、おれのあとについて来い。」

「やっぱり、男のひとって、こんな時にはたのもしいものねえ。」

「おだてるなよ。」とやにさがり、「きょうはお前、ばかにしおらしいじゃないか。気味がわるいくらいだぜ。まさか、おれをこれから爺さんのところに連れて行って、狸汁にするわけじゃあるまいな。あははは。そいつばかりは、ごめんだぜ。」

「あら、そんなにへんに疑うなら、もういいわよ。私がひとりで行くわよ。」

「いや、そんなわけじゃない。一緒に行くがね、おれは蛇だって何だってこの世の中にこわいものなんかありやしないが、どうもあの爺さんだけは苦手だ。狸汁にするなんて言いやがるから、いやだよ。どだい、下品じゃないか。少くとも、いい趣味じゃ

ないと思うよ。おれは、あの爺さんの庭先の手前の一本榎のところまで、この柴を背負って行くから、あとはお前が運んでくれよ。おれは、あそこで失敬しようと思うんだ。どうもあの爺さんの顔を見ると、おれは何とも言えず不愉快になる。おや？　何だい、あれは。へんな音がするね。なんだろう。お前にも、聞えないか？　何だかカチ、カチ、と音がする。」

「当り前じゃないの？　ここは、カチカチ山だもの。」

「カチカチ山？　ここがかい？」

「ええ、知らなかったの？」

「うん。知らなかった。この山に、そんな名前があるとは今日まで知らなかったね。しかし、へんな名前だ。嘘じゃないか？」

「あら、だって、山にはみんな名前があるものでしょう？　あれが富士山だし、あれが長尾山だし、あれが大室山（おおむろやま）だし、みんなに名前があるじゃないの。だから、この山はカチカチ山っていう名前なのよ。ね、ほら、カチ、カチって音が聞える。」

「うん、聞える。しかし、いままで、おれはいちども、この山でこんな音を聞いた事が無い。この山で生れて、三十何年かになるけれども、こんな、――」

「まあ！　あなたは、もうそんな年なの？　こないだ私に十七だなんて教えたくせに、

ひどいじゃないの。顔が皺くちゃで、腰も少し曲っているのに、十七とは、へんだと思っていたんだけど、それにしても、二十も年をかくしているとは思わなかったわ。」

「いや十七だ、十七。十七なんだ。おれがこう腰をかがめて歩くのは、決してとしのせいじゃないんだ。おなかが空いているから、自然にこんな恰好になるんだ。三十何年、というのは、あれは、おれの兄の事だよ。兄がいつも口癖のようにそう言うので、つい、おれも、うっかり、あんな事を口走ってしまったんだ。つまり、ちょっと伝染したってわけさ。そんなわけなんだよ、君。」狼狽のあまり、君という言葉を使った。

「そうですか。」と兎は冷静に、「でも、あなたにお兄さんがあるなんて、はじめて聞いたわ。あなたはいつか私に、おれは淋しいんだ、孤独なんだよ、親も兄弟も無い、この孤独の淋しさが、お前、わからんかね、なんておっしゃってたじゃないの。あれは、どういうわけなの？」

「そう、そう、」と狸は、自分でも何を言っているのか、わからなくなり、「まったく世の中は、これでなかなか複雑なものだからねえ、そんなに一概には行かないよ。兄があったり無かったり。」

「まるで、意味が無いじゃないの。」と兎もさすがに呆れ果て、「めちゃ苦茶ね。」

「うん、実はね、兄はひとりあるんだ。これは言うのもつらいが、飲んだくれのならず者でね、おれはもう恥ずかしくて、面目なくて、生れて三十何年間、いや、兄がだよ、兄が生れて三十何年間というもの、このおれに、迷惑のかけどおしさ。」

「それも、へんね。十七のひとつが、三十何年間も迷惑をかけられたなんて。」

狸は、もう聞えぬ振りして、

「世の中には、一口で言えない事が多いよ。いまじゃもう、おれのほうから、あれは無いものと思って、勘当して、おや？ へんだね、キナくさい。お前、なんともないか？」

「いいえ。」

「そうかね。」狸は、いつも臭いものを食べつけているので、鼻には自信が無い。けげんな面持で頸をひねり、「気のせいかなあ。あれあれ、何だか火が燃えているような、パチパチボウボウって音がするじゃないか。」

「それやその筈よ。ここは、パチパチのボウボウ山だもの。」

「嘘つけ。お前は、ついさっき、ここはカチカチ山だって言った癖に。」

「そうよ、同じ山でも、場所に依って名前が違うのよ。富士山の中腹にも小富士という山があるし、それから大室山だって長尾山だって、みんな富士山と続いている山じ

「うん、知らなかった。そうかなあ、何年間、いや、兄の話に依れば、ここがパチパチのボウボウ山とは、おれが三十暖くなって来た。地震でも起るんじゃねえだろうか。何だかきょうは薄気味の悪い日だ。やあ、これは、ひどく暑い。きゃあっ！ あちちちち、ひでえ、助けてくれ、柴が燃えてる。あちちちち」

その翌(あく)る日、狸は自分の穴の奥にこもって唸(うな)り、
「ああ、くるしい。いよいよ、おれも死ぬかも知れねえ。思えば、おれほど不仕合せな男は無い。なまなかに男振りが少し佳く生れて来たばかりに、女どもが、かえって遠慮しておれに近寄らない。いったいに、どうも、上品に見える男は損だ。おれを女ぎらいかと思っているのかも知れねえ。なあに、おれだって決して聖人じゃない。女は好きさ。それだのに、女はおれを高邁(こうまい)な理想主義者だと思っているらしく、なかなか誘惑してくれない。こうなればいっそ、大声で叫んで走り狂いたきなんだ！ あ、いてえ、いてえ。どうも、この火傷(やけど)というものは始末がわるい。ず きずき痛む。やっと狸汁から逃れたかと思うと、こんどは、わけのわからねえボウボ

ウ山とかいうのに足を踏み込んだのが、運のつきだ。あの山は、つまらねえ山であった。柴がボウボウ燃え上るんだから、ひどい。三十何年、」と言いかけて、あたりをぎょろりと見廻し、「何を隠そう、おれあことし三十七さ、へへん、わるいか、もう三年経（た）てば四十だ、わかり切った事だ、理の当然というものだ、見ればわかるじゃないか。あいたたた、それにしても、おれが生れてから三十七年間、あの裏山で遊んで育って来たのだが、ついぞいちども、あんなへんな目に遭った事が無い。カチカチ山だの、ボウボウ山だの、名前からして妙に出来てる。はて、不思議だ。」とわれとわが頭を殴りつけて思案にくれた。

その時、表で行商の呼売りの声がする。

「仙金膏（せんきんこう）はいかが。やけど、切傷、色黒に悩むかたはいないか。」

狸は、やけど切傷よりも、色黒と聞いてはっとした。

「おうい、仙金膏。」

「へえ、どちらさまで。」

「こっちだ、穴の奥だよ。色黒にもきくかね。」

「それはもう、一日で。」

「ほほう、」とよろこび、穴の奥からいざり出て、「や！　お前は、兎。」

「ええ、兎には違いありませんが、私は男の薬売りです。ええ、もう三十何年間、この辺をこうして売り歩いています。」

「ふう、」と狸は溜息をついて首をかしげ、「しかし、似た兎もあるものだ。三十何年間、そうか、お前がねえ。いや、歳月の話はよそう。糞面白くもない。しつっこいじゃないか。まあ、そんなわけのものさ。」としどろもどろのごまかし方をして、

「ところで、おれにその薬を少しゆずってくれないか。実はちょっと悩みのある身なのでな。」

「おや、ひどい火傷ですねえ。これは、いけない。ほって置いたら、死にますよ。」

「いや、おれはいっそ死にてえ。こんな火傷なんかどうだっていいんだ。それよりも、おれは、いま、その、容貌の、——」

「何を言っていらっしゃるんです。生死の境じゃありませんか。やあ、背中が一ばんひどいですね。いったい、これはどうしたのです。」

「それがねえ、」と狸は口をゆがめて、「パチパチのボウボウ山とかいううきざな名前の山に踏み込んだばっかりにねえ、いやもう、とんだ事になってねえ、おどろきましたよ。」

兎は思わず、くすくす笑ってしまった。狸は、兎がなぜ笑ったのかわからなかった

が、とにかく自分も一緒に、あはははと笑い、
「まったくねえ。ばかばかしいったらありやしないのさ。お前にも忠告して置きますがねえ、あの山へだけは行っちゃいけないぜ。はじめ、カチカチ山というのがあって、それからいよいよパチパチのボウボウ山という事になるんだが、あいつあいけない。ひでえ事になっちゃう。まあ、いい加減に、カチカチ山あたりでごめんこうむって来るんですな。へたにボウボウ山などに踏み込んだが最後、かくの如き始末だ。あいてて。いいですか。忠告しますよ。お前はまだ若いようだから、おれのような年寄の言は、いや、年寄でもないが、とにかく、ばかにしないで、この友人の言だけは尊重して下さいよ。何せ、体験者の言なのだから。あいててて。」
「ありがとうございます。気をつけましょう。ところで、どうしましょう、お薬は。御深切な忠告を聞かしていただいたお礼として、お薬代は頂戴いたしません。とにかく、その背中の火傷に塗ってあげましょう。ちょうど折よく私が来合せたから、よかったようなものの、そうでもなかったら、あなたはもう命を落すような事になったかも知れないのです。これも何かのお導きでしょう。縁ですね。」
「縁かも知れねえ。」と狸は低く呻くように言い、「ただなら塗ってもらおうか。おれもこのごろは貧乏でな、どうも、女に惚れると金がかかっていけねえ。ついでにそ

の膏薬を一滴おれの手のひらに載せて見せてくれねえか。」
「どうなさるのです。」兎は、不安そうな顔になった。
「いや、はあ、なんでもねえ。ただ、ちょっと見たいんだよ。どんな色合いのものだかな。」
「色は別に他の膏薬とかわってもいませんよ。こんなものですが。」とほんの少量を、狸の差出す手のひらに載せてやる。
　狸は素早くそれを顔に塗ろうとしたので兎は驚き、そんな事でこの薬の正体が暴露してはかなわぬと、狸の手を遮り、
「あ、それはいけません。顔に塗るには、その薬は少し強すぎます。とんでもない。」
「いや、放してくれ。」狸はいまは破れかぶれになり、「後生だから手を放せ。お前には、おれの気持がわからないんだ。おれはこの色黒のため生れて三十何年間、どのように味気ない思いをして来たかわからない。放せ。手を放せ。後生だから塗らせてくれ。」
　ついに狸は足を挙げて兎を蹴飛ばし、眼にもとまらぬ早さで薬をぬたくり、
「少くともおれの顔は、目鼻立ちは決して悪くないと思うんだ。ただ、この色黒のために気がひけていたんだ。もう大丈夫だ。うわっ！　これは、ひどい。どうもひりひ

強い薬だ。しかし、これくらいの強い薬でなければ、おれの色黒はなおらないような気もする。わあ、ひどい。我慢するんだ。ちきしょうめ、こんどあいつが、おれと逢った時、うっとりおれの顔に見とれて、うふふ、おれはもう、ひりひりする、恋わずらいしたって知らないぞ。おれの責任じゃないからな。ああ、ひりひりする。この薬は、たしかに効く。さあ、もうこうなったら、背中にでもどこにでも、からだ一面に塗ってくれ。おれは死んだってかまわん。色白にさえなったら死んだってかまわんのだ。さあ塗ってくれ。遠慮なくべたべたと威勢よくやってくれ。」まことに悲壮な光景になって来た。

けれども、美しく高ぶった処女の残忍性には限りが無い。ほとんどそれは、悪魔に似ている。平然と立ち上って、狸の火傷にれいの唐辛子をねったものをこってりと塗る。狸はたちまち七転八倒して、

「ううむ、何ともない。この薬は、たしかに効く。わああ、ひどい。水をくれ。ここはどこだ。地獄か。かんにんしてくれ。おれは地獄へ落ちる覚えは無えんだ。おれは狸汁にされるのがいやだったから、それで婆さんをやっつけたんだ。おれに、とがは無えのだ。おれは生れて三十何年間、色が黒いばっかりに、女にいちども、もてやしなかったんだ。それから、おれは、食慾が、ああ、そのために、おれはどんなにきま

りの悪い思いをして来たか。誰も知りやしないのだ。おれは孤独だ。おれは善人だ。眼鼻立ちは悪くないと思うんだ。」と苦しみのあまり哀れな譫言を口走り、やがてぐったり失神の有様となる。

しかし、狸の不幸は、まだ終らぬ。おそらく、日本の歴史に於いても、これほど不振の後半生を送った者は、あまり例が無いように思われる。狸汁の運命から逃れて、やれ嬉しやと思う間もなく、ボウボウ山で意味も無い大火傷をして九死に一生を得、這うようにしてどうやらわが巣にたどりつき、口をゆがめて呻吟していると、こんどはその大火傷に唐辛子をべたべた塗られ、苦痛のあまり失神し、さて、それからいよいよ泥舟に乗せられ、河口湖底に沈むのである。実に、何のいいところも無い。これもまた一種の女難にちがい無かろうが、しかし、それにしても、あまりに野暮な女難である。粋なところが、ひとつも無い。彼は穴の奥で三日間は虫の息で、生きているのだか死んでいるのだか、それこそ全く幽明の境をさまよい、四日目に、猛烈の空腹感に襲われ、杖をついて穴からよろばい出て、何やらぶつぶつ言いながら、かなたこなた食い捜して歩いているその姿の気の毒さと来たら比類が無かった。しかし、根が骨太の岩乗なからだであったから、

十日も経たぬうちに全快し、食慾は旧の如く旺盛で、色慾などもちょっと出て来て、よせばよいのに、またもや兎の庵にのこのこ出かける。

「遊びに来ましたよ。うふふ。」と兎は言い、ひどく露骨にいやな顔をした。なんだってまたやって来たの、図々しいじゃないの、という気持、いや、それよりもひどい。なんだってまたやって来たの、という気持、いや、それよりもなおひどい。ああ、たまらない！　厄病神が来た！　という気持、いや、それよりも、もっとひどい。きたない！　くさい！　死んじまえ！　というような極度の嫌悪の、その時の兎の顔にありありと見えているのに、しかし、とかく招かれざる客というものは、その訪問先の主人の、こんな憎悪感に気附く事はなはだ疎いものである。これは実に不思議な心理だ。読者諸君も気をつけるがよい。あそこの家へ行くのは、どうも大儀だ、と思いながら渋々出かけて行く時には、案外その家で君たちの来訪をしんから喜んでいるものである。それに反して、ああ、あの家はなんて気持のよい家だろう、ほとんどわが家同然だ、いや、わが家以上に居心地がよい、我輩の唯一の憩いの巣だ、なんともあの家へ行くのは楽しみだ、などといい気分で出かける家に於いては、諸君は、まずたいてい迷惑がられ、きたながられ、恐怖せられ、襖の陰に帚など立てられているものである。他人の家に、

憩いの巣を期待するのが、そもそも馬鹿者の証拠なのかも知れないが、とかくこの訪問という事に於いては、吾人は驚くべき思い違いをしているものである。格別の用事でも無い限り、どんな親しい身内の家にでも、矢鱈に訪問などすべきものでは無いかも知れない。作者のこの忠告を疑う者は、狸を見よ。狸はいま明らかに、このおそるべき錯誤を犯しているのだ。兎が、あら！ と言い、そうして、いやな顔をしても、狸には一向に気がつかない。狸には、その、あら！ という叫びも、狸の不意の訪問に驚き、かつは嬉しく、おのずから発せられた処女の無邪気な声の如くに思われ、ぞくぞく嬉しく、また兎の眉をひそめた表情をも、これは自分の先日のボウボウ山の災難に、心を痛めているのに違い無いと解し、

「や、ありがとう。」とお見舞いも何も言われぬくせに、こちらから御礼を述べ、

「心配無用だよ。もう大丈夫だ。おれには神さまがついているんだ。運がいいのだ。あんなボウボウ山なんて屁の河童さ。河童の肉は、うまいそうで、何とかしてそのうち食べてみようと思っているんだがね。それは余談だが、しかし、あの時は、驚いたよ。何せどうも、たいへんな火勢だったからね。お前のほうは、どうだったね。べつに怪我も無い様子だが、よくあの火の中を無事で逃げて来られたね。」

「無事でもないわよ。」と兎はつんとすねて見せて、「あなたったら、ひどいじゃな

いの。あのたいへんな火事場に、私ひとりを置いてどんどん逃げて行ってしまうんだもの。私は煙にむせて、もう少しで死ぬところだったのよ。やっぱりあんな時に、つい本心というものがあらわれるものらしいのね。私には、もう、あなたの本心というものが、こんど、はっきりわかったわ。」
「すまねえ。かんにんしてくれ。実はおれも、ひどい火傷をして、おれには、ひょっとしたら神さまも何もついていねえのかも知れない、さんざんの目に遭っちゃったんだ。お前はどうなったか、決してそれを忘れていたわけじゃなかったんだが、何せどうも、たちまちおれの背中が熱くなって、お前を助けに行くひまも何も無かったんだよ。わかってくれねえかなあ。おれは決して不実な男じゃねえのだ。火傷ってやつも、なかなか馬鹿にできねえものだぜ。それに、あの、仙金膏とか、疝気膏とか、あいつあ、いけない。いやもう、ひどい薬だ。色黒にも何もききやしない。」
「色黒？」
「いや、何。どろりとした黒い薬でね、こいつあ、強い薬なんだ。お前によく似た、小さい、奇妙な野郎が薬代は要らねえ、と言うから、おれもつい、ものはためしだと思って、塗ってもらう事にしたのだが、いやはやどうも、ただの薬ってのは、あれはお前、気をつけたほうがいいぜ、油断も何もなりやしねえ、おれはもう頭のてっぺん

からキリキリと小さい竜巻が立ち昇ったような気がして、どうとばかりに倒れたんだ。」
「ふん」と兎は軽蔑し、「自業自得じゃないの。ケチンボだから罰が当ったんだわ。ただの薬だから、ためしてみたなんて、よくもまあそんな下品な事を、恥ずかしくもなく言えたものねえ。」
「ひでえ事を言う。」と狸は低い声で言い、けれども、別段何も感じないらしく、たださの好きなひとの傍にいるという幸福感にぬくぬくとあたたまっている様子で、どっしりと腰を落ちつけ、死魚のように濁った眼であたりを見廻し、小虫を拾って食べたりしながら、「しかし、おれは運のいい男だなあ。どんな目に遭っても、死にやしない。神さまがついているのかも知れねえ。お前も無事でよかったが、おれも何という事もなく火傷がなおって、こうしてまた二人でのんびり話が出来るんだものなあ、ああ、まるで夢のようだ。」
兎はもうさっきから、早く帰ってもらいたくてたまらなかった。いやでいやで、死にそうな気持。何とかしてこの自分の庵の附近から去ってもらいたくて、またもや悪魔的の一計を案出する。
「ね、あなたはこの河口湖に、そりゃおいしい鮒（ふな）がうようよしている事をご存じ？」

「知らねえ。ほんとかね。」と狸は、たちまち眼をかがやかして、「おれが三つの時、おふくろが鮒を一匹捕って来ておれに食べさせてくれた事があったけれども、あれはおいしい。おれはどうも、不器用というわけではないが、鮒なんて水の中のものを捕える事が出来ねえので、どうも、あいつはおいしいという事だけは知っていながら、それ以来三十何年間、いや、ははははは、つい兄の口真似まねをしちゃった。兄も鮒は好きでなあ。」

「そうですかね。」と兎は上の空で合槌あいづちを打ち、「私はどうも、鮒など食べたくもないけれど、でも、あなたがそんなにお好きなのならば、これから一緒に捕りに行ってあげてもいいわよ。」

「そうかい。」と狸はほくほくして、「でも、あの鮒ってやつは、素早いもんでなあ、おれはあいつを捕えようとして、も少しで土左衛門どざえもんになりかけた事があるけれども、つい自分の過去の失態を告白し、「お前に何かいい方法があるのかね。」

「網で掬すくったら、わけは無いわ。あの鸕鶿島うがしまの岸にこのごろとても大きい鮒が集っているのよ。ね、行きましょう。あなた、舟は？ 漕げるの？」

「うむ、」幽かすかな溜息ためいきをついて、「漕げないことも無いがね。その気になりゃ、なあに。」と苦しい法螺ほらを吹いた。

「漕げるの？」と兎は、それが法螺だという事を知っていながら、わざと信じた振りをして、「じゃ、ちょうどいいわ。私にはね、小さい舟が一艘あるけど、あんまり小さすぎて私たちふたりは乗れないのよ。でも、私なんかどうなったって、あなたの身にから、水がしみ込んで来て危いのよ。でも、私なんかどうなったって、あなたの身にもしもの事があってはいけないから、あなたの舟をこれから、ふたりで一緒に力を合せて作りましょうよ。板切れの舟は危いから、もっと岩乗に、泥をこねって作りましょうよ。」

「すまねえなあ。おれはもう、泣くぜ。泣かしてくれ。おれはどうしてこんなに涙もろいか。」と言って嘘泣きをしながら、「ついでにお前ひとりで、その岩乗ないい舟を作ってくれないか。な、たのむよ。」と抜からず横着な申し出をして、「おれは恩に着るぜ。お前がそのおれの岩乗な舟を作ってくれている間に、おれは、ちょっとお弁当をこさえよう。おれはきっと立派な炊事係になれるだろうと思うんだ。」

「そうね。」と兎は、この狸の勝手な意見をも信じた振りして素直に首肯く。そうして狸は、ああ世の中なんて甘いもんだとほくそ笑む。この間一髪に於いて、狸の悲運は決定せられた。自分の出鱈目を何でも信じてくれる者の胸中には、しばしば何かのおそるべき悪計が蔵せられているものだと云う事を、迂愚な狸は知らなかった。調子

がいいぞ、とにやにやしている。

ふたりはそろって湖畔に出る。白い河口湖には波ひとつ無い。兎はさっそく泥をこねて、所謂岩乗な、いい舟の製作にとりかかり、狸は、すまねえ、すまねえ、と言いながらあちこち飛び廻って専ら自分のお弁当の内容調合に腐心し、夕風が微かに吹き起って湖面一ぱいに小さい波が立って来た頃、粘土の小さい舟が、つやつやと鋼鉄色に輝いて進水した。

「ふむ、悪くない。」と狸は、はしゃいで、石油鑵ぐらいの大きさの、れいのお弁当箱をまず舟に積み込み、「お前は、しかし、ずいぶん器用な娘だねえ。またたく間にこんな綺麗な舟一艘つくり上げてしまうのだからねえ。神技だ。」と歯の浮くような見え透いたお世辞を言い、このような器用な働き者を女房にしたら、或いはおれは、女房の働きに依って遊んでいながら贅沢ができるかも知れないなどと、いまはむらむら慾気さえ出て来て、いよいよこれは何としてもこの女にくっついて一生はなれぬ事だ、とひそかに覚悟のほぞを固めて、よいしょと泥の舟に乗り、「お前はきっと舟を漕ぐのも上手だろうねえ。おれだって、舟の漕ぎ方くらい知らないわけでは、まさか、そんな、知らないと云うわけでは決して無いんだが、きょうはひとつ、わが女房のお手並を拝見したい。」いやに言葉遣いが図々しくなって来た。「おれも

昔は、舟の漕ぎ方にかけては名人とか、または達者とか言われたものだが、きょうはまあ寝転んで拝見という事にしようかな。かまわないから、おれの舟の舳にゆわえ附けておくれ。舟も仲良くぴったりくっついて、死なばもろとも、お前の舟の艫にゆわえ附けておくれ。舟も仲良くぴったりくっついて、死なばもろとも、見捨てちゃいやよ。」などといやらしく、きざったらしい事を言ってぐったり泥舟の底に寝そべる。

兎は、舟をゆわえ附けよと言われて、さてはこの馬鹿も何か感づいたかな？とぎょっとして狸の顔つきを盗み見たが、何の事は無い、狸は鼻の下を長くしてにやにや笑いながら、もはや夢路をたどっている。鮒がとれたら起してくれ。あいつうあ、うめえからなあ。おれは三十七だよ。などと馬鹿な寝言を言っている。兎は、ふんと笑って狸の泥舟を兎の舟につないで、それから、櫂でぱちゃと水の面を撃つ。するすると狸の泥舟を兎の舟につないで、それから、櫂でぱちゃと水の面を撃つ。するすると

二艘の舟は岸を離れる。

鸚鵡島の松林は夕陽を浴びて火事のようだ。この島の松林を写生して図案化したのが、煙草の「敷島」の箱に描かれてある、あれだという話だ。たしかな人から聞いたのだから、読者も信じて損は無かろう。もっとも、いまはもう「敷島」なんて煙草は無くなっているから、若い読者には何の興味も無い話である。つまらない知識を振りまわしたものだ。とかく識ったかぶりは、この

ような馬鹿らしい結果に終る。まあ、生れて三十何年以上にもなる読者だけが、ああ、あの松か、と芸者遊びの記憶なんかと一緒にぼんやり思い出して、つまらなそうな顔をするくらいが関の山であろうか。

さて兎は、その鸚鵡島の夕景をうっとり望見して、

「おお、いい景色。」と呟く。これは如何にも奇怪である。どんな極悪人でも、自分がこれから残虐の犯罪を行おうというその直前に於いて、山水の美にうっとり見とれるほどの余裕なんて無いように思われるが、しかし、この十六歳の美しい処女は、眼を細めて島の夕景を観賞している。まことに無邪気と悪魔とは紙一重である。苦労を知らぬわがままな処女の、へどが出るような気障ったらしい姿態に対して、ああ青春は純真だ、なんて言って垂涎している男たちは、気をつけるがよい。その人たちの所謂「青春の純真」とかいうものは、しばしばこの兎の例に於けるが如く、その胸中に殺意と陶酔が隣合せて住んでいても平然たる、何が何やらわからぬ官能のごちゃまぜの乱舞である。危険この上ないビールの泡だ。皮膚感覚が倫理を覆っている状態、これを低能あるいは悪魔という。ひところ世界中に流行したアメリカ映画、あれには、こんな所謂「純真」な雄や雌がたくさん出て来て、皮膚感触をもてあまして操ったげにちょこまか、バネ仕掛けの如く動きまわっていた。別にこじつけるわけではないが、

所謂「青春の純真」というものの元祖は、アメリカあたりにあったのではなかろうかと思われるくらいだ。スキイでランラン、とかいうたぐいである。そうしてその裏で、ひどく愚劣な犯罪を平気で行っている。低能でなければ悪魔である。いや、悪魔というものは元来、低能なのかも知れない。小柄でほっそりして手足が華奢で、かの月の女神アルテミスにも比較せられた十六歳の処女の兎も、ここに於いて一挙に頗る興味索然たるつまらぬものになってしまった。低能かい。それじゃあ仕様が無いねえ。

「ひゃあ！」と脚下に奇妙な声が起る。わが親愛なる而して甚だ純真ならざる三十七歳の男性、狸君の悲鳴である。「水だ、水だ。これはいかん。」

「うるさいわね。泥の舟だもの、どうせ沈むわ。わからなかったの？」

「わからん。理解に苦しむ。筋道が立たぬ。それは御無理というものだ。お前はおかこのおれを、いや、まさか、そんな鬼のような、いや、まるでわからん。お前はまさかこのおれを、いや、まさか、沈む、そんな事だけは眼前の真実だ。冗談にしたって、あくどすぎる。これはほとんど暴力だ。やあ、沈む。おい、お前どうしてくれるんだ。お弁当がむだになるじゃないか。このお弁当箱には鼬の糞でまぶした蚯蚓のマカロニなんか入っているのだ。惜しいじゃないか。あっぷ！　ああ、とうと

う水を飲んじゃった。おい、たのむ、ひとの悪い冗談はいい加減によせ。おいおい、その綱を切っちゃいかん。死なばもろとも、夫婦は二世、切っても切れねえ縁の艫綱、あ、いけねえ、切っちゃった。助けてくれ！　おれは泳ぎが出来ねえのだ。白状する。昔は少し泳げたのだが、あちこちの筋が固くなって、とても泳げやしないのだ。白状する。おれは三十七なんだ。お前とは実際、としが違いすぎるのだ。年寄りを大事にしろ！　敬老の心掛けを忘れるな！　あっぷ！　ああ、お前はいい子だ、な、いい子だから、そのお前の持っている櫂をこっちへ差しのべておくれ、おれはそれにつかまって、あいたたた、何をするんだ、痛いじゃないか、櫂でおれの頭を殴りやがって、よし、そうか、わかった！　お前はおれを殺す気だな、それでわかった。」と狸もその死の直前に到って、はじめて兎の悪計を見抜いたが、既におそかった。

ぽかん、ぽかん、と無慈悲の櫂が頭上に降る。狸は夕陽にきらきら輝く湖面に浮きつ沈みつ、

「あいたたた、あいたたた、ひどいじゃないか。おれは、お前にどんな悪い事をしたのだ。惚れたが悪いか。」と言って、ぐっと沈んでそれっきり。

兎は顔を拭いて、

「おお、ひどい汗。」と言った。

ところでこれは、好色の戒めとでもいうものであろうか。十六歳の美しい処女には近寄るなという深切な忠告を匂わせた滑稽物語でもあろうか。或いはまた、気にいったからとて、あまりしつこくお伺いしては、ついには極度に嫌悪せられ、殺害せられるほどのひどいめに遭うから節度を守れ、という礼儀作法の教科書でもあろうか。

或いはまた、道徳の善悪よりも、感覚の好き嫌いに依って世の中の人たちはその日常生活に於いて互いに罵り、または罰し、または賞し、または服しているものだという事を暗示している笑話であろうか。

いやいや、そのように評論家的な結論に焦躁せずとも、狸の死ぬるいまわの際の一言にだけ留意して置いたら、いいのではあるまいか。

曰く、惚れたが悪いか。

古来、世界中の文芸の哀話の主題は、一にここにかかっていると言っても過言ではあるまい。女性にはすべて、この無慈悲な兎が一匹住んでいるし、男性には、あの善良な狸がいつも溺れかかってあがいている。作者の、それこそ三十何年来の、頗る不

振の経歴に徴して見ても、それは明々白々であった。おそらくは、また、君に於いても。後略。

## 舌切雀

　私はこの「お伽草紙」という本を、日本の国難打開のために敢闘している人々の寸暇に於ける慰労のささやかな玩具として恰好のものたらしむべく、このごろ常に微熱を発している不完全のからだながら、命ぜられては奉公の用事に出勤したり、また自分の家の罹災の後始末やら何やらしながら、とにかく、そのひまに少しずつ書きすすめて来たのである。瘤取り、浦島さん、カチカチ山、その次に、桃太郎と、舌切雀を書いて、一応この「お伽草紙」を完結させようと私は思っていたのであるが、桃太郎のお話は、あれはもう、ぎりぎりに単純化せられて、日本男児の象徴のようになっていて、物語というよりは詩や歌の趣きさえ呈している。もちろん私も当初に於いては、この桃太郎をも、私の物語に鋳造し直すつもりでいた。すなわち私は、あの鬼ヶ島の鬼というものに、或る種の憎むべき性格を附与してやろうと思っていた。どうしてもあれは、征伐せずには置けぬ醜怪極悪無類の人間として、描写するつもりであった。而してその戦闘もそれに依って桃太郎の鬼征伐も大いに読者諸君の共鳴を呼び起し、

読む者の手に汗を握らせるほどの真に危機一髪のものたらしめようとたくらんでいた。（未だ書かぬ自分の作品の計画を語る場合に於いては、作者はたいていこのようにあどけない法螺を吹くものである。）まあさ、とにかく、まあ、聞き給え。どうせ、気焔だがね。とにかく、ひやかさずに聞いてくれ給え。ギリシャ神話に於いて、最も佞悪醜穢の魔物は、やはりあの万蛇頭のメドゥサであろう。眉間には狐疑の深い皺がきざみ込まれ、小さい灰色の眼には浅間しい殺意が燃え、真蒼な頬は威嚇の怒りに震えて、黒ずんだ薄い唇は嫌悪と侮蔑にひきつったようにゆがんでいる。そうして長い頭髪の一本一本がことごとく腹の赤い毒蛇である。敵に対してこの無数の毒蛇は、素早く一様に鎌首をもたげ、しゅっしゅっと気味悪い音を立てて手向う。このメドゥサの姿をひとめ見た者は、何とも知れずいやな気持になって、そうして、心臓が凍り、からだ全体つめたい石になったという。恐怖というよりは、不快感である。人の肉体よりも、人の心に害を加える。このような魔物は、最も憎むべきものであり、かつまたすみやかに退治しなければならぬものである。それに較べると、日本の化物は単純で、そうして愛嬌がある。古寺の大入道や一本足の傘の化物などは、たいてい酒飲みの豪傑のために無邪気な舞いをごらんに入れて以て豪傑の乙夜丑満の無聊を慰めてくれるだけのものである。また、絵本の鬼ヶ島の鬼た

ちも、図体ばかり大きくて、猿に鼻など引掻かれ、あっ！　と言ってひっくりかえって降参したりしている。一向におそろしくも何とも無い。善良な性格のもののようにさえ思われる。それでは折角の鬼退治も、甚だ気抜けのした物語になるだろう。ここは、どうしてもメデウサの首以上の凄い、不愉快きわまる魔物を登場させなければならぬところだ。それでなければ読者の手に汗を握らせるわけにはいかぬね。また、征服者の桃太郎が、あまりに強くては、読者はかえって鬼のほうを気の毒に思ったりなどして、その物語に危機一髪の醍醐味は湧いて出ない。ジイグフリイドほどの不死身の大勇者でも、その肩先に一箇所の弱点を持っていたではないか。弁慶にも泣きどころがあったというし、とにかく、完璧の絶対の強者は、どうも物語には向かない。それに私は、自身が非力のせいか、弱者の心理にはいささか通じているつもりだが、どうも、強者の心理は、あまりつまびらかに知っていない。殊にも、誰にも絶対に負けぬ完璧の強者なんてのには、いま迄いちども逢った事が無いし、また噂にも聞いた事が無い。私は多少でも自分で実際に経験した事で無ければ、一行も一字も書けない甚だ空想が貧弱の物語作家である。それで、この桃太郎物語を書くに当っても、そんな見た事も無い絶対不敗の豪傑を登場させるのは何としても不可能なのである。やはり、私の桃太郎は、小さい時から泣虫で、からだが弱くて、はにかみ屋で、さっぱり駄目

な男だったのだが、人の心情を破壊し、永遠の絶望と戦慄と怨嗟の地獄にたたき込む悪辣無類にして醜怪の妖鬼たちに接して、われ非力なりと雖もいまは黙視し得ずと敢然立って、黍団子を腰に、かの妖鬼たちの巣窟に向って発足する、とでもいうような事になりそうである。またあの、犬、猿、雉の三匹の家来も、決して模範的な助力者ではなく、それぞれに困った癖があって、たまには喧嘩もはじめるであろうし、ほんどかの西遊記の悟空、八戒、悟浄の如きもののように書くかも知れない。しかし、私は、カチカチ山の次に、いよいよこの、「私の桃太郎」に取りかかろうとして、突然、ひどく物憂い気持に襲われたのである。せめて、桃太郎の物語一つだけは、ままの単純な形で残して置きたい。これは、もう物語ではない。昔から日本人全部に歌い継がれて来た日本の詩である。物語の筋にどんな矛盾があったって、かまわぬ。この詩の平明闊達の気分を、いまさら、いじくり廻すのは、日本に対してすまぬ。いやしくも桃太郎は、日本一という旗を持っている男である。日本一はおろか日本二も三も経験せぬ作者が、そんな日本一の快男子を描写できる筈が無い。私は桃太郎の「日本一」の旗を思い浮べるに及んで、潔よく「私の桃太郎物語」の計画を放棄したのである。

そうして、すぐつぎに舌切雀の物語を書き、それだけで一応、この「お伽草紙」を

結びたいと思い直したわけである。この舌切雀にせよ、また前の瘤取り、浦島さん、カチカチ山、いずれも「日本一」の登場は無いので、私の責任も軽く、自由に書く事を得たのであるが、どうも、日本一と言う事になると、かりそめにもこの貴い国で第一と言う事になると、いくらお伽噺だからと言っても、出鱈目な書き方は許されまい。外国の人が見て、なんだ、これが日本一か、などと言ったら、その口惜しさはどんなだろう。だから、私はここにくどいくらいに念を押して置きたいのだ。瘤取りの二老人も浦島さんも、またカチカチ山の狸さんも、決して日本一ではないんだぞ、桃太郎だけが日本一なんだぞ、そうしておれはその桃太郎を書かなかったんだぞ。本当の日本一なんか、もしお前の眼前に現われたら、お前の両眼はまぶしさのためにつぶれるかも知れない。いいか、わかったか。この私の「お伽草紙」に出て来る者は、日本一でも二でも三でも無いし、また、所謂「代表的人物」でも無い。これはただ、太宰というこの作家がその愚かな経験と貧弱な空想を以て創造した極めて凡庸の人物たちばかりである。これらの諸人物を以て、ただちに日本人の軽重を推計せんとするのは、それこそ刻舟求剣のしたり顔なる穿鑿に近い。私は日本を大事にしている。それは言うまでも無い事だが、それゆえ、私は日本一の桃太郎を描写する事は避け、また、他の諸人物の決して日本一ではない所以をもくどくどと述べて来たのだ。読者もまた、私の

こんなへんなこだわり方に大いに賛意を表して下さるのではあるまいかと思われる。太閤でさえ言ったじゃないか。「日本一は、わしではない。」と。

さて、この舌切雀の主人公は、日本一どころか、逆に、日本で一ばん駄目な男と言ってよいかも知れぬ。だいいち、からだが弱い。からだの弱い男というものは、足の悪い馬よりも、もっと世間的の価値が低いようである。いつも力無い咳をして、そうして顔色も悪く、朝起きて部屋の障子にはたきを掛け、帯で塵を掃き出すと、もう、ぐったりして、あとは、一日一ぱい机の傍で寝たり起きたり何やら蠢動して、夕食をすますと、すぐ自分でさっさと蒲団を敷いて寝てしまう。この男は、既に十数年来こんな情無い生活を続けている。未だ四十歳にもならぬのだが、しかし、よほど前から自分の事を翁と署名し、また自分の家の者にも「お爺さん」と呼べと命令している。お金が少しもあるから、世を捨てられるので、一文無しのその日暮しだったら、世を捨てようと思ったって、世の中のほうから追いかけて来て、とても捨て切れるものでない。この「お爺さん」も、いまはこんなささやかな草の庵を結んでいるが、もとをただせば大金持の三男坊で、父母の期待にそむいて、これという職業を持たず、ぼんやり晴耕雨読などという生活をしているうちに病気になったりして、このごろは、父母をはじめ

親戚一同も、これを病弱の馬鹿の困り者と称してあきらめ、月々の暮しに困らぬ小額の金を仕送りしているというような世捨人みたいな生活も可能なのである。そうして、そんな結構な身分の者に限って、あまりひとの役に立たぬものであろう。いかに、草の庵とはいえ、まあ、結構な身分と申さざるを得ないであろう。そうして、そんな結構な身分の者に限って、あまりひとの役に立たぬものである。からだが弱いのは事実のようであるが、しかし、寝ているほどの病人では無いのだから、何か一つくらい積極的な仕事の出来ぬわけはない筈である。けれども、このお爺さんは何もしない。本だけは、ずいぶんたくさん読んでいるようだが、読み次第わすれて行くのか、自分の読んだ事を人に語って知らせるというわけでもない。ただ、ぽんやりしている。これだけでも、既に世間的価値がゼロに近いのに、さらにこのお爺さんには子供が無い。結婚してもう十年以上にもなるのだが、未だ世継が無いのである。これでもう完全に彼は、世間人としての義務を何一つ果していない、という事になる。こんな張合の無い亭主に、よくもまあ十何年も連添うて来た細君というのは、どんな女か、多少の興をそそられる。しかし、その草庵の垣根越しに、そっと覗いてみた者は、なあんだ、とがっかりさせられる。実に何とも、つまらない女だ。色がまっくろで、眼はぎょろりとして、手は皺だらけで大きく、その手をだらりと前にさげて少し腰をかがめていそがしげに庭を歩いているさまを見ると、「お爺

さん」よりも年上ではないかと思われるくらいである。しかし、今年三十三の厄年だという。このひとは、もと「お爺さん」の生家に召使われていたのであるが、病弱のお爺さんの世話を受持たされて、いつしかその生涯を受持つようになってしまったのである。無学である。

「さあ、下着類を皆、脱いでここへ出して下さい。洗います。」と強く命令するように言う。

「この次。」お爺さんは、机に頰杖をついて低く答える。お爺さんは、いつも、ひどく低い声で言う。しかも、言葉の後半は、口の中で澱んで、ああ、とか、うう、とかいうようにしか聞えない。連添うて十何年になるお婆さんにさえ、このお爺さんの言う事がよく聞きとれない。いわんや、他人に於いてをや。どうせ世捨人同然のひとなのだから、自分の言う事が他人にわかったってどうだってかまわなくたってどうだっていいようなものかも知れないが、読書はしても別段その知識でもって著述などしようとする気配も見えず、定職にも就かず、そうして結婚後十数年経過しているのに一人の子供ももうけず、そうして、その上、日常の会話に於いてさえ、はっきり言う手数を省いて、後半を口の中でむにゃむにゃ言ってますとは、その骨惜しみと言おうか何と言おうか、とにかくその消極性は言語に絶するものがあるように思われる。

「早く出して下さいよ。ほら、襦袢の襟なんか、油光りしているじゃありませんか。」
「この次。」やはり半分は口の中で、ぼそりと言う。
「え？　何ですって？　わかるように言って下さい。」
「この次。」と頬杖をついたまま、にこりともせずお婆さんの顔を、まじまじと見めながら、こんどはやや明瞭に言う。「きょうは寒い。」
「もう冬ですもの。きょうだけじゃなく、あしたもあさっても寒いにきまっています。」と子供を叱るような口調で言い、「そんな工合いに家の中で、じっと炉傍に坐っている人と、井戸端へ出て洗濯している人と、どっちが寒いか知っていますか。」
「わからない。」と幽かに笑って答える。「お前の井戸端は習慣になっているから。」
「冗談じゃありません。」とお婆さんは顔をしかめて、「私だって何も、洗濯をしに、この世に生れて来たわけじゃないんですよ。」
「そうかい。」と言って、すましている。
「さあ、早く脱いで寄こして下さいよ。代りの下着類はいっさいその押入の中にはいっていますから。」
「風邪をひく。」
「じゃあ、よござんす。」いまいましそうに言い切ってお婆さんは退却する。

ここは東北の仙台郊外、愛宕山の麓、広瀬川の急流に臨んだ大竹藪の中である。仙台地方には昔から、雀が多かったのか、芝居の先代萩には雀が千両役者以上の重要な役として登場するのは誰しもご存じの事と思う。また、昨年、私が仙台地方を旅行した時にも、その土地の一友人から仙台地方の古い童謡として次のような歌を紹介せられた。

カゴメ　カゴメ
カゴノナカノ　スズメ
イツ　イツ　デハル

この歌は、しかし、仙台地方に限らず、日本全国の子供の遊び歌になっているようであるが、

カゴノナカノ　スズメ

と言って、ことさらに籠の小鳥を雀と限定しているところ、また、デハルという東北の方言が何の不自然な感じも無く挿入せられている点など、やはりこれは仙台地方の民謡と称しても大過ないのではなかろうかと私には思われた。

このお爺さんの草庵の周囲の大竹藪にも、無数の雀が住んでいて、朝夕、耳を聾せんばかりに騒ぎ立てる。この年の秋の終り、大竹藪に霰が爽やかな音を立てて走って

いる朝、庭の土の上に、脚をくじいて仰向にあがいている小雀をお爺さんは見つけ、黙って拾って、部屋の炉傍に置いて餌を与え、雀は脚の怪我がなおっても、またすぐ縁にあがって来て、お爺さんの投げ与える餌を啄み、糞をたれると、お婆さんは、
「あれ汚い。」と言って追い、お爺さんは無言で立ってその縁側の糞をていねいに拭き取る。日数の経つにつれて雀にも、甘えていい人と、そうでない人との見わけがついて来た様子で、家にお婆さんひとりしかいない時には、庭先や軒下に避難し、そうしてお爺さんがあらわれると、すぐ飛んで来て、お爺さんの頭の上にちょんと停ったり、またお爺さんの机の上をはねまわり、硯の水をのどを幽かに鳴らして飲んだり、筆立の中に隠れたり、いろいろに戯れてお爺さんの勉強の邪魔をする。けれども、お爺さんはたいてい知らぬ振りをしている。世にある愛禽家のような気障ったらしい名前を附けて、わが愛禽にへ
「ルミや、お前も淋しいかい。」などという事は言わない。雀がどこで何をしようと、全然無関心の様子を示している。そうして時々、黙ってお勝手から餌を一握り持って来て、ばらりと縁側に撒いてやる。
その雀が、いまお婆さんの退場後に、はたはたと軒下から飛んで来て、お爺さんの

頰杖ついている机の端にちょんと停る。お爺さんは少しも表情を変えず、黙って雀を見ている。このへんから、そろそろこの小雀の身の上に悲劇がはじまる。
　お爺さんは、しばらく経ってから一言、「そうか。」と言った。それから深い溜息をついて、机上に本をひろげた。その書物のペエジを一、二枚繰って、それからまた、頰杖をついてぼんやり前方を見ながら、「洗濯をするために生れて来たのではないと言いやがる。あれでも、まだ、色気があると見える。」と呟いて、幽かに苦笑する。
　この時、突然、机上の小雀が人語を発した。
「あなたは、どうなの？」
　お爺さんは格別おどろかず、
「おれか、おれは、そうさな、本当の事を言うために生れて来た。」
「でも、あなたは何も言いやしないじゃないの。」
「世の中の人は皆、嘘つきだから、話を交すのがいやになったのさ。みんな、嘘ばっかりついている。そうしてさらに恐ろしい事は、その自分の嘘にご自身お気附きになっていない。」
「それは怠け者の言いのがれよ。ちょっと学問なんかすると、誰でもそんな工合いに横着な気取り方をしてみたくなるものらしいのね。あなたは、なんにもしてやしない

じゃないの。寝ていて人を起こすなかれ、という諺があったわよ。人の事など言えるがらじゃ無いわ。」

「それもそうだが、」とお爺さんはあわてず、「しかし、おれのような男もあっていいのだ。おれは何もしていないように見えるだろうが、まんざら、そうでもない。おれでなくちゃ出来ない事もある。おれの生きている間、おれの真価の発揮できる時機が来るかどうかわからぬが、しかし、その時が来たら、おれだって大いに働く。その時までは、まあ、沈黙して、読書だ。」

「どうだか。」と雀は小首を傾け、「意気地無しの陰弁慶に限って、よくそんな負け惜しみの気焰（きえん）を挙げるものだわ。廃残の御隠居、とでもいうのかしら、あなたのようなよぼよぼの御老体は、かえらぬ昔の夢を、未来の希望と置きかえて、そうしてご自身を慰めているんだわ。お気の毒みたいなものよ。そんなのは気焰にさえなってやしない。変態の愚痴よ。だって、あなたは、何もいい事をしてやしないんだもの。」

「そう言えば、まあ、そんなものかも知れないが」と老人はいよいよ落ちついて、「しかし、おれだって、いま立派に実行している事が一つある。それは何かって言えば、無慾という事だ。言うは易くして、行うは難いものだよ。うちのお婆さんなど、おれみたいな者ともう十何年も連添うて来たのだから、いい加減に世間の慾を捨てて

いるかと思っていたら、どうもそうでもないらしい。まだあれで、何か色気があるらしいんだね。それが可笑しくて、ついひとりで噴き出したような次第だ。」

そこへ、ぬっとお婆さんが顔を出す。

「色気なんかありませんよ。おや？　あなたは、誰と話をしていたのです。誰か、若い娘さんの声がしていましたがね。あのお客さんは、どこへいらっしゃいました。」

「お客さんか。」お爺さんは、れいに依って言葉を濁す。

「いいえ、あなたは今たしかに誰かと話をしていましたよ。それも私の悪口をね。まあ、どうでしょう、私にものを言う時には、いつも口ごもって聞きとれないような大儀そうな言い方ばかりする癖に、あの娘さんには、まるで人が変ったみたいにあんな若やいだ声を出して、たいへんごきげんそうに、おしゃべりしていらしたじゃないの。あなたこそ、まだ色気がありますよ。ありすぎて、べたべたです。」

「そうかな。」とお爺さんは、ぽんやり答えて、「しかし、誰もいやしない。」

「からかわないで下さい。」とお婆さんは本気に怒ってしまった様子で、どさんと縁先に腰をおろし、「あなたはいったいこの私を、何だと思っていらっしゃるのです。私はずいぶん今までこらえて来ました。あなたはもう、てんで私を馬鹿にしてしまっているのですもの。そりゃもう私は、育ちもよくないし学問も無いし、あなたのお話

「嘘ばかり。」
「おや、どこが嘘なのです。私が、どんな嘘をつきましたか。だって、そうじゃありませんか。あの頃、あなたの気心を一ばんよく知っていたのは私じゃありませんか。私でなくちゃ駄目だったんです。だから私が、一生あなたのめんどうを見てあげる事になったんじゃありませんか。どこが、どんな工合いに嘘なのです。それを聞かして下さい。」
「みんな嘘さ。あの頃の、お前の色気ったら無かったぜ。それだけさ。」
「それは、いったい、どんな意味です。私には、わかりやしません。馬鹿にしないで下さい。私はあなたの為を思って、あなたと一緒になったのですよ。色気も何もありやしません。あなたもずいぶん下品な事を言いますね。ぜんたい私が、あなたのような人と一緒になったばかりに、朝夕どんなに淋しい思いをしているか、あなたはご存じ無いのです。他の夫婦をご相手が出来ないかも知れませんが、でも、あんまりですわ。私だって、若い時からあなたのお家へ奉公にあがってあなたのお世話をさせてもらって、それがまあ、こんな事になって、あなたの親御さんも、あれならばなかなかしっかり者だし、せがれと一緒にさせても、──」

らんなさい。どんなに貧乏をしていても、夕食の時などには楽しそうに世間話をして笑い合っているじゃありませんか。私は決して慾張り女ではないんです。あなたのためなら、どんな事でも忍んで見せます。ただ、時たま、あなたから優しい言葉の一つも掛けてもらえたら、私はそれで満足なのですよ。」
「つまらない事を言う。そらぞらしい。もういい加減あきらめているかと思ったら、まだ、そんなきまりきった泣き言を並べて、局面転換を計ろうとしている。だめですよ。お前の言う事なんざ、みんなごまかしだ。その時々の安易な気分本位。おれをこんな無口な男にさせたのは、お前です。夕食の時の世間話なんて、たいていは近所の人の品評じゃないか。悪口じゃないか。それも、れいの安易な気分本位で、やたらと人の陰口をきく。おれはいままで、お前が人をほめたのを聞いた事がない。おれだって、弱い心を持っている。お前にまきこまれて、つい人の品評をしたくなる。おれには、それがこわいのだ。だから、もう誰とも口をききくまいと思った。お前たちにはひとの悪いところばかり眼について、自分自身のおそろしさにまるで気がついていないのだからな。おれは、ひとがこわい。」
「わかりました。あなたは、私にあきたのでしょう。こんな姿が、鼻について来たのでしょう。私には、わかっていますよ。さっきのお客さんは、どうしました。どこに

隠れているのです。たしかに若い女の声でしたわね。あんな若いのが出来たら、私のような婆さんと話をするのがいやになるのも、もっともです。なんだい、無慾だの何だのと悟り顔なんかしていても、相手が若い女だと、すぐもうわくわくして、声まで変って、ぺちゃくちゃとお喋りをはじめるのだからいやになります。」
「それなら、それでよい。」
「よかありませんよ。あのお客さんは、どこにいるのです。私だって、挨拶を申さなければ、お客さんに失礼ですよ。こう見えても、私はこの家の主婦ですからね、挨拶をさせて下さいよ。あんまり私を踏みつけにしては、だめです。」
「これだ。」とお爺さんは、机上で遊んでいる雀のほうを顎でしゃくって見せる。
「え？　冗談じゃない。雀がものを言いますか。」
「言う。しかも、なかなか気のきいた事を言う。」
「どこまでも、そんなに意地悪く私をからかうのですね。じゃあ、よござんす。」矢庭に腕をのばして、机上の小雀をむずと摑み、「そんな気のきいた事を言わせないように、舌をむしり取ってしまいましょう。あなたは、ふだんからどうもこの雀を可愛がりすぎます。私には、それがいやらしくて仕様が無かったんですよ。ちょうどいい塩梅だ。あなたが、あの若い女のお客さんを逃がしてしまったのなら、身代りにこの

雀の舌を抜きます。いい気味だ。」掌中の雀の嘴をこじあけて、小さい菜の花びらほどの舌をきゅっとむしり取った。
雀は、はたはたと空高く飛び去る。
お爺さんは、無言で雀の行方を眺めている。
そうして、その翌日から、お爺さんの大竹藪探索がはじまるわけである。

　　シタキリ　スズメ
　　オヤドハ　ドコダ
　　シタキリ　スズメ
　　オヤドハ　ドコダ

毎日毎日、雪が降り続ける。それでもお爺さんは何かに憑かれたみたいに、深い大竹藪の中を捜しまわる。藪の中には、雀は千も万もいる。その中から、舌を抜かれた小雀を捜し出すのは、至難の事のように思われるが、しかし、お爺さんは異様な熱心さを以て、毎日毎日探索する。

　　シタキリ　スズメ
　　オヤドハ　ドコダ
　　シタキリ　スズメ

オヤドハ　ドコダ

お爺さんにとって、こんな、がむしゃらな情熱を以て行動するのは、その生涯に於いて、いちども無かったように見受けられた。お爺さんの胸中に眠らされていた何物かが、この時はじめて頭をもたげたようにも見えるが、しかし、それは何であるか、筆者（太宰）にもわからない。自分の家にいながら、他人の家にいるような浮かない気分になっているひとが、ふっと自分の一ばん気楽な性格に遭い、之を追い求める、恋、と言ってしまえば、それっきりであるが、しかし、一般にあっさり言われている心、恋、という言葉に依ってあらわされる心理よりは、はるかに侘しいものであるかも知れない。お爺さんは夢中で探した。生れてはじめての執拗な積極性である。

**オヤドハ　シタキリ　スズメ**
**オヤドハ　ドコダ**
**シタキリ　スズメ**
**オヤドハ　ドコダ**

まさか、これを口に出して歌いながら捜し歩いていたわけではない。しかし、風が自分の耳元にそのようにひそひそ囁き、そうして、いつのまにやら自分の胸中に於い

ても、その変てこな歌ともお念仏ともつかぬ文句が一歩一歩竹藪の下の雪を踏みわけて行くのと同時に湧いて出て、耳元の風の囁きと合致する、というような工合いなのである。

或る夜、この仙台地方でも珍らしいほどの大雪があり、次の日はからりと晴れて、まぶしいくらいの銀世界が現出し、お爺さんは、この朝早く、藁靴をはいて、相も変らず竹藪をさまよい歩き、

シタキリ　スズメ
オヤドハ　ドコダ
シタキリ　スズメ
オヤドハ　ドコダ

竹に積った大きい雪のかたまりが、突然、どさりとお爺さんの頭上に落下し、打ちどころが悪かったのかお爺さんは失神して雪の上に倒れる。夢幻の境のうちに、さまの声の囁きが聞えて来る。

「可愛そうに、とうとう死んでしまったじゃないの。」
「なに、死にやしない。気が遠くなっただけだよ。」
「でも、こうしていつまでも雪の上に倒れていると、こごえて死んでしまうわよ。」

「それはそうだ。どうにかしなくちゃいけない。困った事になった。こんな事にならないうちに、あの子が早く出て行ってやればよかったのに。いったい、あの子は、どうしたのだ。」
「お照さん？」
「そう、誰かにいたずらされて口に怪我をしたようだが、あれから、さっぱりこのへんに姿を見せんじゃないか。」
「寝ているのよ。舌を抜かれてしまったので、なんにも言えず、ただ、ぽろぽろ涙を流して泣いているわよ。」
「そうか、舌を抜かれてしまったのか。ひどい悪戯（いたずら）をするやつもあったものだなあ。」
「ええ、それはね、このひとのおかみさんよ。悪いおかみさんではないんだけれど、あの日は虫のいどころがへんだったのでしょう、いきなり、お照さんの舌をひきむしってしまったの。」
「お前、見てたのかい？」
「ええ、おそろしかったわ。人間って、あんな工合に出し抜けにむごい事をするものなのね。」
「やきもちだろう。おれもこのひとの家の事はよく知っているけれど、どうもこのひ

とは、おかみさんを馬鹿にしすぎていたよ。おかみさんを可愛がりすぎるのも見ちゃおられないものだが、あんなに無愛想なのもよろしくない。それをまたお照さんはいいことにして、いやにこの旦那といちゃついていたからね。まあ、みんな悪い。ほっって置け。」

「あら、あなたこそ、やきもちを焼いているんじゃない？　あなたは、お照さんを好きだったのでしょう？　隠したってだめよ。この大竹藪で一ばんの美声家はお照さんだって、いつか溜息をついて言ってたじゃないの。」

「やきもちを焼くなんてそんな下品な事をするおれではない。が、しかし、少くともお前よりはお照のほうが声が佳くて、しかも美人だ。」

「ひどいわ。」

「喧嘩はおよし、つまらない。それよりも、このひとを、いったいどうするの？　ほって置いたら死にますよ。可哀想に。どんなにお照さんに逢いたいのか、毎日毎日この竹藪を捜して歩いて、そうしてとうとうこんな有様になってしまって、気の毒じゃないの。このひとは、きっと、実のあるひとだわ。」

「なに、ばかだよ。いいとしをして雀の子のあとを追い廻すなんて、呆れたばかだよ。」

「そんな事を言わなくてあげましょうよ。お照さんだって、このひとに逢いたがっているらしいわ。でも、もう舌を抜かれて口がきけないのだからねえ、このひとがお照さんを捜しているという事を言って聞かせてあげても、藪のあの奥で寝たまま、ぽろぽろ涙を流しているばかりなのよ。このひとも可哀想だけれども、お照さんだって、そりゃ可哀想よ。ね、あたしたちの力で何とかしてあげましょうよ。」

「おれは、いやだ。おれはどうも色恋の沙汰には同情を持てないたちでねえ。」

「色恋じゃないわ。あなたには、わからない。ね、みなさん、何とかして逢わせてあげたいものだわねえ。こんな事は、理窟じゃないんですもの。」

「そうとも、そうとも。おれが引受けた。なに、わけはない。神さまにたのむんだ。おれのおやじがいつかそう言って教えてくれた。そんな時には神さまは、どんな事でも叶えて下さるそうだ。まあ、みんな、ちょっとここで待っていてくれ。おれはこれから、鎮守の森の神さまにたのんで来るから。」

理窟抜きで、なんとかして他の者のために尽してやりたいと思った時には、神さまにたのむのが一ばんいいのだ。

お爺さんが、ふっと眼の覚めたところは、竹の柱の小綺麗な座敷である。起き上ってあたりを見廻していると、すっと襖があいて、身長二尺くらいのお人形さんが出て

来て、
「あら、おめざめ？」
「ああ、」とお爺さんは鷹揚に笑い、「ここはどこだろう。」
「すずめのお宿。」とそのお人形さんみたいな可愛い女の子が、儀よく坐り、まんまるい眼をぱちくりさせて答える。
「そう。」とお爺さんは落ちついて首肯き、「お前は、それでは、あの、舌切雀？」
「いいえ、お照さんは奥の間で寝ています。私は、お鈴。お照さんとは一ばんの仲良し。」
「そうか。それでは、あの、舌を抜かれた小雀の名は、お照というの？」
「ええ、とても優しい、いいかたよ。早く逢っておあげなさい。可哀想に口がきけなくなって、毎日ぽろぽろ涙を流して泣いています。」
「逢いましょう。」とお爺さんは立ち上り、「どこに寝ているのですか。」
「ご案内します。」お鈴さんは、はらりと長い袖を振って立ち、縁側に出る。お爺さんは、青竹の狭い縁を滑らぬように、用心しながらそっと渡る。
「ここです、おはいり下さい。」
お鈴さんに連れられて、奥の一間にはいる。あかるい部屋だ。庭には小さい笹が一

めんに生え繁り、その笹の間を浅い清水が素早く流れている。お照さんは小さい赤い絹蒲団を掛けて寝ていた。お爺さんよりも、さらに上品な美しいお人形さんで、少し顔色が青かった。大きい眼でお爺さんの顔をじっと見つめて、そうして、ぽろぽろと涙を流した。

お爺さんはその枕元にあぐらをかいて坐って、何も言わず、庭を走り流れる清水を見ている。お鈴さんは、そっと席をはずした。

何も言わなくてもよかった。お爺さんは、幽かに溜息をついた。憂鬱の溜息ではなかった。お爺さんは、生れてはじめて心の平安を経験したのだ。そのよろこびが、幽かな溜息となってあらわれたのである。

お鈴さんは静かにお酒とお肴を持ち運んで来て、

「ごゆっくり。」と言って立ち去る。

お爺さんはお酒をひとつ手酌で飲んで、また庭の清水を眺める。お爺さんは、所謂お酒飲みではない。一杯だけで、陶然と酔う。箸を持って、お膳のたけのこを一つだけつまんで食べる。素敵においしい。しかし、大食いではない。それだけで箸を置く。

襖があいて、お鈴さんがお酒のおかわりと、別な肴を持って来る。お爺さんの前に

坐って、
「いかが？」とお酒をすすめる。
「いや、もうたくさん。しかし、これは、よいお酒だ。」お世辞を言ったのではない。思わず、それが口に出たのだ。
「お気に召しましたか。笹の露です。」
「よすぎる。」
「え？」
「よすぎる。」
お爺さんとお鈴さんの会話を寝ながら聞いていて、お照さんは微笑(ほほえ)んだ。
「あら、お照さんが笑っているわ。何か言いたいのでしょうけれど。」
お照さんは首を振った。
「言えなくたって、いいのさ。そうだね？」とお爺さんは、はじめてお照さんのほうを向いて話かける。
お照さんは、眼をぱちぱちさせて、嬉(うれ)しそうに二三度うなずく。
「さ、それでは失礼しよう。また来る。」
お鈴さんは、このあっさりしすぎる訪問客には呆れた様子で、

「まあ、もうお帰りになるの？ こごえて死にそうになるまで、竹藪の中を捜し歩いていらして、やっときょう逢えたくせに、優しいお見舞の言葉一つかけるではなし、——」

「優しい言葉だけは、ごめんだ。」とお爺さんは苦笑して、もう立ち上る。

「お照さん、いいの？ おかえししても。」とお鈴さんはあわててお照さんに尋ねる。

お照さんは笑って首肯く。

「どっちも、どっちだわね。」とお鈴さんも笑い出して、「それじゃあ、またどうぞいらして下さいね。」

「来ます。」とまじめに答え、座敷から出ようとして、ふと立ちどまり、「ここは、どこだね。」

「竹藪の中です。」

「はて？ 竹藪の中に、こんな妙な家があったかしら。」

「あるんです。」と言ってお鈴さんは、お照さんと顔を見合せて微笑み、「でも、普通のひとには見えないんです。竹藪のあの入口のところで、けさのように雪の上に俯伏していらしたら、私たちは、いつでもここへご案内いたしますわ。」

「それは、ありがたい。」と思わずお世辞で無く言い、青竹の縁側に出る。

そうしてまた、お鈴さんに連れられて、もとの小綺麗な茶の間にかえると、そこには、大小さまざまの葛籠が並べられてある。

「せっかくおいで下さっても、おもてなしも出来なくて恥かしゅう存じます。」とお鈴さんは口調を改めて言い、「せめて、雀の里のお土産のおしるしに、この葛籠のうちどれでもお気に召したものをお邪魔でございましょうが、お持ち帰り下さいまし。」

「要らないよ、そんなもの。」とお爺さんは不機嫌そうに呟き、そのたくさんの葛籠には目もくれず、「おれの履物はどこにあります。」

「困りますわ。どれか一つ持って帰って下さいよ。」とお鈴さんは泣き声になり、「あとで私は、お照さんに怒られます。」

「怒りやしない。あの子は、決して怒りやしない。おれは知っている。ところで、履物はどこにあります。きたない藁靴をはいて来た筈だが。」

「捨てちゃいました。はだしでお帰りになるといいわ。」

「それは、ひどい。」

「それじゃ、何か一つお土産を持ってお帰りになってよ。後生、お願い。」と小さい手を合せる。

お爺さんは苦笑して、座敷に並べられてある葛籠をちらと見て、

「みんな大きい。大きすぎる。おれは荷物を持って歩くのは、きらいです。ふところにはいるくらいの小さいお土産はありませんか。」
「そんなご無理をおっしゃったって、——」
「そんなら帰る。はだしでもかまわない。荷物はごめんだ。」と言ってお爺さんは、本当にはだしのままで、縁の外に飛び出そうとする気配を示した。
「ちょっと待って、ね、ちょっと。お照さんに聞いて来るわ。」
はたはたとお鈴さんは奥の間に飛んで行き、そうして、間もなく、稲の穂を口にくわえて帰って来た。
「はい、これは、お照さんの簪。お照さんを忘れないでね。またいらっしゃい。」
ふと、われにかえる。お爺さんは、竹藪の入口に俯伏して寝ていた。なんだ、夢か。しかし、右手には稲の穂が握られてある。真冬の稲の穂は珍らしい。そうして、薔薇の花のような、とてもよい薫りがする。お爺さんはそれを大事そうに家へ持って帰って、自分の机上の筆立に挿す。
「おや、それは何です。」お婆さんは、家で針仕事をしていたが、眼ざとくそれを見つけて問いただす。
「稲の穂。」とおれいの口ごもったような調子で言う。

「稲の穂？ いまどき珍らしいじゃありませんか。どこから拾って来たのです。」
「拾って来たのじゃない。」
「おかしいじゃありませんか。」と低く言って、お爺さんは書読をはじめる。
「おかしいじゃありませんか。このごろ毎日、竹藪の中で書物をうろついて、ぼんやり帰って来て、きょうはまた何だか、いやに嬉しそうな顔をしてそんなものを持ち帰り、もったい振って筆立に挿したりなんかして、あなたは、何か私に隠していますね。拾ったのでなければ、どうしたのです。ちゃんと教えて下さったっていいじゃありませんか。」
「雀の里から、もらって来た。」お爺さんは、うるさそうに、ぷつんと言う。
 けれども、そんな事で、現実主義のお婆さんを満足させることはとても出来ない。お婆さんは、なおもしつこく次から次へと詰問する。嘘を言う事の出来ないお爺さんは、仕方なく自分の不思議な経験をありのままに答える。
「まあ、そんな事、本気であなたは言っているのですか。」とお婆さんは、最後に呆れて笑い出した。
「お爺さんは、もう答えない。頬杖ついて、ぼんやり書物に眼をそそいでいる。
「そんな出鱈目を、この私が信じると思っておいでなのですか。嘘にきまっています。私は知っていますよ。こないだから、そう、こないだ、ほら、あの、若い娘のお

客さんが来た頃から、あなたはまるで違う人になってしまいました。妙にそわそわして、そうして溜息ばかりついて、まるでそれこそ恋のやっこみたいです。みっともない。いいとしをしてさ。隠したって駄目ですよ。私にはわかっているのです。いったい、その娘は、どこに住んでいるのです。まさか、藪の中ではないでしょう。私はだまされませんよ。うっふ、藪の中に、小さいお家があって、そこにお人形みたいな可愛い娘さんがいて、こんどいらした時にそのお土産の葛籠とかいうも目ですよ。もしそれが本当ならば、そんな子供だましのような事を言って、ごまかそうたって駄のでも一つ持って来て見せて下さいな。出来ないでしょう。どうせ、作りごとなんだから。その不思議な宿の大きい葛籠でも背負って来て下さったら、それを証拠に、私だって本当にしないものでもないが、そんな稲の穂などを持って来て、そのお人形さんの箸だなんて、よくもまあそのような、ばからしい出鱈目が言えたもんだ。男らしく、あっさり白状なさいよ。私だって、わけのわからぬ女ではないつもりです。なんのお妾さんの一人や二人。」

「おや、そうですか。」

「おれは、荷物はいやだ。」

「それでは、私が代りにまいりましょうか。どうですか。竹藪の入口で俯伏して居ればいいのでしょう？ 私がまいりましょう。それでも、いいので

すか。あなたは困りませんか。」

「行くがいい。」

「まあ、図々しいずうずうしいですよ。嘘にきまっているのに、行くがいいなんて。それでは、本当に私は、やってみますよ。お土産がほしいようだね。」

「どうやら、葛籠がほしいのですか。」と言って、お婆さんは意地悪そうに微笑む。

「ええ、そうですとも、葛籠がほしいのですよ。それではこれからちょっと出掛けて、お土産の葛籠の中でも一ばん重い大きいやつを貰って来ましょう。おほほ。ばからしいが、行って来ましょう。私はあなたのその取り澄ましたみたいな顔つきが憎らしくて仕様が無いんです。いまにその贋聖者にせせいじゃのつらの皮をひんむいてごらんにいれます。雪の上に俯伏して居れば雀のお宿に行けるなんて、あはははは、馬鹿な事だが、でも、どれ、それではひとつお言葉に従って、ちょっと行ってまいりましょうか。あとで、あれは嘘だなどと言っても、ききませんよ。」

お婆さんは、乗りかかった舟、お針の道具を片づけて庭へ下り、積雪を踏みわけて竹藪の中へはいる。

それから、どのようなことになったか、筆者も知らない。

たそがれ時、重い大きい葛籠を背負い、雪の上に俯伏したまま、お婆さんは冷たくなっていた。葛籠が重くて起き上れず、そのまま凍死したものと見える。そうして、葛籠の中には、燦然たる金貨が一ぱいつまっていたという。
この金貨のおかげかどうか、お爺さんは、のち間もなく仕官して、やがて一国の宰相の地位にまで昇ったという。世人はこれを、雀大臣と呼んで、この出世も、かれの往年の雀に対する愛情の結実であるという工合いに取沙汰したが、しかし、お爺さんは、そのようなお世辞を聞く度毎に、幽かに苦笑して、「いや、女房のおかげです。あれには、苦労をかけました。」と言ったそうだ。

解説

奥野健男

ここには『新釈諸国噺』『お伽草紙』を中心に、それと同系列の『盲人独笑』『清貧譚』『竹青』の三つの短編を収めた。太宰治の作家活動の中期に属する作品で、困難な戦争期に書かれたものばかりである。

これらの作品はいずれも日本や中国の古典、フォークロア（民話や伝承）によっている。古典やフォークロアを下敷きにして、その上に作者の空想や批評を自由奔放に翔ばたかせているのだ。この方法は太宰治がもっとも得意とするものであった。自ら〝排除と反抗〟の時代と称し、既成のあらゆる小説の形式や方法に反逆し、破壊的前衛的な文学をめざした前期にも、既に『魚服記』『雀こ』『地球図』など、津軽のフォークロアや切支丹の古文献をもとにした作品、あるいは『虚構の春』のように自分に寄せられた手紙を巧みにあんばいした作品があった。

それが中期になると——自己をもっとも愚劣なかたちにとだえさせよう、自己を徹

底的に破壊しようとする内的真実に殉じた前期のあまりに性急な下降倫理的生き方を、これでは現実の社会からは狂人として見られているだけだと気づき、現世の限度というものがあると悲しくあきらめ、真に人々の魂を感動させる文学を書くために、職業作家を志し、健全な小市民的生活を送ろうと決意した中期——昭和十三年（一九三八年）三十歳からはじまる中期——になると、古典、フォークロアに取材した作品は、著しく多くなる。いや古典やフォークロアや他人の日記などを借り、それを換骨奪胎し、自己の文学に化さしめるという方法が、中期の太宰の創作活動の主流になって来る。

『女の決闘』『走れメロス』『駈込み訴え』『新ハムレット』『右大臣実朝』そして『正義と微笑』『女生徒』『千代女』等々、枚挙に暇がないほどだ。後期にあたる戦後の作品にも、知人の日記や手紙をもとにした『パンドラの匣』『トカトントン』愛人の日記を用いた『斜陽』などがある。

太宰治は自分で小説のストーリーをつくるより、既にあるストーリーの中で、その作中人物の心理や情景をさまざまに解釈し、その中に自己を仮託して空想をたくましくするのが好きだったらしい。その意味では太宰治はストーリー・テラー的な小説家と言うよりものごとを分析し、解釈する批評家的素質のほうが強かったと言うことが

できる。現実の事件より古典やフォークロアなどの読書体験から、より強い創作への刺戟(しげき)を受けたようだ。その点、太宰治は森鷗外(もりおうがい)、芥川龍之介(あくたがわりゅうのすけ)などの知性的作家の系譜につながる。

中期の太宰治は、自己の内的真実を現実生活にそのまま実践することをあきらめ、文学の中にだけ生きようとした。

〈私は、もう、とうから死んでいるのに、おまえたちは、気がつかないのだ。たましいだけが、どうにか生きて。

私は、いま人では無い。芸術家という、一種奇妙な動物である。この死んだ屍(しかばね)を、六十歳まで支え持ってやって、大作家というものをお目にかけて上げようと思っている。〉(『鷗(かもめ)』)

太宰治は実践者から表現者に転じたのだ。過度なまでの厳(きび)しい倫理感から解放されることによって、太宰治の芸術的才能は、思いがけないほど、のびのびと豊かに開花し、『満願』『富嶽百景(ふがくひゃっけい)』『女生徒』『皮膚と心』『駈込み訴え』『走れメロス』『女の決闘』『新ハムレット』『畜犬談』『東京八景』『ろまん燈籠(とうろう)』等々つぎつぎにすぐれた作品を書く。世の中は太平洋戦争に向かって、言論統制の厳しい、悪時代になってゆく中で、太宰治は次第に深く古典やフォークロアの世界に沈潜し、ますます多彩な芸術

的才能を開花してゆく。戦争が激化し、日本が破滅に向って堕ちてゆくとき、もはや太宰にとって、自殺も、革命も、自己破壊も不可能になり、ただ内に向って文学そのものと化したような、すさまじい創作力を燃やし続ける。時流を超えた古典やフォークロアの絶対の宿命の中に、人間の永遠の真実を深くとらえようとする。しかも太宰は決して時代から目を背けていない。戦争期の人間の中にも潜んでいる真実を祈るような思いで描いているのだ。

それゆえ、多くの文学者が、主体性をうしない御用文学者に堕していった時代、太宰治は凛乎として芸術至上主義的な文学者の道を歩み続けた。特に戦争末期、ほとんどの文学者が創作活動を停止し、日本文学の命脈が絶えようとしたとき、太宰治だけが、『右大臣実朝』『津軽』『新釈諸国噺』『惜別』『お伽草紙』と素晴らしい傑作をつぎつぎと発表し続けたのは、まさに奇蹟と言ってよい稀有の行為であった。『惜別』『お伽草紙』などは、戦争中発行が計画され、敗戦後に予定通り刊行された。そういう事例はほかにほとんどないのではないか。太宰治の途絶えざる文学活動によって、日本文学の光栄ある伝統が、戦中から戦後に一筋つながり得たと言っても過言ではない。

『盲人独笑』は昭和十五年七月号の『新風』に発表された。「はしかき」にあるごとく、友人の伊馬春部氏によって教えられた『葛原勾当日記』をもとにして、盲人の一流芸術家の青春期の厳しさとかなしさ、その底にあるもだえを、原典のたどたどしいひらがなの文体を利用し、まことに巧みに鮮やかに浮びあがらせている。読んでいて盲人の哀調や息づかいが身に沁みてくるような深い感銘にうたれる。芸術的野心と努力、ひそやかな恋愛、それらが、暑さ、寒さ、歯痛、劣等感、いらだち、絶望、恥、無為、デカダンス、もどかしさを通してこれほど芸術家の青春の心情をなまなましく伝えている作品も少ない。

『清貧譚』は昭和十六年一月号の『新潮』に発表された。中国、清初の有名な怪奇小説集『聊斎志異』の中の一編より触発され、それを日本の江戸時代にうつしかえ、作者の豊富な空想を展開している。この作品の冒頭の部分の、古典や口碑に、ロマンチシズムを発掘してゆきたいという作者の文章は、『新釈諸国噺』や『お伽草紙』などの創作態度の宣言と言ってもよい。中期、職業作家として生きようとしてきた自己の姿勢への弁明――疑いとあきらめが、この短編のモチーフになっている。太宰はこの頃『きりぎりす』という、無名の天才画家が有名になり堕落する姿をその妻から告発する小説を書いているが、この『清貧譚』は逆に、作品を発表しも、売りもしないデ

『新釈諸国噺』は、昭和十九年一月号より、十一月号にかけて諸雑誌に五編が発表され、後七編が書き下ろされ、昭和二十年一月生活社より刊行された。この作品についての作者の意図は、冒頭の「凡例」に尽されている。太宰治が西鶴を「世界で一ばん偉い作家である。メリメ、モオパッサンの諸秀才も遠く及ばぬ。」と絶讃しているのは興味深い。同じ頃、無頼派のひとりである織田作之助も『西鶴新論』を書き、西鶴への傾倒を示している。戦争下の日本の偽善にみちた風潮に対し、欲得や義理をめぐる人間のおかしさ、かなしさ、人間の裸の姿を鋭く描いた西鶴の作品そのものが既に痛烈な諷刺であったのだ。そして短編作家としての太宰治の目も、西鶴と同じく、人間のどうにもならないおかしさ、かなしさに注がれていたのだ。昭和十八年の『右大臣実朝』が太宰の中にある精神性の貴族を憧憬するロマンチシズムの結晶とするとすれば、『新釈諸国噺』は現世の人間の底辺をみようとするリアリズムの結晶と言えよう。

ひとつひとつの作品を解説するスペースがないのが残念だが、西鶴の原文と読みくらべてみると、その簡潔さを生かしたこまやかな心理や自意識を感情移入し、自分の文学にしているところが、またこの資質の違う二人の作家の織り成す微妙な均衡とハーモニーとがわかり興味津々たるものがある。そして『大力』『猿塚』『人魚の海』『義理』『粋人』『遊興戒』『吉野山』といずれもが、〝蹉跌(さてつ)の美〟挫折のかなしさをテーマにしている。『吉野山』のごとく得意の書簡体を用い、事志(ことし)と違った出家遁世(とんせい)のさまをおもしろおかしく訴えている完全に太宰のものになった作品もあるが、やや西鶴の大きさに気押されてか自由に空想を翔かせることを遠慮しているような作品も見られる。

『竹青』は昭和二十年一月『大東亜文学』に中国語訳で発表された後、同年『文芸』四月号に掲載された。『清貧譚』と同じ『聊斎志異(りょうさいしい)』からヒントを得たものであるが、太宰の空想は鳥のごとく大空に翔いている。戦禍と占領の苦難の中にいる中国の人々に、どうか現世の生きる希望を失わないでくれと贖罪(しょくざい)の心を潜め祈るような気持で書いた作品のようにぼくには思われる。何度も自殺をはかった太宰が今や周囲からばかにされ、生活に絶望しながらも、なんとかしてこの世に生きてゆこうという決意をこ

## 解説

　『お伽草紙』は、敗戦直後の昭和二十年十月筑摩書房より書き下ろし小説として刊行された。戦争末期の昭和二十年三月、「前書き」にもあるように連日の空襲のさなか執筆にかかり、敗戦の直前の七月に完成した。

　ぼくは『お伽草紙』を、太宰治の全作品の中で芸術的に最高の傑作と考える。太宰治というと『斜陽』『人間失格』などの後期の作品、『晩年』などの前期の作品、そして『走れメロス』など中期の二、三の作品を読んで夢中になり傾倒するが、壮年期になると太宰は青春の文学だ、太宰への感激は人生の一時期かかるはしかのようなものだったと、太宰文学を卒業したような気になって、その後読まない人々が多い。しかし太宰の文学はそんな青春の一時期だけのものではない。ぼくはそういう人々にぜひとも『お伽草紙』を読んでもらいたい。就職し、結婚し、子供をつくり、社会人、家庭人になった人々は、『お伽草紙』をはじめとする中期の作品を読み、またもや太宰が中年の自分たちの生活を先取りし、漠然と感じながらも言えなかった自分たちの微妙な心情を的確に代弁してくれているのに出会い、驚嘆するに違いない。

　太宰治は明日知れぬ生命の空襲のさなか、防空壕の中で子供に読んできかせる「ムカシ　ムカシノオ話ヨ」という絵本をもとに、日本人に膾炙されたお伽話の中に、自

己の人生観、芸術観、倫理、思想、実生活体験のすべてを投げ込み、渾然たる芸術をつくりあげたのだ。それは太宰治という一文学者の戦乱の時代の懸命の芸術的抵抗であった。太宰の目は敗戦に向う異常な状況の中に、その底に潜む人間の永遠の本質だけに注がれる。社会も政治もそして心理さえも捨象され、性格、宿命など人間のどうにもならない不変の部分がテーマにとりあげられる。その意味で『お伽草紙』は、子供相手の誰でも知っている昔噺(むかしばなし)を題材にし、しかもユーモラスな口調でふざけながらも、人間の宿命の深淵(しんえん)を見つめたおそろしい作品であるのだ。

『瘤取(こぶと)り』はお爺(じい)さんを通して、周囲や家人に理解されぬ芸術家のかなしみを描いている。いや芸術家というより、実利に役立たぬ無用なことに心ひかれている人間、功利社会とは別次元に住んでいるアウトローの人間の心情を描いている。「もう、春だねえ。桜が咲いた。」「そうですか。ちょっと、どいて下さい。ここを、お掃除しますから。」これではお爺さんならずとも浮かぬ顔になるのも当然だ。このお爺さんの家庭に、健全な小市民生活に耐えている中期の太宰の日常が投影されているようだ。女房的(にょうぼうてき)リアリズムの前にたてば、世のどんな男性も同じことだと、読んでいて身につまされてくる。「性格の悲喜劇というものです。人間生活の底には、いつも、この問題が流れています。」という結末の言葉が利(き)いている。

『浦島さん』で太宰治は、すべてが無限に許されている反現代的な世界を空想する。ひとつのユートピア小説である。このユートピアは、聖諦とも言うべき深い断念の上に成立している。ぼくはここに太宰治の精神的な疲労、絶望、デカダンスを（特に乙姫の幻想などに）感じるのだが、思いすごしであろうか。海底の描写など豊かな幻想的イメージが美しい。亀との芸術論、風流論に当時の太宰の思想がうかがえる。

『カチカチ山』は諷刺と笑いと、そしておそろしい人間洞察と真実とが渾然とした傑作である。絵本を読んで「狸さん、可哀想ね。」と言った五歳の娘の感想から、作者はたちまち独特の「カチカチ山」解釈、美少女と醜男の宿命物語をつくりあげた。兎をアルテミス型の十六歳の処女に、狸を風采のあがらぬ愚鈍大食の中年男に想定した作者の発想は卓抜である。十六歳の処女の持つ、全身皮膚感覚のような清潔さ、敏感さ、ナルシシズムを見事に表現している。そんな少女に因果なことに中年の醜男が惚れてしまう。かまえばかまうほど、通えば通うほど嫌がられ軽蔑される のに。そして太宰の狸の描写はこれでもかこれでもかというほど自虐的である。古来からの男女の悲劇の原型を、すべての属性をふるいおとして作者は造型する。ここにはいかなる救いもない。狸を櫂で湖底に沈め、「おお、ひどい汗。」と平然とつぶやく兎の聖

処女のような姿に、世の狸である男性どもは肌が粟立つようなおそろしさをおぼえる。
「曰く、惚れたが悪いか。」太宰治も残酷である。狸のモデルは太宰の弟子、大男の純情作家田中英光であると当時戯れに言われたりした。
『舌切雀』の爺さんは、若くして挫折した社会の余計者、敗残者である。『晩年』の頃の太宰治の心情そのものとも言える。嫉妬深い悪妻になやまされ、空想の中で優しい心の通う少女を恋する。雀のお照さんへの思慕は弱者同士のわびしくもかぼそく美しい心情である。その爺さんが、「いや、女房のおかげです。あれには、苦労をかけました。」などと出世したあと、死んだ女房に感謝するなど憎いではないか。すべてを生きるために、少しでも浮びあがろうと必死に努力している人間の姿ほどあわれなものはないと作者は言っているようだ。
ぼくは今日の作家にこそ、この『お伽草紙』のような作品を書いてほしいのだが、何か硬直してしまって、こういう発想の作品はたえてみられない。『お伽草紙』は民族の深層意識とも言える誰もが知っているフォークロアをもとに、大胆不敵に、自由奔放に自己の空想の翼をひろげ、自己を告白し、現代を諷刺し、人間の性格、宿命のおそろしさを造型した、二十世紀日本文学の傑作である。

（昭和四十七年二月、文芸評論家）

表記について

新潮文庫の文字表記については、原文を尊重するという見地に立ち、次のように方針を定めました。
一、旧仮名づかいで書かれた口語文の作品は、新仮名づかいに改める。
二、文語文の作品は旧仮名づかいのままとする。
三、旧字体で書かれているものは、原則として新字体に改める。
四、難読と思われる語には振仮名をつける。

なお本作品集中には、今日の観点からみると差別的表現ととられかねない箇所が散見しますが、著者自身に差別的意図はなく、作品自体のもつ文学性ならびに芸術性、また著者がすでに故人である等の事情に鑑み、原文どおりとしました。

（新潮文庫編集部）

太宰治著 **晩年**

妻の裏切りを知らされ、共産主義運動から脱落し、心中から生き残った著者が、自殺を前提に遺書のつもりで書き綴った処女創作集。

太宰治著 **斜陽**

"斜陽族"という言葉を生んだ名作。没落貴族の家庭を舞台に麻薬中毒で自滅していく直治など四人の人物による滅びの交響楽を奏でる。

太宰治著 **ヴィヨンの妻**

新生への希望と、戦争の後も変らぬ現実への絶望感との間を揺れ動きながら、命をかけて新しい倫理を求めようとした文学的総決算。

太宰治著 **津軽**

著者が故郷の津軽を旅行したときに生れた本書は、旧家に生れた宿命を背負う自分の姿を凝視し、あるいは懐しく回想する異色の一巻。

太宰治著 **人間失格**

生への意志を失い、廃人同様に生きる男が綴る手記を通して、自らの生涯の終りに臨んで、著者が内的真実のすべてを投げ出した小説。

太宰治著 **走れメロス**

人間の信頼と友情の美しさを、簡潔な文体で表現した「走れメロス」など、中期の安定した生活の中で、多彩な芸術的開花を示した9編。

## 新潮文庫最新刊

佐伯泰英著
### 死の舞い
――新・古着屋総兵衛 第十二巻

長崎沖に出現した妖しいガリオン船。仮面をつけた戦士たちが船上で舞う謎の軍団は、古着大市の準備に沸く大黒屋の前に姿を現した。

海堂 尊著
### ランクA病院の愉悦

売れない作家が医療格差の実態を暴くため「ランクA病院」に潜入する表題作ほか、奇抜な着想で医療の未来を映し出す傑作短篇集。

船戸与一著
### 雷の波濤
――満州国演義七――

太平洋戦争開戦！ 敷島兄弟はマレー進攻作戦、シンガポール攻略戦を目撃する。連戦連勝に沸く日本人と増幅してゆく狂気を描く。

井上荒野著
### ほろびぬ姫

不治の病だと知った夫は、若く美しい妻のために一計を案じる。それは双子の弟を身代わりとすることだった。危険な罠に妻は⋯⋯？

島田荘司著
### 御手洗潔の追憶

ロスでのインタビュー。スウェーデンで出会った謎。出生の秘密と、父の物語。海外へと旅立った名探偵の足跡を辿る、番外作品集。

竹宮ゆゆこ著
### 砕け散るところを見せてあげる

高校三年生の冬、俺は蔵本玻璃に出会った。恋愛。殺人。そして、あの日⋯⋯。小説の新たな煌めきを示す、記念碑的傑作。

## 新潮文庫最新刊

太田紫織著 　オークブリッジ邸の笑わない貴婦人2
　　　　　　　——後輩メイドと窓下のお嬢様——

十九世紀英国式に暮らすお屋敷で迎えた夏。メイドを襲うのは問題児の後輩、我儘お嬢様に、過去の"罪"を知るご主人様で……。

梨木香歩著 　エストニア紀行
　　　　　　　——森の苔・庭の木漏れ日・海の葦——

郷愁を誘う豊かな自然、昔のままの生活。支配の歴史残る都市と、祖国への静かな熱情。北欧の小国を真摯に見つめた端正な紀行文。

山田太一著 　月日の残像
　　　　　　　小林秀雄賞受賞

松竹大船撮影所や寺山修司との出会い、数々のドラマや書物……小林秀雄賞を受賞した脚本家・作家の回想エッセイ、待望の文庫化！

椎名誠著 　殺したい蕎麦屋

殺したいなんて不謹慎？　真実のためならかまうものか!!　蹴りたい店、愛しい犬、忘れられない旅。好奇心と追憶みなぎるエッセイ集。

群ようこ著 　おとこのるつぼ

同僚総スカンでも出世するパワハラ男の謎、陰気に巻き込むハゲ男のはた迷惑等々。珍キャラ渦巻く男世界へ誘う爆笑エッセイ。

大貫妙子著 　私の暮らしかた

葉山の猫たち。両親との別れ。背すじがピンとのびた、すがすがしい生き方。唯一無二の歌い手が愛おしい日々を綴る、エッセイ集。

## 新潮文庫最新刊

木村藤子著
すべての縁を良縁に変える51の「気づき」

これまでの縁を深め、これから結ぶ縁を良縁にするために。もっと幸せになる、51の小さな気づき。青森の神様が教える幸せの法則。

御手洗瑞子著
ブータン、これでいいのだ

社会問題山積で仕事はまったく進まないのに、なぜ「幸せの国」と呼ばれるのか——ブータン政府に勤務した著者が綴る、彼らの幸せ力。

読売新聞政治部著
「日中韓」外交戦争

狡猾な手段を弄しアジアの覇権を狙う中国。大統領自らが反日感情を露わにする韓国。風雲急を告げる東アジア情勢を冷静に読み解く。

清水潔著
殺人犯はそこにいる
——隠蔽された北関東連続幼女誘拐殺人事件——
新潮ドキュメント賞・日本推理作家協会賞受賞

5人の少女が姿を消した。「冤罪」「足利事件」の背後に潜む司法の闇。「調査報道のバイブル」と絶賛された事件ノンフィクション。

柳田国男著
遠野物語

日本民俗学のメッカ遠野地方に伝わる民間伝承、異聞怪談を採集整理し、流麗な文体で綴る。著者の愛と情熱あふれる民俗洞察の名著。

村上春樹文
大橋歩画
村上ラヂオ3
——サラダ好きのライオン——

不思議な体験から人生の深淵に触れるエピソードまで、小説家の抽斗にはまだまだ話題がいっぱい!「小確幸」エッセイ52編。

| お伽草紙 | |
|---|---|
| 新潮文庫 | た-2-7 |

昭和四十七年 二月二十一日 発　行
平成二十一年 三月二十五日 六十九刷改版
平成二十八年 五月三十日 八十三刷

著　者　　太
　　　　　　宰
　　　　　　　　治
　　　　　　　　おさむ
　　　　　　だ
　　　　　ざい

発行者　　佐　藤　隆　信

発行所　　会社
　　　　　株式　新　潮　社

郵便番号　一六二―八七一一
東京都新宿区矢来町七一
電話編集部（〇三）三二六六―五四四〇
　　読者係（〇三）三二六六―五一一一
http://www.shinchosha.co.jp
価格はカバーに表示してあります。

乱丁・落丁本は、ご面倒ですが小社読者係宛ご送付
ください。送料小社負担にてお取替えいたします。

印刷・東洋印刷株式会社　製本・株式会社大進堂
Printed in Japan

ISBN978-4-10-100607-9　C0193